Un grand week-end
à Paris

Un grand week-end
à Paris

« Paris ? Vous allez à Paris ?… » Il y a dans le regard de ceux qui posent la question un désir, une nostalgie. Il faut dire que peu de villes au monde savent autant nous séduire. À chaque coin de rue un artiste est né, un écrivain a vécu. C'est à Paris que s'est écrite l'histoire du pays tout entier, et il n'y a guère de monument auquel ne soit rattaché un souvenir national. La décentralisation n'y fait rien, c'est encore à Paris que s'élabore la politique du pays, que se prennent les décisions ; c'est de Paris que rayonnent l'information, les idées, la mode et ses caprices.

Chaque promenade dans la Ville Lumière est prétexte à traverser des quartiers que l'on vient voir des quatre coins du monde et qui s'offrent à qui sait les regarder. Les rues se succèdent, majestueuses ou secrètes : partout, le passé a laissé des merveilles, fastueux décors d'une époque où l'on cultivait le

goût avec un sens inné du chef-d'œuvre, humble ou monumental. À Paris, il faut jouer les curieux, lever le nez. Au coin d'une rue, admirer la tourelle d'angle d'un hôtel Renaissance ; suivre les arabesques d'un balcon rocaille ou les volutes d'une fenêtre Art nouveau ; s'arrêter aux vitrines des magasins et pousser la porte des boutiques de charme ; prendre le temps de regarder frémir, sur les pierres de l'île Saint-Louis, la lumière reflétée par la Seine, et s'arrêter devant un relief que le soleil souligne, en dévoilant sa douceur ou sa force, puis, soudain, se laisser prendre par un rire à la terrasse d'un café. C'est que la ville n'est pas un décor inanimé, ses paysages servent de toile de

fond aux Parisiens souvent pressés, mais qui trouvent pourtant le temps de cultiver l'art de vivre de jour comme

de nuit. Les restaurants, gastronomiques ou non, les brasseries, les terrasses des bistrots et les bars sont leurs étapes favorites, du premier petit noir au dernier verre. Laboratoire national de l'innovation, Paris produit, inspire et alimente un immense marché de l'art, de la mode et de la décoration, où les créations se succèdent. Architectes, décorateurs, designers ou stylistes rivalisent d'imagination pour donner aux showrooms, aux galeries et aux boutiques, raffinement et originalité. Le spectacle se poursuit au-delà des vitrines : entrez sans hésitation,

l'intérieur tient toujours ses promesses : qu'on ait envie d'une paire de chaussures, d'un objet, d'un sac, d'une écharpe, d'un coupon de tissu, ou qu'on désire simplement respirer un peu de cet air de Paris, sans rien acheter. Qu'on soit luxe ou provoc, classique ou tout le contraire, il suffit de chercher, au hasard, guidé par l'air du temps, les rumeurs de la mode, l'humeur du moment. Laissez-vous porter par la ville et les courants qui l'animent. « Vous allez à Paris ?... Vous avez de la chance... » Qui a dit : « Paris sera toujours Paris » ?

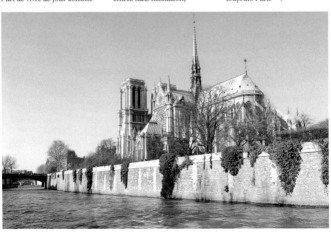

EXPOS 2012

Pour vous aider à choisir dans un programme artistique foisonnant, voici un aperçu des expositions qui se tiennent à Paris en 2012.
Pour en savoir plus, rendez-vous à l'office de tourisme.

Grand Palais

Des jouets et des hommes

14 septembre 2011 – 23 janvier 2012

Poupées, toupies, autos, chevaux… 990 œuvres et jouets d'exception ou d'usage du monde occidental et du Japon sont passés au crible de l'histoire. Issus de musées prestigieux des quatre coins du monde (Arts décoratifs, Arts et Métiers de Paris, Museum of Childhood, Victoria and Albert Museum de Londres), mais aussi de nombreuses collections privées, ils interrogent le rapport du jouet au monde. Réjouissant pour les petits… comme pour les plus grands.

Infos pratiques p. 73.

Centre Georges-Pompidou

Edvard Munch, l'œil moderne, 1900-1944

21 septembre 2011 – 9 janvier 2012

Le Cri est son tableau le plus connu. Ce peintre norvégien est souvent présenté, à tort, comme un symboliste, alors qu'il était farouchement moderne. Cette exposition entend rétablir la vérité à travers 59 peintures, 49 photographies d'époque, 24 œuvres sur papier, 4 films

ainsi qu'une œuvre plutôt rare : une sculpture de l'artiste.

Infos pratiques p. 88.

Musée de l'Orangerie

Frida Kahlo et Diego Rivera

27 septembre 2011 – 16 janvier 2012

Couple mythique du Mexique du début du XXᵉ s., Diego Rivera et Frida Kahlo ont eu une vie tumultueuse pleine de rebondissements. Ils furent mariés à deux reprises, et leurs œuvres respectives, bien que très différentes, se répondent sans cesse. Avec l'amour du Mexique comme point commun central.

Infos pratiques p. 37.

Jeu de Paume

Diane Arbus

18 octobre 2011 – 5 février 2012

C'est la première rétrospective en France de cette grande photographe américaine des années 1950 et 1960. à travers plus de 200 clichés en noir et blanc, on plonge dans l'univers new-yorkais de cette époque et de ses personnages hors norme (des nains, des excentriques…).

1, place de la Concorde, 75008 (C3)
M° Concorde
☎ 01 47 03 12 50
www.jeudepaume.org
Mar. 12h-21h, mer.-ven. 12h-

19h, sam.-dim. 10h-19h (f. 25 déc., 1ᵉʳ janv. et 1ᵉʳ mai)
Accès payant.

Musée Rodin

Rodin, 300 dessins, 1896-1917

Mi-octobre 2011 – mi-février 2012

Connu pour ses sculptures, Rodin était aussi un dessinateur. Lui-même considérait son œuvre dessinée comme la partie la plus novatrice de son travail. Cette exposition regroupe plus de 300 dessins réalisés au cours des vingt dernières années de l'artiste.

Infos pratiques p. 69.

Palais de Tokyo

La Triennale

Avril – août 2012

Pour sa troisième édition, la Force de l'Art quitte la nef du Grand Palais pour investir le palais de Tokyo. Ce panorama de l'art contemporain en France sera placé, cette fois, sous la houlette du critique d'art nigérian et directeur artistique de la Documenta de Kassel, Okwui Enwezor.

13, avenue du président Wilson, 75016 (A3)
M° Iéna
☎ 01 47 23 54 01
www.palaisdetokyo.com
Mar.-dim. 12h-21h (f. 25 déc., 1ᵉʳ janv. et 1ᵉʳ mai)
Accès payant.

ÇA VIENT d'ouvrir...

Voici les dernières boutiques à la mode et les lieux tendance de la Ville Lumière… Retrouvez aussi notre sélection complète d'adresses, revue et actualisée, dans les chapitres Séjourner, Shopping et Sortir.

Resto

Le Schmuck

1, rue de Condé, 75006 (I7)
M° Odéon
☎ 01 43 54 18 21
Jeu.-sam. 12h-4h,
dim.-mer. 12h-2h
Menu midi : 15 €,
à la carte : env. 45 €.

La déco est signée Laura Gonzalez, déjà à l'origine du renouveau du Bus Palladium. Elle crée une ambiance chargée, baroque, classe et vintage en revisitant le XVIIIe s. Un lieu assez patchwork où il est possible de boire un café, de siroter un cocktail, de déjeuner d'un crabe en rémoulade, ou même de se trémousser passé minuit, quand Le Schmuck devient club !

Boutiques

Forever 21

Rue de Rivoli, 75001 (C3/D3)
M° Louvre-Rivoli
Ouverture prévue fin 2011.

La marque américaine s'apprête à s'installer dans un espace de plus de 2 000 m². Pour le moment, le plus grand secret entoure l'ouverture de cette boutique mais les *fashionistas* ne manqueront de vous avertir le jour J.

Marks & Spencer

100, avenue des Champs-Élysées, 75008 (B2)

M° George-V
www.marksandspencer.com
Ouverture prévue
en nov. 2011.

C'est le grand come-back de la fameuse enseigne britannique en France ! Pour ce retour, Marks & Spencer s'offre 1 400 m² sur la plus belle avenue du monde. Au cœur de son offre : le prêt-à-porter féminin, la lingerie ainsi que plus de 500 références alimentaires ! À nous les *apple pies* et les biscuits Mc Vities !

APC

23, rue Royale, 75008 (C3)
M° Concorde
☎ 01 44 51 98 57
Lun.-sam. 11h-19h30.

La marque française a ouvert une nouvelle boutique tout en bois et en laiton, à mi-chemin entre la place de la Concorde et la Madeleine, juste à côté d'un magasin Chanel. Hommes, femmes, accessoires : on y trouve sur deux niveaux tous les bons basiques (jeans brut à 130 € ; chemises, blouses, robes, mocassins, sacs, etc.). De temps en temps, on peut aussi mettre la main sur des collaborations plus ponctuelles autour de madras, de bougies et de kilts.

Sortie

Le Petit Bain

7, port de la Gare, 75013
(HP par E5)
M° Quai-de-la-Gare
☎ 01 43 49 69 88
www.petitbain.org
Mar.-ven. 12h-14h et
18h-2h, sam.-dim. 12h-2h
• Entrée salle
de concert : 11 à 15 €
• Plat : de 13 à 17 €.

En gestation depuis plus de trois ans au sein de l'association Guinguette Pirate, ce nouveau lieu culturel et flottant, amarré au pied de la Grande Bibliothèque, a finalement ouvert ses portes cet été. Il regroupe un seul lieu pour trois espaces : un restaurant avec une carte française inspirée des cuisines du monde ; une salle de concerts où retrouver des artistes émergents de « pop indigène » ; et un jardin aménagé sur la terrasse.

Calendrier des événements
à Paris

Votre choix est fait, vous partez à Paris. Reste à ajuster vos dates… Voici le programme (loin d'être exhaustif !) des festivités, qui vous permettra de cibler au mieux votre séjour en fonction de vos envies. La capitale vibre tout au long de l'année au gré des événements culturels ou des manifestations populaires. Autant d'occasions d'apprécier la ville dans un contexte festif et particulièrement animé.

Rejoignez-nous sur Facebook ! Retrouvez toute l'actualité (expos, nouvelles adresses, infos pratiques…) et partagez vos bonnes adresses ! www.facebook.com/GuidesUnGrandWeekend

Février

Nouvel An chinois
C'est la fête la plus importante pour les communautés chinoises. Cette manifestation se déroule dans le 13e arrondissement, entre la porte de Choisy et le boulevard Masséna.
www.chine-informations.com

Mars

Printemps des poètes
Cela fait quatorze ans que cet événement a lieu. Son objectif est de susciter des actions originales afin que la poésie soit accessible à tout public.
www.printempsdes
poetes.com

Mai

Nuit des musées
Vous avez jusqu'à minuit pour découvrir les plus grandes collections d'art ou visiter les musées les plus méconnus de la Ville Lumière. Une nuit à frissonner de plaisir !
www.nuitdes
musees.culture.fr

Juin

Gay Pride
La « Marche des fiertés » s'attache à favoriser la diversité sexuelle, culturelle ou encore générationnelle. Le défilé part de Montparnasse et s'achève à la Bastille.
www.gaypride.fr

Fête de la Musique
Depuis ses débuts en 1981, la fête de la Musique a pris de plus en plus d'ampleur. La Ville Lumière célèbre l'été à grands renforts de concerts éclectiques.

Solidays
Ce festival musical a été créé en 1999 par l'association Solidarité Sida pour financer la lutte contre cette maladie. Il rassemble pendant trois jours plusieurs milliers de visiteurs et des artistes internationaux.
www.solidays.org

Juillet

Paris Cinéma
Profitez de ces quelques jours pour voir des films récents ou anciens, français ou étrangers, dans des salles légendaires et à petits prix !
www.pariscinema.org

Chasse au trésor
Déchiffrez des énigmes insolites et pénétrez les mystères et légendes de Paris à travers un dédale de rues, de places, de jardins et de passages secrets.
www.tresorsdeparis.fr

Fête nationale
Le 14 juillet, vous allez en prendre plein les yeux ! Commencez la journée par un défilé militaire, sur la plus belle avenue du monde. À la tombée de la nuit, assistez à un superbe feu d'artifice ! Enfin, terminez la soirée en dansant au bal des pompiers.
http://14juillet.paris.fr

Paris Plage
Chaque été, entre juillet et août, les berges rive droite de la Seine et la place de l'Hôtel-de-Ville sont envahies

par des milliers de badauds venus profiter des nombreuses activités sportives, des plages de sable, d'une piscine ou encore des concerts…

www.paris.fr/parisplages

Paris quartier d'été

Depuis vingt ans, des compagnies des quatre coins du monde sont invitées. Danse, musique, théâtre, cirque, conte sont au menu, gratuitement ou à tout petit prix.

www.parisquartierdete.com

Août

Rock en Seine

Finissez l'été sur une note rock'n'roll. Avec trois scènes différentes, une programmation s'étalant sur trois jours et la venue des plus grands artistes mondiaux, ce festival n'a plus rien à envier à la scène londonienne.

www.rockenseine.com

Fête indienne de Ganesh

Cette manifestation se déroule, fin août-début septembre, dans les rues du 18e arrondissement parisien. Revêtez votre sari et partez au cœur de l'Inde.

Septembre

Journées du patrimoine

C'est LE rendez-vous culturel de la mi-septembre !
Venez (re)découvrir, entre amis ou en famille, l'exceptionnelle richesse du patrimoine de la capitale française, qu'il soit littéraire, pictural, religieux, militaire, botanique ou maritime.

www.journee-du-patrimoine-paris.fr

Fête des Jardins de Paris

Amoureux de la nature, profitez de cette journée pour flâner dans les célèbres jardins de la ville ou surprendre, au détour d'une rue, un charmant parc en fleurs…

www.paris.fr

Octobre

Nuits blanches

Suivez, jusqu'au petit matin, un itinéraire artistique dévolu à l'art contemporain. Découvrez aussi des concerts d'images et de sons étonnants ou assistez à des projections de films en trois dimensions.

www.paris.fr

FIAC

La Foire internationale d'art contemporain vous ouvre ses portes tous les ans au mois d'octobre. Les plus grandes œuvres d'art moderne, contemporain et de design sont exposées dans deux sites magiques de la capitale : le Grand Palais et la Cour carrée du Louvre.

www.fiac.com

Salon du chocolat

Une longue histoire d'amour et de gourmandise unit la France et le chocolat. C'est

probablement ce qui explique le succès grandissant de ce salon. Ne manquez pas lex expositions de pièces artistiques et l'incontournable défilé de robes en chocolat !

http://newsroom.
salonduchocolat.fr

Décembre

Période de Noël

Pendant plus d'un mois, Paris participe à la magie du moment et se pare de ses plus beaux bijoux : guirlandes scintillantes, sapins enneigés… Les vitrines des grands magasins sont revêtues de paysages féeriques, d'automates animés… Et une grande roue, place de la Concorde, vous propose de profiter d'une vue imprenable sur la ville.

MUSÉES ET EXPOSITIONS TEMPORAIRES

Pour connaître le programme des expositions temporaires, vous pouvez consulter le site de l'OT de Paris, www.parisinfo.com, celui de la mairie, www.paris.fr, ou bien directement les sites des musées :
· Musée du Louvre : www.louvre.fr
· Centre Pompidou : www.centrepompidou.fr
· Musée d'Orsay : www.musee-orsay.fr
· Muséum d'histoire naturelle : www.mnhn.fr
· Musée du Quai-Branly : www.quaibranly.fr
· Grand Palais : www.rmn.fr
· Musée Picasso : www.musee-picasso.fr
· Musée Carnavalet : www.carnavalet.paris.fr

LE MEILLEUR DE
PARIS

Musées, monuments, mais aussi balades ou activités, voici ce qu'il ne faut pas manquer à Paris. Vous retrouverez toutes nos suggestions détaillées au fil des pages de ce guide.

Musées et monuments

La tour Eiffel
Voir Visite n° 17 p. 70 et « Zoom sur » p. 78.

Le Muséum d'histoire naturelle
Voir Visite n° 11 p. 59 et « Zoom sur » p. 79.

Le musée d'Art moderne
Voir Visite n° 17 p. 71 et « Zoom sur » p. 80.

L'Arc de Triomphe
Voir Visite n° 18 p. 72 et « Zoom sur » p. 81.

Le Louvre
Voir Visite n° 1 p. 36 et « Zoom sur » p. 82.

La basilique du Sacré-Cœur
Voir Visite n° 9 p. 53 et « Zoom sur » p. 83.

Les Invalides
Voir Visite n° 16 p. 68 et « Zoom sur » p. 84.

Le musée d'Orsay
Voir Visite n° 1 p. 37 et « Zoom sur » p. 85.

La cathédrale Notre-Dame
Voir Visite n° 6 p. 47 et « Zoom sur » p. 86.

Le musée du Quai-Branly
Voir Visite n° 17 p. 71 et « Zoom sur » p. 87.

Le centre Georges-Pompidou
Voir Visite n° 3 p. 41 et « Zoom sur » p. 88.

La place des Vosges
Voir Visite n° 4 p. 42 et « Zoom sur » p. 89.

Le musée Carnavalet
Voir Visite n° 4 p. 43 et « Zoom sur » p. 90.

Le musée Picasso
Voir Visite n° 4 p. 43 et « Zoom sur » p. 91.

La tour Montparnasse
Voir Visite n° 15 p. 66 et « Zoom sur » p. 92.

Le cimetière du Père-Lachaise
Voir « Zoom sur » p. 93.

La basilique du Sacré-Cœur

Le Louvre

Balades dans les jardins

**Passer une journée au vert
au Jardin des plantes**
Voir Visite n° 11 p. 59 et « Zoom sur » p. 79.

**Jouer aux échecs
au jardin du Luxembourg**
Voir Visite n° 12 p. 61.

Le jardin des Tuileries et ses bateaux
Voir Visite n° 1 p. 37.

Vivre à l'heure de Paris

**Séance shopping fringues et
gourmandises au Bon Marché**
Voir Visite n° 14 p. 65.

**Flâner dans les galeries d'art
contemporain du Marais**
Voir Shopping p. 136-137.

**Boire un verre dans une des
grandes brasseries parisiennes**
Voir Visites n°s 14 et 15 p. 65 et 67.

**Se balader le nez au vent
le long du canal Saint-Martin**
Voir Visite n° 20 p. 76.

**Passer une folle soirée musicale
à l'Olympia puis au Bus Palladium**
Voir Sortir p. 150 et 153.

Partir à Paris

En avion

Deux aéroports desservent la capitale : Orly (15 km au sud de Paris) et Roissy-Charles-de-Gaulle (30 km au nord de la ville). Si la plupart des vols internationaux arrivent à Roissy, les vols nationaux atterrissent indifféremment à Orly ou à Roissy selon les compagnies et les horaires. Vous pouvez consulter le site www.adp.fr pour plus de renseignements. Parmi les compagnies aériennes assurant des liaisons avec les capitales européennes et les principales villes françaises :

Air France, agence Maillot, 2, pl. de la Porte-Maillot, 75017, ☎ 36 54, www.airfrance.fr, lun.-sam. 10h15-18h30.

United Airlines, aéroport Charles-de-Gaulle, terminal 1, porte 16, ☎ 0810 72 72 72, www.united.fr, t. l. j. 8h-14h15.

Delta Airlines, aéroport Charles-de-Gaulle, terminal 2E, ☎ 0811 640 005, www.delta.com

Easy Jet, ☎ 0826 103 320, www.easyjet.com

De Roissy à Paris

Le **RER B** (Roissy-Rail, informations SNCF : ☎ 08 91 36 20 20) circule de 5h à minuit et passe toutes les 4 à 15 min. Il vous faudra compter 35 min environ jusqu'à la gare du Nord. Le tarif s'élève à 8,70 €.

Le **Roissybus** (informations RATP : ☎ 32 46, lun.-ven. 7h-21h, sam.-dim. et j. f. 9h-17h) circule de 6h à 23h dans le sens Roissy-Paris et de 5h45 à 23h dans le sens Paris-Roissy. La fréquence est d'un bus toutes les 15-20 min (30 min le soir). Le tarif s'élève à 9,40 €, et il faut compter environ 50 min de trajet jusqu'à la place de l'Opéra (seul arrêt, rue Scribe).

Les **cars Air France** font la navette de 5h45 à 23h, toutes les 30 min. La ligne 2 rejoint la place de l'Étoile et

la porte Maillot en 50 min (tarif : de 7,50 à 15 €).
La ligne 4 dessert la gare de Lyon et la gare Montparnasse en 50 min également (tarif : de 8 à 24 €). Informations : ☎ 0892 35 08 20 ou www.cars-airfrance.com
Les bus RATP : le 351 circule de 7h à 21h30 et part toutes les 30 min pour la place de la Nation – 1h15 de trajet.
Le 350 circule de 6h à 22h30 et part toutes les 20 min pour la gare du Nord et la gare de l'Est – 1h15 de trajet. Tarif : 5,20 €.
Les Noctiliens (informations au ☎ 36 58) circulent de

au guichet un billet combiné qui inclut le trajet en RER et métro pour rejoindre Paris (informations : ☎ 36 58 ou www.orlyval.com). Orlyval circule de 6h à 23h toutes les 4 à 7 min en moyenne. Comptez 35 min d'Orly à Châtelet.
Autre solution : une navette vous conduira au RER C – arrêt Pont-de-Rungis/ Aéroport d'Orly. Là, vous pourrez prendre le RER de 5h à 23h30, toutes les 15 min (30 min après 21h). Comptez 40 min pour atteindre la gare d'Austerlitz. Tarif : 6,30 € (2,50 € la navette seule).
L'Orlybus (informations :

Rejoignez-nous sur **Facebook !** Retrouvez toute l'actualité (expos, nouvelles adresses, infos pratiques…) et partagez vos bonnes adresses ! www.facebook.com/ GuidesUnGrandWeekend

toutes les 15-20 min, pour un trajet d'une durée de 30 min environ. Tarif : 6,60 €. Attention : depuis le 1er avril 2010, la durée du trajet risque peut être plus longue en raison de travaux sur l'autoroute A 6b (comptez 45 min).
Les cars Air France (☎ 0892 35 08 20) : la ligne 1★ vous mènera jusqu'à Montparnasse et aux Invalides, de 5h à 23h toutes les 20 min. Tarif : 11,55 € l'aller et 18,50 € l'aller-retour.

nuit. Les lignes N 140 et N 143, de minuit à 4h30 avec une fréquence de 30 min, vous mèneront à la gare de l'Est. Comptez 1h de trajet. Tarif : de 8,70 à 11,60 € pour quatre tickets T + ou 6,80 € si vous achetez un billet au chauffeur du bus.

D'Orly à Paris

Ne croyez pas que les choses soient compliquées… Si vous suivez notre petit mode d'emploi, tout se passera bien ! Le métro automatique **Orlyval** vous permettra de rejoindre le RER B à la station Antony pour 7,90 €. Pour quelques euros de plus (10,25 €), vous pouvez obtenir

☎ 0892 68 77 14) est direct jusqu'à Denfert-Rochereau. Il passe de 6h à 23h30,

TRANSPORT ET SÉJOUR À PRIX RÉDUIT

La SNCF, les autocaristes, les compagnies aériennes et de nombreux voyagistes proposent des formules transport et hébergement. Celles-ci sont souvent plus avantageuses que si vous vous débrouillez tout seul. À budget identique, vous aurez parfois, par exemple, une meilleure catégorie d'hôtel. Le revers de la médaille : le choix des établissements est moins étendu, et ces derniers sont parfois un peu impersonnels, habitués qu'ils sont à recevoir une clientèle de groupes. Si vous achetez un forfait avion + hôtel, le transfert de l'aéroport à l'hôtel sera souvent compris dans le prix : une économie non négligeable si vous voyagez en famille. Au départ de nombreuses villes de province, des vols à prix réduit sont souvent proposés par les voyagistes qui ont des lots de places sur des vols réguliers. Renseignez-vous dans votre agence de voyages.

Le taxi

Il faut compter au minimum 50 € depuis Roissy et 30 €

depuis Orly jusqu'au centre de Paris… en tarif de jour quand la circulation est fluide. Vous pouvez aussi réserver une voiture avec chauffeur (« limousine service ») au ☎ 01 40 71 84 62. Forfait minimal de 135 € de Roissy à Paris et de 120 € d'Orly à Paris en raison des frais de réservation obligatoires.

En train

Selon votre région de départ, vous arriverez dans l'une des six gares de la capitale (gare de Lyon, gare Montparnasse, gare de l'Est, gare du Nord, gare d'Austerlitz, gare Saint-Lazare) ou dans l'une des trois gares d'Île-de-France (Massy TGV, Marne-la-Vallée-Chessy, aéroport Charles-de-Gaulle TGV). N'oubliez pas de réserver, surtout si vous prenez le TGV ou si vous partez un jour de pointe, ce qui est le cas le week-end. Pensez aussi que certaines réductions sont accordées avec les cartes « Enfant + », « 12-25 », « Escapades », « Senior » (plus de 60 ans), mais aussi

avec les tarifs « Prem's », « Loisir » et « Week-end ». Compostez toujours votre billet lors de l'accès au train ! Infos et réservations au ☎ 36 35, lun.-ven. 8h30-18h, ou sur le site : www.voyages-sncf.com Les gares parisiennes sont toutes très bien desservies par les transports en commun. À la descente du train, bus, métro et taxis vous conduiront à votre hôtel. Le bus est un excellent moyen de découvrir la ville, mais mieux vaut se munir d'un plan détaillé pour choisir la meilleure ligne et partir dans le bon sens (voir p. 32). Les moins téméraires et les plus pressés trouveront leur bonheur avec le métro :
Gare de Lyon : ligne 1 (La Défense – Château-de-Vincennes), ligne 14 (Madeleine – Bibliothèque-François-Mitterrand), mais aussi les RER A et D.
Gare Montparnasse : ligne 4 (Porte-de-Clignancourt – Porte-d'Orléans), ligne 6 (Charles-de-Gaulle-Étoile – Nation), ligne 12

(Porte-de-la-Chapelle – Mairie-d'Issy) et ligne 13 (Saint-Denis-Université – Châtillon-Montrouge).
Gare de l'Est : ligne 4, ligne 5 (Bobigny-Pablo-Picasso – Place-d'Italie) et ligne 7 (La Courneuve – Mairie-d'Ivry ou Villejuif-Louis-Aragon). Les lignes de RER B, D et E sont facilement accessibles puisque la gare du Nord est à une station de la gare de l'Est.
Gare du Nord : lignes 2 (Porte-Dauphine – Nation), 4 et 5, et les RER B, D et E.
Gare d'Austerlitz : ligne 5, ligne 10 (Boulogne-Pont-de-Saint-Cloud – Gare-d'Austerlitz), ainsi que le RER C.
Gare Saint-Lazare : ligne 3 (Pont-de-Levallois-Bécon – Gallieni), lignes 12, 13, 14, et le RER E. Pensez aussi aux correspondances avec la ligne A toute proche.

Voyages-sncf.com

Voyages-sncf.com, première agence de voyages sur Internet, accessible 24h/24 et 7j/7, vous propose ses meilleurs prix sur les billets de train

et d'avion, chambres d'hôtels et locations de voitures, séjours clés en main ou Alacarte®. Vous avez également accès à des services exclusifs : l'envoi gratuit des billets à domicile, Alerte Résa pour être informé de l'ouverture des réservations, le calendrier des meilleurs prix, mais aussi des offres de dernière minute, de nombreuses promotions...
SNCF : ☎ 36 35.

En voiture

Depuis l'organisation de la France en un espace centralisé au XVIe s., Paris se trouve au centre du réseau routier français. Petites routes ou autoroutes vous conduiront toutes à l'une des portes de Paris. Empruntez l'A 86 et le boulevard périphérique pour approcher au plus près de votre destination intra-muros, mais attention aux embouteillages ! Pour connaître l'état de la circulation ou celui des routes, appelez **Bison Futé** au ☎ 0 800 100 200 ou allez sur www.bison-fute.equipement.gouv.fr Une fois sur place, à vous de voir si vous utilisez votre voiture ou si vous la laissez dans le parking de l'hôtel ou dans un parc de stationnement de la ville. Mais sachez que vous n'en aurez pas vraiment besoin pour toutes vos visites. Les transports publics sont la solution la plus pratique. La voiture vous sera surtout utile pour vous déplacer en grande banlieue.

Location de voitures
Hertz
☎ 01 41 91 95 25
www.hertz.fr

Avis
☎ 0820 05 05 05
www.avis.fr
Europcar
☎ 0825 358 358
www.europcar.fr
Opodo
☎ 0899 65 36 55
www.opodo.fr

En car

Vous pouvez par exemple venir de Bruxelles à Paris en quatre heures (à partir de 46 € A/R) avec les lignes de la compagnie **Eurolines.** Vous arriverez alors à la gare routière de Bagnolet (M° Gallieni sur la ligne 3). Informations :
☎ 0892 89 90 91,
www.eurolines.fr

Paiement

Vous pouvez régler vos achats en espèces, par chèque ou Carte bleue, ou parfois en traveller's chèques. En arrivant ou en sortant de France et si le montant de vos devises dépasse 10 000 €, vous vous devez de les déclarer aux douanes françaises. Infos Douanes Service :
☎ 0811 20 44 44 ; ou le site européen : www.edouane.com

Détaxe

Les citoyens de pays extérieurs à l'Union européenne et âgés de plus de 15 ans peuvent déduire la TVA du montant de leurs achats (à condition d'avoir dépensé plus de 175 € dans un même magasin le même jour). Attention, tout n'est pas détaxable, renseignez-vous au moment de vos achats. Infos Douanes Service :
☎ 0811 20 44 44 ou
www.douane.gouv.fr

Formalités

Les ressortissants des pays membres de l'Union européenne passent la frontière avec leur seule carte nationale d'identité ; pour les autres, le passeport, voire le visa, est nécessaire. Renseignez-vous au préalable auprès du consulat de France dans votre pays d'origine, ou auprès de votre consulat en France. Si vous venez avec votre chihuahua préféré ou votre matou, pensez à emporter son carnet de santé signé par le vétérinaire et prouvant que votre animal est bien vacciné.

L'éternelle
Ville Lumière

On l'appelle la « Ville Lumière ». Mais pourquoi ? Serait-ce à cause de son statut de capitale culturelle de l'Europe des Lumières, du phare de sa tour Eiffel, de ses avenues haussmanniennes bordées de lampadaires, de ses ponts illuminés ? Une chose est sûre en tout cas : les 304 sites éclairés chaque soir dans la ville (monuments, hôtels, églises, fontaines…) entretiennent cette réputation !

Les lumières de la ville

Paris fut l'une des premières villes de France à adopter l'éclairage public. Aux XVIe et XVIIe s., c'était aux bourgeois d'entretenir à leurs frais une chandelle à la fenêtre de leur demeure. Tout change en 1667 avec l'arrivée de La Reynie au poste de lieutenant général de police : 2 736 lanternes à huile éclairent alors 312 rues de la ville. Elles sont peu à peu remplacées par le gaz, avant que l'électricité ne s'en mêle dans les années 1880. Son utilisation devient systématique dès 1914 et les dernières lanternes à gaz disparaissent en 1962. Aujourd'hui, il y a 59 700 candélabres dans Paris.

L'importance des Expositions universelles

Paris garde encore des traces indélébiles des cinq Expositions universelles qu'il accueillit entre 1855 et 1937 : la tour Eiffel en 1889, le Grand Palais et le pont Alexandre-III en 1900, tous deux typiques de l'Art nouveau, et le palais de Chaillot en 1937, date de la dernière manifestation de ce genre. C'est aussi à l'occasion de l'Exposition de 1889 que les Grands Boulevards furent équipés de lampes à arc.

La tour Eiffel prend des couleurs

Indéboulonnable et plus que centenaire, la tour Eiffel ne cesse de se réinventer. Depuis l'an 2000, elle s'est mise à scintiller. Parfois, elle change aussi d'apparence pour coller à l'actualité. Elle était verte en 2007 pendant la durée de la Coupe du monde de rugby. En 2008, à l'occasion des six mois de la présidence européenne de la France, elle a même revêtu des habits de lumière bleu encre auréolés d'étoiles couleur or.

La magie des ponts

Bizarrement, le plus vieux pont de Paris s'appelle le Pont-Neuf ! Construit au début du XVIIᵉ s., il traverse la pointe ouest de l'île de la Cité et offre un panorama magique sur la ville. Aujourd'hui, 37 ponts enjambent la Seine et 33 sont mis en lumière. À lui seul, le pont Alexandre-III compte 32 candélabres. Les quatre candélabres de ses extrémités figurent parmi les plus connus : ils sont entourés de statues d'anges. Autre pont très fameux : le pont des Arts, qui relie l'Institut de France à la Cour carrée du Louvre. Piéton, ce pont a souvent été chanté (par Gainsbourg, Brassens ou encore Souchon) et filmé.

Les grands travaux de la Vᵉ République

Si l'architecture de la ville doit encore beaucoup au baron Haussmann et aux vestiges des Expositions universelles, Paris a subi de profondes rénovations depuis l'avènement de la Vᵉ République. C'est comme si chaque président avait voulu marquer l'architecture parisienne de son sceau. Georges Pompidou fut à l'initiative du centre Beaubourg ; François Mitterrand, du « Grand Louvre » et de ses pyramides tant décriées à leur époque, de l'Arche de la Défense ainsi que de la Bibliothèque de France dans le 13ᵉ arrondissement. Jacques Chirac, quant à lui, offrit aux Parisiens l'imposant musée du Quai-Branly.

La féérie de Noël

Dès la fin du mois de novembre, la ville se pare de ses plus beaux atours. Les vitrines des grands magasins s'animent, les Champs-Élysées s'illuminent et chaque quartier rivalise de fantaisie. Pendant plus de six semaines, 130 rues sont ainsi illuminées sur une longueur totale de 200 km. Une profusion qui coûte près de six millions d'euros chaque année, consommation électrique et frais de maintenance inclus. Depuis 2007, la ville n'utilise plus que des ampoules à basse consommation qui réduisent de 70 % sa facture énergétique.

Un lieu canaille : Pigalle

Situé à la frontière du 18ᵉ et du 9ᵉ arrondissement, ce quartier doit son nom au

sculpteur Jean-Baptiste Pigalle et sa réputation à ses cabarets et à ses cafés-concerts, dont le plus célèbre reste le Moulin Rouge créé en 1889. Entre les deux guerres, Pigalle était synonyme de débauche, de pègre, de petites femmes et d'alcool. Dans les années 1930, 2 000 femmes s'y prostituaient. L'interdiction des maisons closes et la libération des mœurs des années 1970 ont peu à peu changé le visage du quartier. Pigalle n'est plus le repaire de truands qu'il était. Il reste pourtant quelque chose de son passé subversif quand on traîne dans ses bars ouverts toute la nuit ou qu'on part s'encanailler dans son musée de l'Érotisme (72, boulevard de Clichy, 75018, C1, Mᵒ Blanche, ☎ 01 42 58 28 73, accès payant) et ses sex-shops.

ATMOSPHÈRE, ATMOSPHÈRE… LES LUMIÈRES DE LA VILLE

En 1996, Marin Karmitz fait un pari fou : implanter un de ses cinémas dans un coin de Paris plutôt mal famé (le bassin de la Villette entre Jaurès et Stalingrad) et pas très riche en offre culturelle. Le MK2 Quai de Seine, installé dans un bâtiment original de Gustave Eiffel, était né. Pari tenu haut la main ! Tant et si bien qu'il double la mise en 2005 en ouvrant le MK2 Quai de Loire, juste en face. À eux deux, ces cinémas attirent chaque année plus d'un million de spectateurs. Le Zéro de Conduite, une navette fluviale baptisée en hommage à Jean Vigo qui tourna ici L'Atalante, fait l'aller-retour entre les deux rives.

MK2 : 14, quai de Seine et 7, quai de Loire, 75019 (F1) Mᵒ Stalingrad – www.mk2.com

À l'ombre
des passages

Traversant les maisons avec désinvolture, se faufilant discrètement d'une rue à l'autre, ce type de passage est une invention parisienne. La Restauration et la monarchie de Juillet, spéculation immobilière aidant, en font une mode. On s'y promène, on s'y donne rendez-vous. Aujourd'hui, le charme suranné de ces endroits est pris d'assaut par les boutiques de mode, les salons de thé et les galeries d'art. D'autres, comme le passage Brady, mini-enclave indienne dans la ville, offrent un visage beaucoup plus populaire.

Le prince promoteur

En 1785, le duc d'Orléans, apparemment à court d'argent, loua à des commerçants parisiens les arcades qu'il avait fait construire dans son jardin du Palais-Royal : les galeries de Montpensier, de Beaujolais, de Valois, des Proues et du Jardin. Plus tard, il fit aussi relier la galerie de Montpensier à la galerie de Valois par un pont de bois qui se couvrit aussitôt de boutiques. Le « passage » était né, et avec lui le succès. Si bien qu'après la Révolution, spéculateurs et promoteurs en reprirent l'idée

pour en édifier sur les terrains que la revente des biens nationaux venait de libérer.

Les beaux jours

La galerie Vivienne, la galerie Colbert, la galerie Véro-Dodat ouvrirent en 1826. Aux plafonds percés de simples lucarnes de verre succédaient les verrières ; la vitrine s'élargissait, libérée de ses montants de bois ; la fonte apparaissant lui donnait une solidité nouvelle. Le gaz, dès 1817, éclairait les passages qui brillaient de mille feux. La foule s'y pressait, attirée par les restaurants et les cafés, les librairies et les cabinets de lecture, les pâtisseries et les confiseries. On ne comptait plus les modistes et les couturières. La bourgeoisie, éblouie par un luxe désormais accessible, dépensait sans compter et venait danser les soirs de bal.

couverts à peu près oubliés depuis le XIXe s.

Le temps retrouvé

On flâne de nouveau dans les passages enfin rénovés. Des boutiques de mode et de décoration ont pris la place des petits commerces, que Balzac décrivait dans les *Illusions perdues,* près des quelques libraires, brocanteurs ou artisans qui avaient réussi à survivre. Les cafés ont retrouvé leur clientèle, d'autres ont ouvert leurs portes. Une foule de stylistes, de couturiers, de publicitaires, de journalistes et de tous ceux qui gravitent autour s'y donnent rendez-vous, renouant ainsi avec une tradition que l'on croyait définitivement perdue.

Le déclin

Un fois au pouvoir, Louis-Philippe mit fin à la prostitution et aux maisons de jeu pullulant dans les jardins du Palais-Royal, que l'on déserta peu à peu. Pour les autres passages, ce fut le coup de grâce. L'urbanisation de la capitale sous Napoléon III, la pression foncière, la construction de bâtiments spectaculaires pour l'époque, la modernisation, enfin, déplacèrent les centres d'intérêt de Paris, et les passages se démodèrent. Dans le guide Baedeker de 1878, les passages de Paris ne sont même pas mentionnés.

L'oubli

Le temps passait. Au début des années 1960, dans l'indifférence générale, la verrière de la galerie Vivienne s'effondrait sous le poids de l'ouvrier qui la réparait ; la galerie Colbert servait d'entrepôt, et sa rotonde… de parking ! Finalement, dans les années 1980, la mode s'installait place des Victoires et dans les rues avoisinantes, les éditeurs de tissus, rue du Mail ou rue des Petits-Champs. Tout un monde à l'affût de la nouveauté redécouvrait alors le charme de ce quartier de Paris et de ses passages

PASSAGES PRATIQUES

Pour la déco, la mode, les bouquins, on va **galerie Vivienne** (voir p. 39). Le **passage Choiseul** offre un doux pêle-mêle, du prêt-à-porter à la téléphonie, des posters et des affiches aux jouets. Coups de cœur chic et mode, c'est la brocante, les antiquités, la maroquinerie ou l'édition dans la **galerie Véro-Dodat** (voir p. 39). Le **passage des Panoramas,** entre la rue Saint-Marc et le boulevard Montmartre, vaut le coup d'œil. Il est facile d'y déjeuner ou d'y prendre un café. Les idées charme de Pain d'Épices font le bonheur du **passage Jouffroy**. Les collectionneurs flâneront **passage Verdeau** à la recherche, notamment, de dessins, de gravures, de cartes postales anciennes ou de vieux bouquins.

Du vert
dans la ville

Paris n'est pas aussi connu que Londres pour ses parcs. Et pourtant, la ville regorge de squares, d'avenues fleuries et de cours intérieures remplies d'arbustes. On y trouve même encore des jardins ouvriers sur l'ancien tracé de la Petite Ceinture. De nouveaux parcs, comme le jardin d'Éole dans le 18e, voient le jour. Preuve que la politique d'urbanisation ménage encore des espaces préservés. Depuis quelques années, on voit même fleurir en ville de drôles de murs végétaux, comme au musée du Quai-Branly ou sur la façade du BHV Homme.

Prélude et fugue

Déjà au XVIIe s., les hôtels du Marais ouvraient sur des parterres qui prolongeaient ainsi l'architecture des bâtiments. Le jardin du Luxembourg, si cher à Marie de Médicis, était très fréquenté au XVIIIe s. par les gens de lettres et les artistes. Il est resté tel que l'a finalisé Chalgrin au début du XIXe s. Les Tuileries d'aujourd'hui retrouvent peu à peu l'harmonie que leur avait donnée Le Nôtre.

Une bonne situation

Il faut dire que Paris a tout pour être la capitale des fleurs : de l'argent, du goût, la nostalgie de la campagne et une situation de rêve au cœur d'une région horticole. Une tradition que la poussée

des grands ensembles de banlieue n'est pas arrivée à détruire : Belle-Épine, L'Haÿ-les-Roses, Fontenay-aux-Roses, par exemple, rappellent par leur nom que le sud de la banlieue parisienne et la Brie voisine demeurent le centre des rosiéristes. Le Vexin est celui des plantes à bulbe qui alimentent la ville au jour le jour. Et les aéroports, où les avions déchargent par brassées les fleurs venues du Midi, sont à une demi-heure à peine.

Jardins publics

Les jardiniers de la Ville de Paris entretiennent avec amour les plates-bandes et les parterres des 426 jardins publics comme ceux des avenues. Les fleurs de saison se succèdent dans les allées du Luxembourg. Les arbres centenaires et les roses de Bagatelle font courir tout

Paris ; le Jardin des plantes reste un des hauts lieux de l'horticulture parisienne ; la vallée des Fleurs du Parc floral de Paris, dans le bois de Vincennes, se couvre de giroflées, de tulipes, de pensées et d'une collection d'iris unique au monde… Près de 100 000 plantes sont cultivées chaque année dans les magnifiques serres d'Auteuil à l'architecture Napoléon III, et les touristes photographient les massifs des Champs-Élysées hiver comme été.

La politique du vert

La Ville de Paris possède 3 000 ha d'espaces verts et 478 000 arbres. Ce patrimoine est entretenu par 1 556 jardiniers et 232 bûcherons, tandis que les horticulteurs municipaux « produisent » 215 000 plantes vivaces et grimpantes, trois millions de plantes fleuries ou vertes, et mettent en terre 2 400 arbres chaque année ! Dès qu'il est possible de récupérer un peu d'espace dans la ville, les paysagistes tentent d'y mettre de la chlorophylle : dans le Jardin atlantique situé au-dessus des voies ferrées de la gare Montparnasse et sur la Coulée verte, cette magnifique promenade plantée sur le viaduc Daumesnil allant de la Bastille au bois de Vincennes. En 2006, 9 ha de jardins supplémentaires ont été ouverts au public. Nouveaux jardins ou extensions de jardins existants, espaces végétalisés… la nature reprend ses droits.

Un programme de visite

Parcs, jardins, cimetières, bois ont leur histoire et leur spécificité. La Ville de Paris organise tout au long de l'année des cycles de conférences sur l'histoire des jardins, sur les plantes. On peut aussi suivre des cours de botanique et de jardinage. Enfin, à la belle saison, des visites guidées vous feront découvrir des jardins haussmanniens (Buttes-Chaumont, Montsouris), des jardins modernes (parc André-Citroën ou parc de Bercy), la convivialité des jardins partagés… Pour tout renseignement, n'hésitez pas à consulter le site www.paris.fr, rubrique Loisirs, puis Paris au vert.

TROC MAIN-VERTE

Certains balcons parisiens révèlent par leur luxuriance des talents verts ! Pour encourager ces initiatives qui embellissent les façades d'immeubles, la Ville de Paris organise trois fois par an (un dimanche après-midi en mars, en juin et à l'automne) le Troc Main-Verte. On échange des graines, des boutures, du petit matériel et des conseils. Cela se passe à la Maison du jardinage au chai de Bercy.

Parc de Bercy : 41, rue Paul-Belmondo, 75012 (HP par F5)
M° Bercy – ☎ 01 53 46 19 19
Rens. sur le site www.jardinons-ensemble.org

La capitale
des intellos

La décentralisation n'y peut pas grand-chose : Paris est un aimant pour tout ce qui touche à la culture et aux livres. C'est ici qu'éditeurs, libraires, groupes de presse, télévisions et radios s'installent en priorité. En novembre, le Tout-Paris littéraire est en émoi : c'est la saison des prix littéraires les plus prestigieux. Cette effervescence de savoir et de culture attire à chaque rentrée une multitude de nouveaux étudiants qui font de Paris la plus grande ville universitaire d'Europe, avec 300 000 étudiants et des universités connues dans le monde entier.

À l'origine

Au Moyen Âge, déjà, Paris séduit les beaux esprits et joue son rôle de capitale. On y vient de province ou de l'étranger pour suivre des études, et les collèges se multiplient autour de la Sorbonne, ouverte en 1257. Le Quartier latin (surnommé ainsi d'après la langue dans laquelle on a enseigné jusqu'à la Révolution) devient le siège des rares lettrés de l'époque. La fondation du Collège de France, en 1530, ajoute à sa réputation ; la présence des universités attire les métiers du livre.

Le rayonnement

Par la suite l'éclat intellectuel de Paris ne cesse de grandir : les rois s'entourent de penseurs, d'écrivains, de scientifiques, d'artistes. L'esprit français s'exporte au XVIIIe s., les idées de Rousseau et de Voltaire font un tour d'Europe, les cours étrangères cherchent à imiter Versailles, et les salons parisiens pratiquent l'humour

et l'intelligence avec maestria. Le XIXᵉ s. produit des monstres sacrés qui, par leurs romans, immortalisent la société parisienne : Balzac, Flaubert, Zola, Eugène Sue… Le XXᵉ s. débutant vivra à jamais dans les pages de Proust.

La librairie

À Paris, les bouquinistes ont beaucoup aidé à la diffusion du livre. En 1857, on en dénombrait 68 ; un certain Lainé voyait passer chaque année près de 150 000 volumes entre ses mains… La librairie, telle que nous la connaissons, n'existait pas encore. Doublée souvent d'une maison d'édition, elle faisait office de cabinet de lecture ou de salon littéraire. On pouvait y louer les ouvrages, les intellectuels s'y retrouvaient autour de livres fraîchement parus, on y lisait la presse étrangère enfoui dans un fauteuil, comme le faisait Stendhal chez Galignani.

D'une spécialité à l'autre

L'un des avantages de Paris est d'offrir de quoi satisfaire tous les goûts de lecture. Les piqués de théâtre passent des heures à la Librairie Théâtrale (3, rue Marivaux, 75002, D2, ☎ 01 42 96 89 42, mar.-ven. 10h-19h, sam. 10h-18h). Autre escale incontournable, la Librairie du Théâtre du Rond-Point réunit à la fois grands classiques et textes de théâtre contemporain, ainsi qu'une sélection de haut vol de beaux-livres sur le théâtre et la danse (2, av. Franklin-D.-Roosevelt, 75008, B2, ☎ 01 44 95 98 22, mar.-ven. 11h-23h, sam. 15h-23h, dim. 14h-18h). Chez Fischbacher vous trouverez tous les livres d'art

(33, rue de Seine, 75006, D4, ☎ 01 43 26 84 87, mar.-sam. 10h-13h et 14h-18h45). Les passionnés de revues anciennes iront à La Galcante, échoppe pittoresque et bien fournie (52, rue de l'Arbre-Sec, 75002, D3, ☎ 01 44 77 87 44, lun.-sam. 12h-19h). Le tour du monde se fait à la librairie Ulysse (26, rue Saint-Louis-en-l'Île, 75004, E4, ☎ 01 43 25 17 35, mar.-ven. 14h-20h, autres jours possibles sur r.-v.). Les livres se dévorent à la Librairie Gourmande

(92, rue Montmartre, 75002, D3, ☎ 01 43 54 37 27, lun.-sam. 11h-19h). Et pour tout savoir sur la botanique, on va à la Maison Rustique (26, rue Jacob, 75006, C4/D4, ☎ 01 42 34 96 60, lun.-sam. 10h-19h).

La rive gauche

Abélard (1079-1142), considéré comme le premier des philosophes français, évincé par les chanoines de Notre-Dame, traverse la Seine suivi de ses élèves et commence à enseigner rive gauche. Le Quartier latin est lancé… Aujourd'hui, la multiplication des facs et des universités de la périphérie n'a pas chassé les étudiants des 5ᵉ et 6ᵉ arrondissements. C'est là qu'ils trouvent leurs cafés préférés, les cinémas aux films intellos, les librairies universitaires et scientifiques. C'est là que l'intelligentsia parisienne se doit d'habiter.

PARIS D'ARTISTES

Les rues de la rive gauche sont pleines de souvenirs. Balzac, au nᵒ 17 de la rue Visconti, s'était lancé dans l'imprimerie et l'édition avant d'écrire lui-même. Au nᵒ 24, Racine passa les dernières années de sa vie. Delacroix peignit place de Furstenberg. Le nom d'Oscar Wilde est lié à jamais à celui de l'hôtel, rue des Beaux-Arts. L'abbé Prévost, auteur de *Manon Lescaut*, vécut 12, rue Saint-Séverin ; Alphonse Daudet et Charles Cros, 7, rue de Tournon. Pascal écrivit les *Pensées* 54, rue Monsieur-le-Prince ; Sainte-Beuve habita cour du Commerce-Saint-André, et Verlaine, rue de la Harpe.

Le café,
un rendez-vous parisien

Paris ne serait pas Paris sans ses cafés. Du Trocadéro à Saint-Germain, de Montparnasse à la Bastille, ils sont les témoins de la petite et de la grande histoire. Au XVIIIe s. déjà, Voltaire et Rousseau se croisaient au Procope, rue de l'Ancienne-Comédie. Aujourd'hui, les amoureux s'y déclarent toujours leur flamme tandis que les philosophes en herbe débattent autour d'un petit noir au comptoir. Avec le temps, le café parisien évolue et s'adapte en proposant des cafés concepts.

Le premier café

Venise et Marseille ont eu leur premier café avant Paris. Et encore, c'est un Sicilien, le *signor* Procopio, qui l'ouvrit en 1686 ! Le succès fut foudroyant, et quand trois ans plus tard la Comédie-Française s'installa juste en face, il devint le QG des artistes et des comédiens. Sous ses lustres ont défilé toute l'histoire : Racine y écrivait ses pièces une tasse de café à la main, l'*Encyclopédie* de Diderot et d'Alembert serait née ici, et pendant la Révolution, il était fréquenté par Marat, Danton et Robespierre (Le Procope, 13, rue de l'Ancienne-Comédie, 75006, I7, M° Odéon).

Des endroits mythiques

La vie politique et culturelle de Paris est pleine d'adresses et de noms de cafés évocateurs. Selon les époques, les lieux varient. Les cafés du Palais-Royal étaient à la mode pendant la Révolution française. Dès le début du XIXe s., c'est vers les Grands Boulevards que migre l'intelligentsia, et notamment

chez Tortoni (aujourd'hui le Brébant). Au début des années 1900, Montmartre et Montparnasse se partagent les faveurs des artistes et des écrivains. On croise Modigliani aussi bien au Lapin Agile qu'à La Closerie des Lilas (voir p. 67), où Picasso, Ernest Hemingway et Truman Capote avaient eux aussi leurs tables. On le voit également à La Rotonde, où il paie ses dettes en donnant des toiles. Au sortir de la Seconde Guerre mondiale, changement de décor, c'est vers Saint-Germain-des-Prés, au Café de Flore (voir p. 65), que la jeunesse se presse (Boris Vian, Jean-Paul Sartre, Juliette Gréco…).

L'attrait des terrasses

Un petit crème, le journal du jour et une table dehors : voilà le terrain de jeu préféré des Parisiens dès que le soleil pointe le bout de son nez. Les Américains raffolaient déjà de ces terrasses improvisées quand ils découvrirent la ville après la Libération. Le cinéma des années 1950 est plein d'images de ce genre (*Un Américain à Paris, Funny Face…*). Aujourd'hui, avec les bâches et les réchauds, on peut profiter des terrasses toute l'année et regarder paisiblement le spectacle de ces Parisiens toujours pressés.

Entre rades et cafés concepts

Mis à mal dans les années 1990 par la mode des bars lounge façon Costes, les vieux cafés de quartier et leurs banquettes en Skaï étaient devenus moribonds. Aujourd'hui, les bobos, nostalgiques de cette époque leur trouvent un charme nouveau. Ces « places to drink » s'appellent désormais La Perle (voir p. 146), Chez Jeannette (voir p. 146), Chez Georges et le Dada Café. Parallèlement, de nouveaux cafés voient le jour avec des concepts bien définis : on y vient avec ses enfants (Poussette Café, 6, rue Pierre-Sémard, 75009, D2), on y dispute des parties de jeux de société (Living B'Art, 15, rue la Vieuville, 75018, D1) ou on y joue à la pétanque (Bar Ourcq, 68, quai de la Loire, 75019, HP par F1). N'oublions pas non plus, ce type de café, venu

d'outre-Atlantique : les cafés « to take away » avec, en leader incontournable, Starbucks (une quarantaine de cafés y ont été ouverts depuis 2004). Les Parisiens adorent cette idée de marcher tout en dégustant leur café macchiato.

Garçon, un drôle de métier

Pantalon noir, tablier blanc, gilet à poche, nœud papillon et plateau rond : c'est l'attirail traditionnel du garçon de café. Sous des allures parfois un peu rustres, c'est le véritable pivot de l'établissement, il peut parfois parcourir entre 10 et 20 km par jour. Chaque année, une course de garçons de café est organisée par la Ville un dimanche de la fin de juin ou de début juillet. Une boucle de 8 km qui commence et se termine devant l'Hôtel de Ville.

LA PETITE HISTOIRE

L'origine du mot « bistrot » daterait de l'occupation russe de Paris entre 1814 et 1818, quand les armées de Napoléon étaient en déroute. Pour boire un verre rapidement, et surtout parce qu'ils n'en avaient officiellement pas le droit, les Cosaques entraient dans les estaminets en hurlant « *bistro, bistro* », qui signifie « vite » en russe. Le nom est resté, et la légende rapporte que les Parisiens ont ajouté le *t* à la fin du mot pour pouvoir appeler la femme du patron de café… la « bistrote ».

La gourmandise,
une seconde nature

La table est le péché mignon de tous les Français. Déjà en leur temps, les rois avaient leurs cuisiniers attitrés, et les pâtisseries les plus anciennes (le Saint-Honoré ou la tarte Tatin) n'ont eu aucun mal à résister à l'épreuve du temps ! Capitale d'un pays dont la gastronomie est entrée au Patrimoine mondial immatériel de l'Unesco en novembre 2010, Paris ne pouvait échapper à la gourmandise. De vitrine en vitrine, de salé en sucré, la tentation l'emporte ; on entre, on achète, on goûte : c'est bon et c'est Paris.

Le ventre de Paris

En 1855, à la demande de Napoléon III, on avait construit les Halles, architecture de fer dessinée par Baltard, gigantesque marché qui nourrissait la ville. Dans les cafés et les restaurants voisins, les noctambules venaient finir leur nuit au coude à coude avec les forts des Halles. Paris perdit une partie de son âme quand, en 1969, les Halles s'exilèrent à Rungis. 232 ha de marchés aux portes de la ville d'où partent, chaque jour, quelque 28 000 véhicules qui vont alimenter un Français sur cinq…

Épiceries fines et exotiques

Des épiceries d'un genre nouveau ouvrent leurs portes au XIXe s., et Paris prend goût à l'exotisme. Hédiard commence, en 1860, avec le Comptoir d'Épices et de Colonies, rue Notre-Dame-de-Lorette ; on y trouve des épices, des fruits du bout du monde, des légumes jamais vus. En 1886, Auguste Fauchon installe sa charrette des quatre-saisons place de la Madeleine et séduit la ville avec des produits régionaux. Depuis, la place est devenue l'épicentre de l'épicerie fine. Mais entre le quartier chinois du 13e arrondissement, le quartier juif du Marais ou le quartier indien près de la gare du Nord, c'est toute la ville qui offre une palette de saveurs en tout genre. Il est aujourd'hui possible de faire le tour du monde dans

son assiette en se fournissant auprès des épiceries exotiques, dont la plus fameuse reste Izrael (voir p. 45).

Tradition gourmande

Déjà, vers 1550, le pâtissier chantait dans les rues : « Et moi pour un tas de friands… tous les matins je vais criant échaudés, gâteaux, pâtés chauds ! » C'est à Paris au XVIIe s. qu'apparaît la brioche, que Ragueneau invente les amandines, et Vatel la crème Chantilly ; Carême, au XIXe s., met au point le nougat, les meringues et les croquants.

déjeuners servis au zinc des cafés tous les matins.

Un amour de chocolat

Le chocolat arrive à Paris dans les bagages d'Anne d'Autriche via l'Espagne des *conquistadores*, et la première fabrique en « liqueur ou pastilles » ouvre ses portes en 1659. Il est alors chic et snob, et la marquise de Sévigné en parle dans ses *Lettres*. Aujourd'hui, Paris compte les meilleurs chocolatiers : Robert Linxe, Jean-Paul Hévin (voir p. 131), Pierre Hermé (voir p. 131),

Dalloyau, Lenôtre, Debauve et Gallais (voir p. 131). Le plus connu des salons de thé, Angelina (voir p. 109), sert un chocolat onctueux pour lequel on fait la queue les après-midi d'hiver. Paris a même son Club des croqueurs de chocolat, une société gourmande à responsabilité limitée. Depuis 2010, la ville a aussi son musée du Chocolat, Choco Story, situé sur les Grands Boulevards (28, bd Bonne-Nouvelle, D2, ☎ 01 42 29 68 60, www.museeduchocolat.fr, t.l.j. 10h-18h).

Restaurant Le Chardenoux

En 1830, le fondant apparaît et, en 1835 c'est au tour des marrons glacés. À la même époque, chez Sergent, rue du Bac, le mille-feuille fait déjà fureur. L'année 1865 découvre la crème au beurre chez un certain Quillet. Le croissant que l'on associe à tort aux années 1960 n'a, lui, rien de parisien : c'est une de ces « viennoiseries » importées d'Autriche. La baguette est, quant à elle, bien une invention parisienne apparue dans les années 1960 dans sa version 250 g. Dans la pratique, le triptyque croissant/tartines/café fait aujourd'hui partie des habitudes des petits

LE PARIS DES CHEFS

Depuis plus de dix ans, la cuisine est devenue un phénomène de mode. Le *Fooding* célèbre chaque automne ses meilleures adresses de l'année, et les émissions culinaires façon télé-réalité rencontrent un franc succès. Ces chefs cathodiques officient à Paris : Cyril Lignac y a déjà ouvert trois restaurants : **Le Quinzième** (14, rue Cauchy, 75015, HP par A4, ☎ 01 45 54 43 43), **Le Chardenoux** (1, rue Jules-Valles, 75011, HP par F4, ☎ 01 43 71 49 52) et **Le Chardenoux des Prés** (27, rue du Dragon, 75006, C4 ☎ 01 45 48 29 68) ; Gontran Cherrier s'est installé l'année dernière dans une boulangerie flambant neuve (22, rue Caulaincourt, 75018, C1). Pour les plus aventureux, le gourou de la cuisine moléculaire Thierry Marx est désormais le chef exécutif du **Mandarin Oriental,** le nouveau palace du 251, rue Saint-Honoré. Et pour ceux qui voudraient mettre la main à la pâte, les cours se sont multipliés dans la ville (www.atelierdeschefs.fr ; www.latelierdefred.com) : l'idée est avant tout de partager un moment festif, d'apprendre des astuces et de découvrir d'autres traditions culinaires.

Chiner,
le loisir du week-end

Le samedi matin, Paris s'habille couleur muraille et se glisse aux puces, à la recherche d'occasions inespérées. Les meubles et les objets s'étalent sur les trottoirs, débordent dans les allées, s'accumulent sur les étagères. La chasse est ouverte au paradis des fouineurs et des collectionneurs.

Petite histoire des grandes puces

Tout avait commencé avec les chiffonniers qui s'étaient installés à la fin du XIXe s. au-delà des fortifications de Paris, histoire de ne pas payer l'octroi en entrant dans la ville. Ils avaient choisi Saint-Ouen, où descendaient pour aller aux bals les gens qui habitaient la colline de Montmartre. Une certaine bourgeoisie en mal d'émotions fortes s'encanaillait dans ces guinguettes et ces cafés, et se joignait aux curieux devant ces déballages invraisemblables de chiffons et de bric-à-brac. D'observatrice, elle allait vite devenir cliente

et lancer une mode. Les puces étaient nées, c'était en 1891 ; elles n'allaient plus s'arrêter de grandir.

Le style puces

Les apparences sont parfois trompeuses. Même s'il saucissonne et tape le carton devant un stand style Armée du salut, le marchand des puces est souvent un bourgeois ou un aristo qui se cache derrière un air popu. Il trouve dans ce métier une liberté, une satisfaction qu'il n'aurait pas ailleurs. N'imaginez pas faire des trouvailles à bas prix : vous avez affaire à un véritable professionnel qui connaît

sa marchandise et son juste prix. Aux puces, habillez-vous décontracté et soyez passe-partout, façon sport. Restez simple et naturel, prenez un air indifférent, et surtout ne dites pas immédiatement ce que vous cherchez.

Puces de Saint-Ouen : mode d'emploi

Le monde entier passe aux puces de Saint-Ouen, stars comprises, piétinant avec courage et délice près de

30 ha sur lesquels sont posés les stands de quelque 2 000 marchands répartis en dix marchés. C'est le plus grand centre d'antiquités au monde ! Inutile de se lever à l'aube, la plupart des boutiques ouvrent vers 9h-9h30 les samedis et dimanches pour fermer à 18h. Durant le week-end, il règne dans ce quartier une effervescence incroyable, et tout le monde repart avec quelque chose sous le bras, une chaise à retaper, un bibelot, une lampe, un tableau… **Vernaison** est le marché le plus authentique : on y trouve de tout, de l'argenterie, des bijoux, des dessins anciens. **Paul-Bert** a aussi son petit cachet, il est idéal pour dénicher des tables et des chaises en fer forgé pour le jardin, des meubles de métier pour la maison de campagne ou des objets des années 1970 ! Le labyrinthique **marché Serpette**, plus chic et plus cher, est bourré du sol au plafond d'antiquités classiques. Enfin, pour ceux qui aiment fouiller dans un vaste bazar hétéroclite, il faut traverser le **marché Jules-Vallès**. Pour les blousons de cuir, les jeans, les Doc Martens, on va au **marché Malik**, mais attention aux pickpockets ! Épuisé et mort de faim, on s'affale dans les cafés-restos restés « dans leur jus »… (Voir aussi Shopping p. 134-135.)

Bonne conduite

On peut marchander, mais inutile de proposer 1 500 € pour une commode vendue 3 000 €. Mieux vaut comparer et réfléchir à la valeur de l'objet ou du meuble avant de se lancer. On obtient d'ailleurs souvent plus en sympathisant et en bavardant avec le marchand. Payer en espèces facilite parfois les choses. N'hésitez pas à partir pour revenir dix minutes plus tard, un objet n'est pas perdu, et quand bien même il le serait… On peut aussi retenir, demander à payer en plusieurs fois. Si la somme est élevée, demandez une facture datée, détaillée, qui facilitera les choses en cas de revente, de succession ou de cambriolage (pour remplir la déclaration à l'assureur).

Les bouquinistes

Du quai de la Tournelle au quai Voltaire pour la rive gauche, du quai de l'Hôtel-de-Ville au quai du Louvre pour la rive droite, farfouiller chez les bouquinistes fait aussi partie des charmes de Paris. Présents dès le XVIe s., ils connaissent leur âge d'or après la Révolution, quand bon nombre de bibliothèques sont confisquées à la noblesse. Les boîtes vertes, fixées sur les parapets des quais de Seine, s'ouvrent quatre fois par semaine pour dévoiler livres, vieux papiers, gravures plus ou moins anciennes, cartes postales, posters, BD… On parcourt ce pêle-mêle inégal dans le bruit des voitures mais le long des quais de Seine… Les trouvailles se font au hasard des boîtes.

LAMBERT-LAMBERT

Georges Lambert retombe en enfance avec cette boutique qui regorge d'objets et de meubles design des années 1930 à 1970. Du verre, du chrome, du plastique coloré pour les luminaires, des bibelots et des petits meubles, aux murs des vieilles affiches qui évoquent le voyage. À partir de 100 €, vous pourrez acquérir une petite lampe orange des années 1970.

8, rue des Barres, 75004 (E4) – Mo Hôtel-de-Ville
☎ 01 48 04 99 18 – www.lambertlambert.com
Jeu.-dim. 12h-19h (f. en août).

Leçons
de mode

Partout, la Parisienne incarne encore une certaine idée du style et de l'élégance. Mais depuis l'époque de Coco Chanel, les mœurs et les habitudes ont changé et la mode, désormais, se consomme. La haute couture et les fashion weeks ne servent quasiment plus qu'à faire de l'image et à remplir les pages des magazines. Au quotidien, les Parisiennes s'habillent d'un rien et mélangent sans scrupule griffes de luxe, marques de jeunes créateurs, produits d'enseigne mode et trouvailles chinées à droite, à gauche. La ville leur ressemble : à Paris, il y en a pour tous les goûts, tous les âges et tous les budgets !

Le luxe, une niche bien française

Dior, Chanel, Vuitton, Yves Saint Laurent, Cartier et Hermès sont les noms qui reviennent le plus fréquemment dès qu'on pense luxe. Tous font aujourd'hui partie des 75 maisons du Comité Colbert, un organisme chargé de défendre le luxe à la française et de préserver les savoir-faire (mode, joaillerie, orfèvrerie, parfumerie, décoration, cristallerie, gastronomie). À elles seules, ces 75 entreprises représentent 22,4 milliards de chiffre d'affaires et emploient 115 000 personnes en France. En tout, elles pèsent un quart du luxe mondial : deux fois plus que le luxe italien !

Une aura internationale

Le luxe à la française fascine. Mais la haute couture, qui habillait encore 20 000 femmes en 1950, ne concerne plus qu'une minorité de gens fortunés : seulement 200 femmes, dont 80 % d'étrangères (des Américaines, des Russes, des Asiatiques). Le luxe s'est donc diversifié et démocratisé, vivant essentiellement de la vente de ses produits dérivés (accessoires, parfums, maroquinerie). Les Chinois adorent : quand un touriste chinois dépense 100 € en France, il en consacre 85 à des produits de luxe. À tel point que les Galeries Lafayette réalisent 60 % de leurs ventes

auprès des clients asiatiques…
Non pas que les Françaises
boudent le luxe : simplement,
elles mixent entre accessoires
de luxe et vêtements de
créateurs plus accessibles.

Le style
de la Parisienne

La planète entière loue
son style particulier. On la
dit élégante, chic et bobo.
On l'imagine perchée sur
une paire d'escarpins Robert
Clergerie, habillée d'une robe
Swildens (38, rue Madame,
75006, H7) et d'un imper
Comptoir des Cotonniers.
Dans une version plus casual,
elle se balade à plat dans une

paire de ballerines Repetto
avec un pull cachemire de
Zadig et Voltaire (voir p. 117),
une chemise à carreaux
made in France de Bérangère
Claire (Centre Commercial,
2, rue de Marseille, 75010,
E2) ou d'un simple tee-shirt
American Vintage. Incarnée,
la Parisienne ressemble
à Charlotte Gainsbourg.
Elle fréquente autant les
grands magasins que les
boutiques de quartier et se
rend aussi très souvent dans
les boutiques pour enfants,
dont l'offre mode ne cesse
de se développer (Swildens

Teen, Sandro Enfants,
Les Petites Filles…).

Les quartiers
à la mode

À Paris, la mode est présente
partout : la ville compte
plus de 5 600 boutiques
d'habillement. À chaque
quartier correspond un esprit
particulier : le luxe domine
à Saint-Germain-des-Prés,
fief de Sonia Rykiel, et avenue
Montaigne ; l'ambiance est
gentiment bobo aux abords
du canal Saint-Martin ainsi
qu'aux Abbesses (Antoine et
Lili, Beauty Monop…), alors
que l'esprit est nettement plus
jeune et tendance quand on se
balade dans les rues du Marais
et vers Étienne-Marcel (French
Trotters, Kiehl's…).

Les Champs-Élysées,
le nouvel eldorado

L'avenue la plus connue du
monde, arpentée chaque

année par plus de 100 millions
de passants, est aujourd'hui
l'objet de toutes les convoitises.
Depuis que Vuitton y a ouvert
sa plus grande boutique
en 2005, tout le monde veut
en être. H&M a dû batailler
de longs mois contre les
officiels de la mairie de Paris
avant d'inaugurer fin 2010
un *flagship* designé par Jean
Nouvel. Depuis, Tommy
Hilfiger, Abercrombie & Fitch
et Levi's y ont aussi inauguré
leur espace.

Bons plans, fripes
et vintage

Parce que toutes les
Parisiennes n'ont pas les
moyens de porter du Vanessa
Bruno, Sandro… et parce
que le vintage est à la mode,
les friperies se développent :
les nouvelles adresses se
concentrent dans le Marais
(Vintage, 32, rue des Rosiers,
E4, et Noir Kennedy, 22, rue
du Roi-de-Sicile, E4) et pas
très loin de la place de Clichy
(Mamie et Mamie Blue aux
73 et 69, rue de Rochechouart,
D1), quartier historique des
boutiques Guerrisol. Une autre
solution consiste à surveiller
les dates des ventes privées et
des vide-dressings réguliers
dont les plus connus sont
ceux d'Adèle Sand (www.
adelesandetvoltaire.com)
et de Violette Sauvage
(www.violettesauvage.net).

LA MÉTAMORPHOSE DU SENTIER

Popularisé par *La Vérité si je mens*, ce temple de la fast-
fashion du 2e arrondissement (conception, fabrication
et livraison ne prennent que quelques jours pour
répondre aux dernières tendances) subit maintenant
la concurrence du Sentier chinois implanté dans le
11e arrondissement. Résultat : des marques historiques
du quartier comme Maje (voir p. 117) abandonnent la
pure copie pour s'imposer comme créateurs !

Les grands magasins,
temples du shopping

Où trouver dans un même lieu des fringues, du luxe, de l'épicerie fine, des objets pour la maison et parfois même des restos à la mode et des outils de bricolage ? Aux grands magasins. Monuments d'architecture et temples du shopping, ils ont traversé les décennies. De plus en plus chic et haut de gamme, ils font même des petits : les Galeries Lafayette ont ouvert un Lafayette Maison, le BHV se décline en BHV Homme et BHV La Niche (pour animaux), et le Printemps en Printemps du Luxe et de la Beauté.

Petite histoire des grands magasins

Presque tous centenaires, les grands magasins parisiens se visitent au même titre qu'un monument, mais leur entrée est gratuite ! Le premier du genre fut Le Bon Marché (voir p. 65), créé par Aristide Boucicaut en 1852 et immortalisé peu après par Émile Zola, dans son roman *Au Bonheur des Dames*. C'est un ancien employé de ce magasin, Jules Jaluzot, qui fonda le

Printemps, sur la rive droite, en 1865. La Samaritaine a été créée en 1870 par Ernest Cognacq, un camelot qui vendait des cravates dans un parapluie sur le Pont-Neuf. Elle est fermée pour d'importants travaux de restructuration qui dureront au moins jusqu'en 2013. Les Galeries Lafayette, ancienne boutique de frivolités fondée par Alphonse Kahn et Théophile Bader en 1899, sont le « petit dernier » des grands magasins parisiens.

Les grands magasins spécialistes

Même s'ils sont généralistes par vocation, les grands magasins parisiens ont souvent des points forts. **Le Bazar de l'Hôtel-de-Ville** (BHV) est la Mecque du bricoleur. **Le Printemps**, boulevard Haussmann, propose le plus grand espace beauté du monde : 4 000 m² accueillant plus de 300 marques. **Les Galeries Lafayette** se consacrent plutôt à la mode : parfums, vêtements, accessoires (surtout depuis septembre 2009, avec l'ouverture du plus grand espace mondial consacré à la chaussure) et décoration d'intérieur (en 2006 inauguration d'un Lafayette Maison, situé juste en face

du magasin d'origine). **Le Bon Marché**, très BCBG, a une excellente épicerie où toute la rive gauche se donne rendez-vous (voir p. 67). Pour renouveler la curiosité de leur clientèle, les grands magasins organisent souvent des expositions thématiques autour des pays (la Chine, le Vietnam, l'Angleterre…) fort bien faites. La culture

Escaliers du Bon Marché, designés par Andrée Putman

du pays côtoie les produits typiques, les meubles anciens, les objets d'artisanat ou les vêtements traditionnels.

L'architecture

Fondé en 1852 par Aristide Boucicaut, puis agrandi par Gustave Eiffel en 1869, Le Bon Marché a été rénové par la décoratrice Andrée Putman, qui a dessiné l'escalier roulant central, aux lignes très sobres. Le Printemps, tel un énorme paquebot, abrite une coupole en verre de 20 m de diamètre et 16 m de haut, posée en 1923. Les Galeries Lafayette ont également une extraordinaire double coupole à travers laquelle joue la lumière.

Vitrines en fête

En période de fêtes, Paris revêt ses habits de lumière et scintille de mille feux. Et les grands magasins sont tout particulièrement à l'honneur. Depuis plus d'un demi-siècle maintenant, le boulevard Haussmann est le point de ralliement de milliers de spectateurs aux yeux écarquillés entre décembre et janvier. Outre les illuminations somptueuses de leurs façades, les Galeries Lafayette et le Printemps animent leurs vitrines de spectacles féeriques qui mettent en scène des créatures oniriques ou loufoques, inquiétantes ou amusantes.

COORDONNÉES

• **Le Bon Marché**
22, rue de Sèvres, 75007 (C4)
www.lebonmarche.com
• **Printemps**
64, bd Haussmann, 75009 (C2)
www.printemps.com
• **Galeries Lafayette**
40, bd Haussmann, 75009 (C2)
www.galerieslafayette.com
• **BHV**
52, rue de Rivoli, 75004 (D3) – www.bhv.fr

Visiter **mode d'emploi**

Pour se déplacer en ville

Le métro

C'est le moyen le plus rapide et le plus facile à utiliser grâce à des plans précis et à une signalisation claire ; les 380 stations débouchent rarement à plus de 500 m de l'endroit où l'on souhaite se rendre. Seize lignes numérotées et de nombreuses correspondances, permettant de passer de l'une à l'autre, offrent une véritable toile d'araignée souterraine. Le métro fonctionne de 5h30 à 0h30 (jusqu'à 2h les ven. et sam.) et n'offre qu'une seule classe. Les tickets sont valables sur tout le réseau du métro et du bus, et coûtent 1,70 € à l'unité (un carnet de dix tickets coûte 12,50 €). Les enfants de 4 à 10 ans bénéficient du demi-tarif (métro et bus) en carnet (6,25 €). La formule au forfait avec un nombre illimité de voyages est très intéressante. Il s'agit de Mobilis un jour, à 6,30 € ; Paris Visite, un, deux, trois ou cinq jours (de 9,30 à 29,90 €) offre en plus une réduction sur l'entrée de certains sites. Pour les moins de 26 ans il existe un ticket valable la journée (sam., dim. et j. f.) permettant un nombre illimité de voyages (3,50 €).

Le bus

Si l'on évite les heures de pointe, le bus est idéal pour découvrir la ville. Il existe 75 lignes, sans compter le PC (Petite Ceinture) qui fait le tour de Paris par les Boulevards extérieurs. Ils circulent tous du lundi au samedi de 7h à 20h30 ou 0h30, selon les lignes, mais prenez garde le dimanche et les jours fériés, car certains ne fonctionnent pas ou seulement en service partiel.

La nuit, à partir de 0h30 jusqu'à 5h/5h30, les Noctiliens prennent le relais. Une vingtaine de lignes desservent les points principaux de Paris avec une fréquence de passage

SE REPÉRER

Grâce aux repères qui vous sont indiqués, retrouvez sur le plan détachable de la ville placé en fin de guide les balades du chapitre Visiter (sauf la balade n° 19 p. 74-75).

RENSEIGNEMENTS RATP ET SNCF

Vous pouvez vous rendre place de la Madeleine pour glaner toutes sortes de renseignements RATP. Sinon, vous pouvez interroger le serveur vocal au ☎ 0 892 68 77 14, ou le site internet www.ratp.fr Pour les renseignements SNCF/RER, contactez le ☎ 0 891 36 20 20.

d'une demi-heure environ. On y accède librement avec les cartes Paris Visite et Mobilis, sinon il faut compter un ticket par trajet sans correspondance. Pour voir les principaux monuments, le bus à impériale de l'Open Tour est parfait. Il circule tous les jours de 9h15 à 18h (horaires variables selon les saisons) et propose quatre circuits commentés différents. À condition d'avoir un pass d'un ou deux jours que vous pouvez acheter à bord (29 et 32 €), il est possible de monter et descendre autant de fois que vous le désirez pour visiter à votre rythme. La carte Paris Visite vous fait bénéficier d'un tarif réduit. Compter entre 10 et 30 min entre chaque passage (informations : Open Tour, 13, rue Auber, 75009, C2, M° Opéra, ☎ 01 42 66 56 56, www.paris-opentour.com).

Le taxi

On le prend à une station signalée par un panneau « taxi » ou on le hèle dans la rue. Lorsque le taxi est libre, l'enseigne sur son toit est entièrement éclairée. Si vous remarquez un simple point de lumière en-dessous de l'enseigne (elle-même éteinte), cela signifie que le véhicule est occupé. Attention, en janvier 2012 le code lumineux des taxis aura complètement changé : leur lumière sera verte quand ils

seront libres et rouge lorsqu'ils seront occupés. Un taxi peut vous refuser si vous êtes à plus de trois personnes, ivre ou accompagné d'un animal (sauf les chiens d'aveugle, qu'il est obligé d'accepter). Une prise en charge de 2,30 € est automatiquement inscrite au compteur en début de course. Il vous sera facturé un supplément minimal de 3 € pour la prise en charge d'une quatrième personne, de 0,70 € pour le transport d'un animal et au départ des gares, et de 1 € par bagage de plus de 3 kg. Sur de courtes courses, le tarif minimal est de 6,20 €. On paie en espèces et, en général, on laisse un pourboire, sauf si le chauffeur est particulièrement désagréable. Bien entendu, on peut aussi commander un taxi par téléphone :

Taxis Bleus
☎ 0825 16 10 10
G7
☎ 01 47 39 47 39
Taxis 7000
☎ 01 42 70 00 42
Alpha-Taxis
☎ 01 45 85 85 85.

En voiture ?

Conduire à Paris n'est pas de tout repos, et il est très difficile de s'y garer. Les parkings souterrains sont chers, la majorité des horodateurs fonctionne avec la Paris Carte (15 ou 40 €), qu'on achète dans les bureaux de tabac

ou avec la carte Moneo. Si votre véhicule, mal stationné, a été enlevé, contactez la fourrière au ☎ 08 91 01 22 22 (option 3). Stations-service ouvertes 24h/24 : **BP**, 151, rue de la Convention, 75015 (HP par A5) ; **Total**, av. des Champs-Élysées, parking George-V, 75008 (B2).

À vélo

Depuis quelques années, la municipalité a beaucoup fait

ADRESSES ET NUMÉROS UTILES

· **Police : ☎** 17
· **Pompiers : ☎** 18
· **Samu : ☎** 15
· **Sos médecins :**
☎ 01 43 37 77 77
· **Sos dentaire :**
☎ 01 43 37 51 00
· **Sos optique – lunettes cassées :**
☎ 01 48 07 22 00
· **Pharmacie Les Champs :**
84, av. des Champs-Élysées, 75008 (B2)
M° George-V
☎ 01 45 62 02 41
T. l. j. 24h/24
· **Pharmacie des Halles :**
10, bd Sébastopol, 75004 (D3)
M° Châtelet
☎ 01 42 72 03 23
Lun.-sam. 9h-minuit, dim. 9h-22h
· **Renseignements :**
☎ 118 218 (0,90 €/appel ; mise en relation, nombre de renseignements illimité, avec envoi par SMS d'infos pratiques)
· **Objets trouvés :**
36, rue des Morillons, 75015 (HP par B5)
M° Convention
☎ 08 21 00 25 25 (0,12 €/min)
www.prefecturedepolice. interieur.gouv.fr
Lun.-jeu. 8h30-17h, ven. 8h30-16h30.

DE LA GRATUITÉ DANS L'ART

De nombreux lieux exposent gratuitement des œuvres d'art. Foncez donc au 104 (104, rue d'Aubervilliers, 75019), qui accueille des résidences d'artistes en tout genre dont il est possible de voir fréquemment et gratuitement le travail. Pensez aussi aux galeries (Wanted, Jérôme de Noirmont, Polka, etc. Voir p. 136-137) et aux centres culturels étrangers pour avoir un aperçu de la création contemporaine et étrangère.

en faveur des cyclistes : voies cyclables en sites propres, couloirs aménagés et rues réservées (comme les quais de Seine) les dimanches de fin mars à début octobre. Enfin, il y a les fameux **Vélib'®**[1]. Aujourd'hui, Paris et ses 30 communes limitrophes comptent près de 1 800 stations et 20 000 vélos en circulation, accessibles 24h/24 et 7j/7. Vous pouvez souscrire un abonnement de courte durée d'un ou sept jours en achetant en ligne sur le site **www.velib.fr** ou en payant directement à la borne de la station (1,70 ou 8 €). La première demi-heure est gratuite, la suivante coûte 1 €, la troisième 2 €. Dépôt de caution de 150 €. CB indispensable. Renseignements Vélib'® au ☎ 01 30 79 79 30, lun.-ven. 8h-22h, sam. 9h-22h, dim. 9h-19h, Vous aussi, découvrez la capitale à vélo. Attention cependant, les automobilistes ne vous feront pas de cadeau. Pensez aussi que certains jours, la qualité de l'air est mauvaise et que le port d'un masque antipollution peut être utile.
Paris à vélo, c'est sympa
22, rue Alphonse-Baudin, 75011 (E3), M° Oberkampf,

☎ 01 48 87 60 01, www.parisvelosympa.com
Paris vélo Rent a Bike
2, rue du Fer-à-Moulin, 75005 (E5), M° Saint-Marcel, ☎ 01 43 37 59 22, www.paris-velo-rent-a-bike.fr

En bateau
Il faut tout faire, y compris, au moins une fois dans sa vie, une balade en bateau-mouche, idéal par beau temps ou pour dîner aux chandelles, en tête-à-tête avec les plus beaux monuments de Paris.
Compagnie des bateaux-mouches, pont de l'Alma, rive droite, 75008 (B3), M° Alma-Marceau, ☎ 01 42 25 96 10.
Vedettes du Pont-Neuf, île de la Cité, square du Vert-Galant, 75001 (D4), M° Cité, ☎ 01 46 33 98 38.
Bateaux parisiens, au pied de la tour Eiffel, port de la Bourdonnais (A3), M° Bir-Hakeim, ☎ 0825 01 01 01.

Et pour des balades sur le canal Saint-Martin :
Canauxrama Canal Saint-Martin, port de l'Arsenal (E4), M° Bastille, ☎ 01 42 39 15 00 (oct.-avr. rés. obligatoire), www.canauxrama.com/saint-martin.htm
On peut aussi choisir d'emprunter un Batobus. Ce mode de transport au rythme tranquille (12 km/h) dessert huit escales ultra-touristiques : tour Eiffel, musée d'Orsay, Saint-Germain, Notre-Dame, Jardin des plantes, Champs-Élysées, Louvre, Hôtel de Ville. On monte et on descend quand on le souhaite, la fréquence des bateaux alternant entre 17 et 35 min selon la saison. Forfait un jour : 14 € (enfants 7 €), forfait cinq jours consécutifs (21 €). Service fonctionnant de début février à début janvier.
Compagnie des Batobus, quai de la Bourdonnais, 75007 (A3), M° Bir-Hakeim, ☎ 0 825 05 01 01, www.batobus.com

Poster, téléphoner

Les timbres s'achètent dans les postes (f. sam. à partir de 12h et dim.) ou dans les bureaux de tabac. Vous trouverez dans les rues de nombreuses boîtes

---

MUSÉES GRATUITS !

D'une manière générale, les musées nationaux sont gratuits pour tous le premier dimanche de chaque mois, pour les étudiants français et européens de moins de 26 ans (depuis septembre 2008) et pour tous les jeunes âgés de moins de 18 ans. D'autre part, dans les musées de la Ville, les collections permanentes sont gratuites, mais les expositions temporaires, en revanche, sont payantes.

1- Vélib'® est une marque déposée de la Ville de Paris.

aux lettres jaunes. L'heure de la dernière levée y est indiquée. Dans les postes elle a lieu vers 18h. Au bureau du Louvre, qui reste ouvert 24h/24, les derniers courriers partent à 20h pour la province et l'étranger, et à 22h pour Paris. **Poste du Louvre :** 52, rue du Louvre, 75001 (D3), M° Sentier, ☎ 01 40 28 76 00. Pour téléphoner, les cabines publiques fonctionnent avec des télécartes qui s'achètent dans les postes, kiosques et bureaux de tabacs. La communication vous coûtera moins cher que depuis votre chambre d'hôtel.

Change

Il s'effectue dans la plupart des banques (souvent fermées le sam. et toujours le dim.) et dans les bureaux de change. Il existe aussi des officines de change ouvertes même le dimanche dans les quartiers touristiques, par exemple : **Travelex** 8, pl. de l'Opéra, 75009 (C2), M° Opéra, ☎ 01 47 42 46 52, lun.-sam. 9h-19h30, dim. 10h30-17h30.

Sites et monuments

La plupart des musées et des monuments sont le plus souvent ouverts de 10h à 18h, six jours sur sept sauf certains jours fériés. Les plus petits musées ferment à l'heure du déjeuner, mieux vaut se renseigner. Pensez aussi que les caisses des musées ferment 30 min, voire 1h, avant l'horaire de fermeture effectif. Les musées nationaux ferment le mardi (sf le musée d'Orsay, f. lun.) et l'entrée y est gratuite

PARIS MODE D'EMPLOI

Pour savoir ce qui se passe dans la capitale (cinés, théâtres, expos, musées…), achetez l'un ou l'autre de ces deux petits guides hebdomadaires : *L'Officiel des spectacles* ou *Pariscope*. Pour les concerts, procurez-vous *Lylo*, mensuel gratuit que vous trouverez dans les bars.

Office de tourisme de Paris, 25 et 27, rue des Pyramides, 75001 (C3), www.parisinfo.com, nov.-avr. : t. l. j. 10h-19h, mai-oct. : t. l. j. 9h-19h, f. 1er mai. On y trouve un stock très important d'informations, des guides, des plans, des billets RATP. On peut aussi y faire sa réservation d'hôtel… Il existe aussi d'autres bureaux d'accueil dans Paris : gare de Lyon, gare de l'Est, gare du Nord, porte de Versailles et Anvers.

le 1er dimanche de chaque mois. Les musées de la Ville de Paris ferment le lundi. La carte Musées-Monuments fait office de coupe-file et donne libre accès à 60 musées et monuments de Paris et d'Île-de-France. Pour deux jours, il vous en coûtera 35 €, 50 € pour quatre jours et 65 € pour six jours. On l'achète aux guichets des musées, des monuments, à l'office de tourisme et aux guichets de la RATP. Pour introduire votre visite de Paris, le film *Explore Paris !* retrace en 50 min, sur un écran panoramique et à l'aide d'images d'archives, toute l'histoire de Paris depuis ses origines. Des maquettes tactiles en volume et en couleurs de la capitale vous aideront à situer les différents monuments (tarif 10 €).

Paris Story
11 bis, rue Scribe, 75009 (C2)
M° Opéra
☎ 01 42 66 62 06
www.paris-story.com

Laissez-vous guider

Vous pourrez par exemple faire le tour de Paris en autocar en quelques heures :

Paris-Vision
214, rue de Rivoli, 75001 (C3)
M° Tuileries
☎ 01 42 60 31 25
www.parisvision.com

Les Cars Rouges
17, quai de Grenelle, 75015 (A4)
M° Bir-Hakeim
☎ 01 53 95 39 53
www.carsrouges.com

Cityrama
2, rue des Pyramides, 75001 (C3)
M° Tuileries ou Palais-Royal
☎ 01 44 55 60 00 (rés.) / 61 00 (standard)
www.pariscityrama.fr
Pour profiter autrement de Paris, contactez l'Agence Paris international ou le Centre des monuments nationaux :

Agence Paris international
65, rue Pascal, 75013 (HP par D5)
M° Gobelins
☎ 01 43 31 81 69
www.paris-tours-guides.com

Centre des monuments nationaux
7, bd Morland, 75004 (E4-5)
M° Quai-de-la-Rapée
☎ 01 44 54 19 30
(rens. visites et conférences)
www.monuments-nationaux.fr

Voir plan détachable
C3/D3

Le Louvre et les Tuileries,
d'un musée à l'autre

Vous marchez ici dans le Paris historique, celui des rois et des empereurs, là où le pouvoir et l'histoire de l'art ne font plus qu'un. Les palais sont des joyaux de l'architecture qui abritent désormais des musées aux riches collections.

❶ Le musée du Louvre★★★

Quai François-Mitterrand et rue de Rivoli, 75001
☎ 01 40 20 50 50
www.louvre.fr
Mer.-lun. 9h-18h (21h45 mer. et ven., f. 1er janv., 1er mai, 15 août et 25 déc.)
Accès payant, gratuit le 1er dim. de chaque mois
Voir « Zoom sur » p. 82.

Forteresse médiévale et palais des rois de France, le Louvre s'est vu transformé en musée à la Révolution. Depuis, ses collections parmi les plus riches du monde sont regroupées en huit départements : Antiquités orientales, Antiquités égyptiennes, Antiquités grecques, étrusques, romaines, Peintures, Sculptures, Objets d'art, Arts graphiques et Arts de l'Islam. Le Louvre est aussi le point de départ de la Voie triomphale, qui traverse l'arc du Carrousel, les Tuileries, les

Champs et l'Arc de Triomphe jusqu'à la Grande Arche de la Défense : pas moins de 10 km !

❷ Le Carrousel du Louvre★★

99, rue de Rivoli, 75001
www.carrouseldulouvre.com
• Boutiques : t. l. j. 10h-20h
• Restaurants : t. l. j. 10h-23h.

Cet espace commercial qui communique avec le musée du Louvre a lui aussi sa pyramide, mais inversée cette fois. On y trouve un Apple Store, des boutiques chic comme Lalique, Swarovski ou les bijoux Cécile et Jeanne, des boutiques « bio » avec L'Occitane et Nature & Découvertes, « culturelles » avec Virgin Megastore ou le Studio Théâtre de la Comédie-Française… À l'étage, Restaurants du monde propose de découvrir toutes sortes de saveurs.

❸ Le Fumoir★★

6, rue de l'Amiral-
de-Coligny, 75001
☎ 01 42 92 00 24
www.lefumoir.com
T. l. j. 11h-2h (f. 2 jours à Noël
et le Jour de l'an)
Happy hour de 18h à 20h :
7 € le cocktail (sf ceux
à base de champagne).

Ambiance mode et cadre chic pour ce beau café situé aux abords du Louvre. Coin salon-bibliothèque où l'on peut emprunter des livres, et agréable terrasse. Le midi, des formules intéressantes à 17,50 et 21 € vous feront goûter une cuisine raffinée et inventive. La tarte chocolat-ricotta-oranges confites est un must.

❹ Le musée des Arts décoratifs★★★

107, rue de Rivoli, 75001
☎ 01 44 55 57 50
www.lesartsdecoratifs.fr
Mar.-dim. 11h-18h (21h
le jeu. lors des expositions
temporaires)
Accès payant.

L'une des principales et plus belles collections d'Arts décoratifs au monde se décline dans des départements chronologiques (du Moyen Âge au contemporain) et thématiques (arts graphiques, bijoux, objets peints…). 150 000 œuvres au total dont près de 6 000 sont exposées dans ce musée.

❺ Le jardin des Tuileries★★★

Entrées : pl. de la Concorde,
rue de Rivoli, av. du
Général-Lemonnier et
passerelle Léopold-Sédar-
Senghor, 75001
Hiver : t. l. j. 7h30-19h30,
été : t. l. j. 7h-21h.

Le plus grand et le plus ancien jardin de Paris était occupé à l'origine par des fabriques de tuiles. Marie de Médicis y fit construire le palais des « Tuileries » avec son jardin à l'italienne. Un siècle plus tard, en 1664, Le Nôtre le redessina et le transforma en une longue perspective agrémentée de sculptures. Aujourd'hui, celles-ci voisinent avec des œuvres contemporaines de Max Ernst,

Alberto Giacometti ou Henry Moore, tandis que les enfants poussent leur bateau à voile dans le bassin. Ne manquez pas la **Librairie des Jardins,** située à la grille d'honneur de l'entrée Concorde. Elle possède plus de 4 000 ouvrages évoquant jardinage,

herboristerie, botanique, etc.
(☎ 01 42 60 61 61,
t. l. j. 10h-19h).

❻ Le musée de l'Orangerie★★★

Jardin des Tuileries
☎ 01 44 77 80 07
www.musee-orangerie.fr
Mer.-lun. 9h-18h
(f. 1er mai et 25 déc.)
Accès payant.

Dans l'ancienne orangerie des Tuileries, ce musée abrite les huit grandes compositions des *Nymphéas* offertes en 1922 par Monet, et la collection Jean-Walter et Paul-Guillaume, qui réunit Cézanne, Renoir, Matisse, Modigliani et Picasso.

❼ Le musée d'Orsay★★★

62, rue de Lille, 75007
☎ 01 40 49 48 14
www.musee-orsay.fr
Mar.-dim. 9h30-18h
(21h45 jeu., f. 1er janv.,
1er mai et 25 déc.)
Accès payant
Niveau 5 fermé pour travaux
jusqu'en oct. 2011 (toutes
les œuvres sont exposées
au niveau 0)
Voir « Zoom sur » p. 85.

Cette ancienne gare transformée en musée est notamment le temple des impressionnistes. On peut y voir des toiles de Renoir, Manet, Monet, Cézanne, Van Gogh, Gauguin, mais aussi des sculptures, du mobilier et des objets d'art du XIXe s.

❽ COLETTE★

L'un des premiers concept stores de Paris, toujours aussi tendance plus de dix ans après son ouverture. Un espace lumineux qui conjugue mode, style et design, et mêle arts, déco et gadgets au rayon insolite et branché. Au sous-sol, le bar à eaux qui distribue eaux plates ou à bulles des quatre coins du monde. So chic !

213, rue Saint-Honoré, 75001 – ☎ 01 55 35 33 90
www.colette.fr – Lun.-sam. 11h-19h.

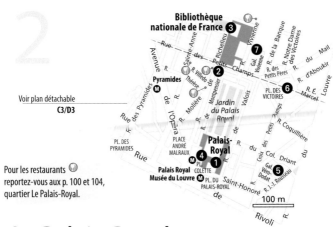

Voir plan détachable
C3/D3

Pour les restaurants
reportez-vous aux p. 100 et 104,
quartier Le Palais-Royal.

Le Palais-Royal

Il suffit de passer les grilles du Palais-Royal pour oublier comme par magie le bruit et la fureur de la ville. Pourtant ce lieu ne fut pas toujours aussi tranquille : il abrita sous ses arcades tripots, bordels, prostituées, beaux esprits, artistes et révolutionnaires harangueurs. On y lisait en toute liberté les livres censurés de Voltaire et de Rousseau, car la police n'avait pas le droit de cité sur ce domaine princier !

❶ Le Palais-Royal★★★
Pl. du Palais-Royal, 75001.
En 1624, Richelieu construisit
ce magnifique hôtel
couplé à un grand théâtre ;
l'ensemble prit le nom de
Palais-Royal quand Anne
d'Autriche, devenue régente,
s'y installa avec ses enfants.
Sous Louis XIV, Monsieur, frère

du roi, y organisa ses célèbres
« soupers » libertins. Quand
Philippe d'Orléans habita le
Palais-Royal vers 1760, afin
d'augmenter ses revenus, il fit
construire sur les trois côtés
du jardin des immeubles de
rapport avec, sous les arcades,
des boutiques qu'il mit aussi
en location.

❷ Kitsuné Parisien★★
52, rue de Richelieu, 75001
☎ **01 40 15 09 71**
www.kitsune.fr
Lun.-sam. 11h-19h30.
Le temple de la branchitude
se niche ici. Label de musique
et marque de mode, Kitsuné
a ouvert à l'été 2010 une
boutique de poche baptisée
« parisien ». Ici, vous ne
trouverez que du rare, de
l'éphémère, fruit de multiples

collaborations entre la marque
et des artistes venus d'horizons
différents. Il y a des jeans,
des tee-shirts (95 €), des
polos et de la maroquinerie.
Pour les modèles classiques
et intemporels du label, la
boutique Kitsuné est située juste
à côté sur le même trottoir.

❸ La Bibliothèque nationale de France★★
58, rue de Richelieu, 75002
www.bnf.fr
Lun.-ven. 10h-17h, sam. 10h-12h30 et 13h30-17h
Expos : mar.-sam.
10h-19h, dim. 13h-19h
(f. 1ʳᵉ quinzaine de sept.)
Travaux de rénovation jusqu'en 2014
(accès 5, rue Vivienne).

Le site Richelieu est le berceau
historique de la BNF. Créée
au XIVᵉ s., dans la tour du

Louvre, la bibliothèque royale s'agrandit sous François Ier. Depuis l'ouverture du site François-Mitterrand, elle conserve les départements des Cartes et plans, des Estampes et photographies, des Arts du spectacle, des Manuscrits, Monnaies, Médailles et antiques. Outre ces collections prestigieuses, on y découvre des expositions temporaires dans les galeries et la crypte.

❹ Le Nemours★

2, pl. Colette,
gal. de Nemours, 75001
☎ 01 42 61 34 14
Lun.-ven. 7h-minuit,
sam. 8h-minuit, dim. 9h-21h.

Sous une galerie entre le Louvre, les colonnes de Buren et la Comédie-Française, le rendez-vous des comédiens et des amateurs d'art a récemment fait peau neuve. On y croise souvent des personnalités, comme Angelina Jolie, qui y a tourné un film. On s'y retrouve en terrasse autour d'une salade (13 € environ) et le soir autour d'un verre, avant ou après le spectacle.

❺ La galerie Véro-Dodat★★★

19, rue Jean-Jacques-Rousseau, 75001.

Un dallage quadrillé de noir et de blanc, des vitrines courbes encadrées de cuivre, des pilastres habillés de miroirs, le passage Véro-Dodat compte parmi les plus beaux de Paris. Il fut ouvert en 1826 et ses boutiques faisaient alors le bonheur des voyageurs qui attendaient la diligence. Aujourd'hui, on y flâne le long des vitrines des antiquaires, des galeries, des éditeurs d'art ou de mode.

❻ La place des Victoires★★

Le maréchal de La Feuillade, désireux d'entrer dans les bonnes grâces de Louis XIV, fit aménager la place des Victoires et y dressa une statue en pied du roi réalisée par Desjardins. Pour ce faire, il rasa sa propre maison, acheta les terrains attenants et demanda à Jules Hardouin-Mansard de dessiner l'ensemble. Ce dernier fut inauguré en 1686, et le maréchal se ruina dans cette entreprise. La statue, brisée à la Révolution, fut remplacée au XIXe s. par une statue équestre du roi sculptée par Bosio.

❼ La galerie Vivienne★★★

Entrées : 4, rue des Petits-Champs, 5, rue de la Banque et 6, rue Vivienne, 75002
www.galerie-vivienne.com
T. l. j. 8h30-20h30.

Construite en 1823 dans un style pompéien néo classique qui célèbre le commerce par ses fresques, ses mosaïques et ses sculptures, la galerie Vivienne a gardé sa fonction et retrouvé son faste d'antan. Avec ses boutiques de mode, dont celle de Jean-Paul Gaultier, les compositions florales d'Emilio Robba, les créations de Christian Astuguevieille… le passé se conjugue au présent. Au fait, au nº 13 habitait Vidocq, cet ancien bagnard devenu chef d'une brigade de police composée d'anciens malfaiteurs !

DES CÉLÉBRITÉS AU PALAIS-ROYAL

Dans une coutellerie de la galerie Montpensier, Charlotte Corday acheta le couteau qu'elle utilisa pour poignarder Marat dans sa baignoire. Au nº 155 de la galerie de Valois, une petite boutique, Arcade Colette, par des textes, des dessins et des photos, rappelle que Colette et Jean Cocteau avaient leurs appartements donnant sur le jardin.

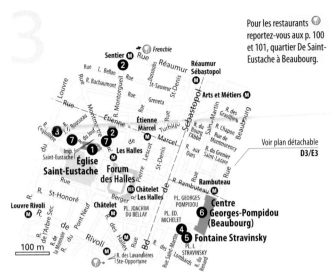

Pour les restaurants 🍴 reportez-vous aux p. 100 et 101, quartier De Saint-Eustache à Beaubourg.

Voir plan détachable
D3/E3

De Saint-Eustache
à Beaubourg

Autrefois, les Halles, alias le « ventre de Paris », alimentaient la capitale et vivaient jour et nuit d'une activité laborieuse. Aujourd'hui, le quartier se lève moins tôt, le Forum des Halles abrite des commerces de mode et non plus de bouche. Un peu plus loin sur le parvis du Centre Georges-Pompidou, des saltimbanques font leur numéro.

❶ L'église Saint-Eustache★★

2, imp. Saint-Eustache, 75001
☎ 01 42 36 31 05
www.saint-eustache.org
Lun.-ven. 9h30-19h, sam. 10h-19h, dim. 9h-19h.

Un des joyaux de la Renaissance, l'église est aussi exceptionnelle par son histoire. On y baptisa Richelieu ; Louis XIV y fit sa première communion ; Colbert et Rameau y eurent leur messe

de funérailles ; Berlioz y donnait la première de son *Te Deum* ; Liszt, celle de sa *Messe de Gran*. Le grand orgue est l'un des plus tuyautés de Paris. On l'écoute gratuitement tous les dimanches et les jours de fête entre 17h30 et 18h.

❷ La rue Montorgueil★★

Entre Halles et Sentier, une rue piétonne… typiquement parisienne. La tradition vive de la gastronomie a toute sa place au fil des étals. Fromages et primeurs, bons pains et fleurs éclatantes, fruits de mer et viandes : on arpente le marché Montorgueil pour remplir son panier ou pour le simple plaisir des yeux et des narines.

Parmi nos escales préférées, au n° 51, le pâtissier-traiteur Stohrer, au n° 53, Le Paradis du Chocolat, au n° 78, Le Rocher de Cancale. L'ancienne boutique à huîtres vaut le détour pour sa bonne carte à prix doux et ses fresques classées du 1er étage.

❸ Dehillerin★★
18, rue Coquillière, 75001
☎ 01 42 36 53 13
www.e-dehillerin.fr
Lun. 9h-12h30 et 14h-18h, mar.-sam. 9h-18h (f. j. f.).

Il vaut mieux se lever tôt pour aller chez Dehillerin, avant l'arrivée des nombreux touristes. Entre un sous-sol et un rez-de-chaussée où le plancher grince, remplis du sol au plafond, on trouve tout, absolument tout, pour la cuisine. Les ustensiles les plus divers, les cuivres, la fonte, l'alu, le plus grand, le plus petit…

❹ Le Café Beaubourg★
100, rue Saint-Martin, 75004
☎ 01 48 87 63 96
T. l. j. 8h-1h (2h le w.-e.).

Une frontière invisible protège ce café de la place et de la faune qui promène à Beaubourg son désœuvrement. L'architecture de Christian de Portzamparc vieillit bien ; le temps a passé

sans démoder la colonnade de ce temple postmoderne où prendre un café et regarder passer le monde.

❺ La fontaine Stravinsky★★★
Pl. Igor-Stravinsky, 75004.
Cette merveilleuse fontaine réalisée en 1983 par Niki de Saint Phalle et Jean Tinguely est un hommage à Igor Stravinsky. Constituée de seize éléments évoquant les compositions du musicien, comme L'Oiseau de feu, cette fontaine ludique est tout en mouvements et jeux d'eau. Les personnages colorés de Niki de Saint Phalle contrastent avec les sculptures métalliques peintes en noir de Jean Tinguely.

❻ Le Centre Georges-Pompidou★★★
Pl. Georges-Pompidou, 75004
☎ 01 44 78 12 33
www.centrepompidou.fr
Mer.-lun. 11h-22h (f. 1er mai)
Accès payant
Voir « Zoom sur » p. 88.

Georges Pompidou décide de doter Paris d'un musée d'Art contemporain. Le projet retenu et qui fera couler beaucoup d'encre est celui de Renzo Piano et Richard Rogers. Contre vents et marées, le Centre ouvre ses portes en 1977, et on peut y admirer aujourd'hui l'une des plus importantes collections au monde (53 000 œuvres).

❼ RUBAN, PLUMES ET PERLES…
Deux adresses à retenir, et qui plus est voisines !
• Mokuba (18, rue Montmartre, 75001, D3, ☎ 01 40 13 81 41, lun.-ven. 9h30-18h30), où vous trouverez rubans de satin, taffetas, velours, organdi dans toutes les couleurs, et rubans à broder.
• La Droguerie (9 et 11, rue du Jour, 75001, D3, ☎ 01 45 08 93 27, www.ladroguerie.com, lun. 14h-18h45, mar.-sam. 10h30-18h45), plus « fantaisie » avec des perles, des plumes, des boutons, des écheveaux de laine, de lin et du bambou à tricoter (10 € les 100 g) !

Marché des enfants rouges

Vieille du Temple

Rue Saint-Claude

Musée Picasso ❹

Rue de Thorigny

❼

Rue Saint-Claude

Boulevard

Voir plan détachable
E3-4

100 m

de Turenne

Musée Cognacq-Jay

Rue des Blancs Manteaux

R. des

Barbette

R. Elzévir

R. du Parc Royal

Musée Carnavalet ❸

❺

Rue

Rue   Saint-Gilles

Rue

des   Francs

Rue   des   Minimes

Pour les restaurants
reportez-vous à la
p. 105, quartier
Le Marais.

R. du Bourg Tibourg

R. Vieille Du Temple

Rue

Bourgeois

Toumelles

Amelot

❻ ❷

des

Rosiers

Pavée

R. Mahler

R. de Séyigné

Rue   des

Chemin Vert Ⓜ

Beaumarchais

Rue   de

des   Écouffes

de   Sicile

Rue

du

R. Au Temple

Roi   de

❶
PLACE
DES VOSGES

R. du
Pas de la
Mule

Rue

Rue   Rivoli

de

Fr.   Miron

Ⓜ **Saint-Paul**

Rue de Turenne

Rue

de
Birague

R.

Musée Victor Hugo

Rue

Saint-Antoine

Bastille
Ⓜ

Le Marais,
un musée à ciel ouvert

Au XVIIe s., le Marais connaît ses heures de gloire avec l'aménagement de la place des Vosges, où se retrouve lors de grandes festivités toute la société élégante. Les hôtels particuliers se multiplient, mais la Révolution entraîne la « chute » du Marais et son abandon. Aujourd'hui, ce quartier vit tard la nuit, et ses boutiques branchées sont ouvertes le dimanche. Il est aussi le point de rendez-vous de la communauté gay.

❶ La place des Vosges★★★

Voir « Zoom sur » p. 89.

Henri IV commanda en 1604 la construction de cette place comprenant 36 pavillons de brique et pierre surmontant une galerie d'arcades.
Dans cette parfaite symétrie se détachent les pavillons du Roi et de la Reine, qui se font face. Au n° 6, l'ancien hôtel de

Rohan-Guéménée abrite le **musée Victor-Hugo** (voir infos pratiques p. 89).

❷ Le Loir dans la Théière★★

3, rue des Rosiers, 75004
☎ 01 42 72 90 61
T. l. j. 9h-19h.

Lewis Carroll aurait aimé ce salon de thé avec son air de café anglais. On y lit journaux et magazines assis dans des fauteuils dépareillés autour de tables Henri II ou 1930. Expositions, tartes (8,50 €), pâtisseries maison, brunch le week-end (19,50 €) et accueil très sympathique !

❸ Le musée Carnavalet★★★

23, rue de Sévigné, 75003
☎ 01 44 59 58 58
www.carnavalet.paris.fr
Mar.-dim. 10h-18h (f. j. f.)
Entrée libre, sauf expos
temporaires
Voir « Zoom sur » p. 90.

Entrer dans la cour admirer l'un des rares hôtels Renaissance de Paris, retrouver l'ambiance d'une demeure parisienne des XVIIᵉ et XVIIIᵉ s., passer devant les collections de la Révolution, s'arrêter devant les tableaux d'Hubert Robert, et finir par le décor 1900 imaginé par Mucha pour la bijouterie Fouquet…

❹ Le musée Picasso★★★

Hôtel Salé
5, rue de Thorigny, 75003
☎ 01 42 71 25 21
www.musee-picasso.fr
F. pour travaux jusqu'au
printemps 2013
Voir « Zoom sur » p. 91.

L'hôtel Salé, l'un des plus beaux de Paris, abrite le musée Picasso. Périodes bleue, rose, cubisme, toutes les périodes de l'artiste y sont évoquées. On peut aussi y voir des tableaux et sculptures d'artistes que Picasso appréciait : Braque et Cézanne, Matisse et Derain. Le site fait actuellement l'objet d'une vaste campagne de restauration afin de tripler la surface d'exposition du musée.

❺ Le musée Cognacq-Jay★★★

8, rue Elzévir, 75003
☎ 01 40 27 07 21
www.cognacq-jay.paris.fr
Mar.-dim. 10h-18h
Entrée libre, sauf expos
temporaires.

Ernest Cognacq et son épouse Marie-Louise Jay rassemblèrent au cours de leur vie des œuvres d'art du XVIIIᵉ s. français. Cette collection offerte en 1928 à la Ville de Paris fut transférée en 1990 dans ce charmant petit hôtel du Marais. Des boiseries, du mobilier, des tableaux de Chardin et de Fragonard, des dessins, des sculptures et des bibelots meublent et décorent les pièces comme au XVIIIᵉ s., rendant ce lieu encore vivant.

❻ El Ganso★★★

7, rue des Rosiers, 75004
☎ 01 44 61 10 05
www.elganso.com
Lun.-sam. 10h-19h.

La marque espagnole a débarqué à Paris en 2011 en ouvrant une toute première boutique à son nom. Créé par deux frères madrilènes en 2004, El Ganso propose beaucoup de vêtements pour les hommes, un peu pour les femmes et beaucoup d'accessoires. Sa mode très colorée et faussement sage s'affiche à des prix raisonnables : 56 € le polo, 80 € le chino et entre 50 à 125 € la paire de chaussures.

❼ MERCI ★★★

Le concept store chic du Marais se déploie sur 1 500 m² en trois niveaux. Vaisselle et fleurs au sous-sol, vêtements (Acne, Forte Forte, Swildens, Isabel Marant) et accessoires fashion au 1ᵉʳ étage, meubles et arts de la maison au 2ᵉ. C'est à Marie-France Cohen, heureuse créatrice de la marque pour enfants Bonpoint, qu'on le doit. Beau parquet, vaste espace inondé de lumière par une superbe verrière. Le lieu, diablement tendance, est en plus flanqué d'un café-bibliothèque cosy (soupes et gâteaux 6 €) et d'une agréable cantine où plats du jour (18 €) et vastes salades du comptoir (14 €) s'affichent à l'ardoise. Enfin, 100 % des bénéfices engrangés par la boutique sont reversés via une fondation à des associations caritatives. Merci qui ?

**111, bd Beaumarchais, 75003 – ☎ 01 42 77 78 92
www.merci-merci.com – Lun.-sam. 10h-19h.**

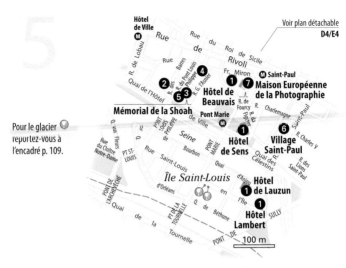

Voir plan détachable
D4/E4

Pour le glacier, reportez-vous à l'encadré p. 109.

Le quartier Saint-Paul
et l'île Saint-Louis

Quand on voit toutes les jolies devantures des boutiques de créateurs du quartier, on en oublie que c'était autrefois un vaste marécage traversé par une voie romaine qui correspond aujourd'hui à la rue François-Miron. Quant à l'île Saint-Louis, c'est un village au cœur de la ville, avec ses berges tranquilles et ses façades nobles donnant sur la Seine.

❶ Les hôtels particuliers★★

Un itinéraire où l'architecture est liée à l'histoire. L'**hôtel de Sens,** rue du Figuier, avec ses tourelles d'entrée, d'aspect encore médiéval. La reine Margot y habita. L'**hôtel de Beauvais,** rue François-Miron, où Mozart vécut en 1763. L'**hôtel Lambert,** rue Saint-Louis-en-l'Île, où dînèrent Chopin et Delacroix. L'**hôtel de Lauzun,** quai d'Anjou, où écrivirent Baudelaire et Théophile Gautier.

❷ L'Ébouillanté★

6, rue des Barres, 75004
☎ 01 42 74 70 52
Hiver : mar.-dim. 12h-19h, été : mar.-dim. 12h-22h.

Sur les pavés de la rue piétonne, en plein soleil et face au chevet de Saint-Gervais-Saint-Protais, la terrasse de ce restaurant est un petit paradis très prisé dès les beaux jours ! On peut y faire

une dînette à midi avec des bricks, des salades copieuses ou la formule du jour (15 €), prendre un thé avec une pâtisserie au goûter, et un cocktail le soir…

❸ Le Mémorial de la Shoah★★

17, rue Geoffroy-l'Asnier, 75004
☎ 01 42 77 44 72
www.memorialdela shoah.org
Dim.-ven. 10h-18h, 22h jeu. (f. j. f. et durant les fêtes juives)
Entrée libre.

Pour perpétuer le souvenir de la Shoah ont été gravés sur un mur les noms des 76 000 juifs, dont 11 000 enfants, déportés et morts pour la plupart dans les camps de concentration d'Auschwitz-Birkenau, Sobibor et Lublin-Maïdanek, entre 1942 et 1944. Seulement 2 500 personnes ont survécu à leur déportation. Un centre d'enseignement, d'échanges et de recherche est là pour dresser « un rempart contre l'oubli ».

❹ Izrael★★

30, rue François-Miron, 75004
☎ 01 42 72 66 23
Mar.-ven. 9h-13h et 14h30-19h, sam. 9h30-19h (f. août).

Un marchand d'épices comme on en trouve en Orient. Empilage de sacs,

de caisses, de boîtes, pêle-mêle de senteurs et de couleurs : tout ce qu'on peut trouver de par le monde pour faire la cuisine et la parfumer tient miraculeusement dans cette petite boutique au sublime désordre. Un régal.

❺ Calligrane★★

4-6, rue du Pont-Louis-Philippe, 75004
☎ 01 48 04 09 00
www.calligrane.info
Mar.-sam. 12h-19h (f. 1er-15 août).

Papiers du monde entier, incrustés d'écorces de bois

précieux, plissés japonais, parcheminés (abat-jour sur commande de 50 à 80 €), pastels, vifs ; bref, de quoi écrire en beauté.

❻ Le village Saint-Paul★

21-27, rue Saint-Paul, 75004
Jeu.-lun. 11h-19h.

Construit sur les anciens jardins du roi Charles V, le village Saint-Paul fut restauré et aménagé au cours

des années 1970. Il abrite aujourd'hui un marché d'antiquités sur rue et sur cour qui regroupe nombre de boutiques proposant porcelaine, argenterie, meubles, tissus et dentelles. Une promenade à l'abri de l'agitation des rues alentour.

❼ LA MAISON EUROPÉENNE DE LA PHOTOGRAPHIE★★★

William Klein, Édouard Boubat, Raymond Depardon : tous les plus grands noms de la photographie contemporaine ont vu leurs œuvres exposées dans ce temple de l'image. L'hôtel Henault de Cantobre, construit en 1706 et propriété de la Ville, a fait l'objet d'une restauration et d'un agrandissement, avec la construction d'une nouvelle aile. Sur trois niveaux, des accrochages réguliers de haute tenue, mais aussi une librairie évidemment dédiée à la photographie, un café et une salle de projections.
5/7, rue de Fourcy, 75004 – ☎ 01 44 78 75 00
www.mep-fr.org
Mer.-dim. 11h-20h – Accès payant.

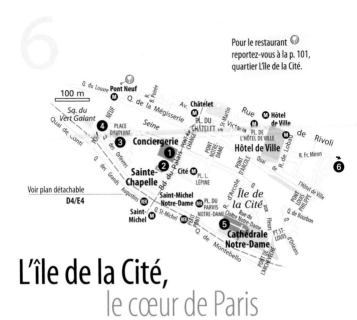

Pour le restaurant
reportez-vous à la p. 101,
quartier L'île de la Cité.

Voir plan détachable
D4/E4

100 m

L'île de la Cité,
le cœur de Paris

L'île de la Cité est le berceau de Paris. Vers 200 av. J.-C., des pêcheurs s'y installèrent et donnèrent naissance à la ville de Lutèce, qui devint rapidement à l'époque gallo-romaine un centre de batellerie. En 360, elle prend le nom de Paris ; en 560, Clovis en fait la capitale de son royaume : elle devient ainsi un centre politique, juridique, spirituel et culturel. La Conciergerie et la Sainte-Chapelle sont les vestiges du plus ancien palais royal parisien.

❶ La Conciergerie★★★

2, bd du Palais, 75001
☎ 01 53 40 60 80
www.conciergerie.
monuments-nationaux.fr
T. l. j. 9h-17h
Accès payant.

Sur le site où résidèrent les gouverneurs romains et les premiers capétiens, Philippe le Bel fit ériger, au début du XIVe s., le puissant palais de la Cité, considéré comme l'un des plus admirables du Moyen Âge, comme en témoignent la salle gothique des gens d'armes, la salle des gardes et les cuisines. Puis délaissé au profit du Louvre et de Vincennes, il fut transformé en prison au XVe s. C'est là que durant la Terreur fut enfermée Marie-Antoinette.

❷ La Sainte-Chapelle★★★

4, bd du Palais (à l'intérieur du Palais de Justice), 75001
☎ 01 53 40 60 80
www.sainte-chapelle.
monuments-nationaux.fr
T. l. j. 9h-17h.
Accès payant.

Élancée, tout en légèreté avec ses murs constitués de verrières et de rosaces qui transforment la lumière, la Sainte-Chapelle est le joyau du gothique français. Saint Louis fit construire cet édifice en un temps record, entre 1241 et 1248, pour abriter les

• Les tours :
☎ 01 53 10 07 00
Oct.-mars t. l. j. 10h-16h45,
avr.-sept. t. l. j. 9h30-17h45
(été : sam.-dim. 10h-23h),
accès payant
• Crypte archéologique :
☎ 01 44 59 58 58
Mar.-dim. 10h-17h30,
accès payant
Voir « Zoom sur » p. 86.

Une des plus belles réussites
du premier gothique de
la fin du XIIᵉ s. Bien sûr,
l'architecture a évolué,
elle a été complétée, modifiée
au fil des ans. Jusqu'à ce
que Viollet-le-Duc, sous
Napoléon III, la sauve de

reliques de la Passion du Christ
(la couronne d'épines et un
morceau du bois de la croix),
qui reposent dans la chapelle
haute dans une grande châsse
d'argent et de cuivre doré.

❸ Place Dauphine★★★

Construite en 1607 sur un
bras marécageux de la Seine,
la place Dauphine fut
baptisée ainsi en l'honneur
du futur Louis XIII. De
forme triangulaire, elle était
bordée de 32 maisons, dont
certaines, comme le nº 14, ont
gardé leur aspect d'origine
(murs de brique et pierre,
toit d'ardoises et arcades
surmontées de deux étages).
Complètement fermée, la
place était accessible par
deux passages, dont un seul
subsiste, vers le Pont-Neuf.

❹ Le Pont-Neuf★★

Commencé en 1578 et
inauguré en 1607, le Pont-
Neuf est le plus vieux de Paris,
et il vous emballera comme
Christo, un artiste américain,
l'a emballé en 1985 ! Depuis
ses piles sur lesquelles sont
aménagés des espaces en
demi-cercle avec des bancs,
on a une vue splendide
sur les quais de Seine.
Derrière la statue équestre
d'Henri IV, un escalier mène
au si romantique **square**

du **Vert-Galant,** surnom
donné au roi et qui faisait
allusion à ses nombreuses
conquêtes féminines.

❺ La cathédrale Notre-Dame★★★

6, pl. du Parvis-
Notre-Dame, 75004
www.notredamedeparis.fr
• Cathédrale :
☎ 01 42 34 56 10
Lun.-ven. 8h-18h45, sam.-
dim. 8h-19h45, entrée libre

la ruine sans toujours
en respecter l'originalité,
la poésie. Du haut des tours,
Quasimodo avait de Paris
une vision fantastique ;
avis aux amateurs, il faut
monter 69 m. Sujets au
vertige s'abstenir !

❻ SENSITIVE & FILS★★★

Franchir la porte de cette boutique, c'est comme
plonger au beau milieu de l'Asie, direction le Vietnam et
le Japon, où Sensitive fait faire la plupart de ses objets
et de ses produits. Le drap de voyage en soie (35 €),
le pantalon de pêcheur (27 €) et les boutis en coton
(150 €) font partie de ses best-sellers. On y trouve aussi
des pochettes en tissu japonais (entre 15 et 24 €), de
la vaisselle ainsi que des meubles plus volumineux
(tabourets à 55 €).
23, rue François-Miron, 75004
☎ 01 48 87 67 08
Lun.-sam. 11h-19h30, dim. 13h-19h.

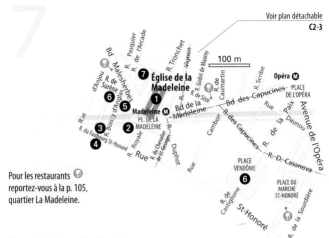

Voir plan détachable
C2-3

100 m

Pour les restaurants 🍽 reportez-vous à la p. 105, quartier La Madeleine.

La Madeleine
et le faubourg Saint-Honoré

Entre la place de la Madeleine, la place Vendôme et la place de la Concorde, Paris étale sa richesse architecturale et son savoir-faire en matière de luxe. La très chic rue Royale n'était, à une époque, qu'un sentier au milieu d'un marais, et le faubourg Saint-Honoré un terrain vague ! C'est la construction de grandes places qui amorça le développement de la ville vers le nord.

❶ L'église de la Madeleine★

Place de la Madeleine, 75008
www.eglise-lamadeleine.com
T. l. j. 10h-18h.

Que de tribulations pour cette église qui, commencée en 1763, ne sera achevée qu'en 1842 et verra ses plans évoluer, ses travaux interrompus par la Révolution, sa fonction modifiée, passant du statut d'église à celui de temple et vice versa. Finalement, elle est en parfait accord avec le palais Bourbon, situé dans la perspective de la rue Royale. Pour la petite histoire, la Marie-Madeleine représentée à droite dans le fronton du Jugement dernier choqua par son « œil ardent » et ses « vêtements impudiques »…

❷ Le village royal★

25, rue Royale, 75008
www.villageroyal.com

Cette ruelle piétonne offre une agréable promenade shopping parmi des boutiques de luxe comme Chanel, Dior, Smuggler, Anne Fontaine, Barbour. Pour les aventuriers chic, Napapijri Geografic propose sa gamme

de vêtements sportswear élégants versions homme, femme et enfant.

❸ Hermès★★★

24, rue du Faubourg-Saint-Honoré, 75008
☎ 01 40 17 47 17
www.hermes.com
Lun.-sam. 10h30-19h.

Tout est à voir chez Hermès, y compris, avant même d'entrer, les vitrines, toujours éblouissantes. Jetez aussi un œil sur les différents rayons : la sellerie, la maroquinerie, la bijouterie, la mode. Plaids et carrés, sacs et bottes : Hermès se décline d'un étage à l'autre au rythme de ses collections. On pourrait y passer des heures. Le traditionnel carré coûte 292 €, mais un très joli jeu de tarots ne vous coûtera « que » 55 €.

❹ Lancôme★★

29, rue du Faubourg-Saint-Honoré, 75008
☎ 01 42 65 30 74
www.lancome.fr
Lun.-sam. 10h-19h.

C'est ici que vous trouverez tous les produits et parfums Lancôme, et surtout les exclusivités, celles que vous ne trouverez nulle part ailleurs. Au 1er étage, que vous soyez homme ou femme, l'institut vous accueille pour des soins du corps et du visage, des soins polysensoriels, jouant sur la couleur, l'aromathérapie, les massages de galets ou les vibrations de la note *la*. De quoi se mettre au diapason.

❺ L'Envue★

39, rue Boissy-d'Anglas, 75008
☎ 01 42 65 10 49
www.lenvue.com
Lun.-sam. 8h-2h
(f. sam. en août).

Une pause plutôt cosy dans ce lieu aux allures de lounge bar avec ses tables basses et ses gros fauteuils. Comptez 23 € pour les « en vues », ces copieuses assiettes composées. Afin de vous donner une idée, l'assiette « mer » se compose d'une cassolette de gambas et coques, d'un parterre de saumon, de tranchettes de bar mariné à la sarriette et d'un petit bateau de cabillaud au curry… Et la carte change souvent pour de nouvelles sensations gustatives.

❻ La place Vendôme★★★

Jules Hardouin-Mansart, célèbre architecte de Versailles, réalisa cette somptueuse place octogonale entre 1685 et 1699. Elle devait être bordée de bâtiments officiels, mais, faute de moyens, ils furent remplacés par des hôtels. En 1804, Napoléon fit fondre 1 200 canons pris à l'ennemi lors de la bataille d'Austerlitz, et éleva une colonne similaire à celle de Trajan à Rome, mais célébrant cette

fois les hauts faits de la Grande Armée. Aujourd'hui, les plus grands joailliers, Chaumet, Boucheron, Cartier, Mauboussin, Van Cleef & Arpels et Mellerio, se sont donné rendez-vous ici et rue de la Paix.

❼ HÉDIARD★★

Il suffit de franchir le seuil pour être ailleurs, pris par les senteurs, les couleurs et les goûts. Hédiard a fait peau neuve et joue les grands comptoirs, les voyages lointains. À l'étage, dans le salon de thé, le décor hésite entre années1920 et paquebots transatlantiques.

21, pl. de la Madeleine, 75008
☎ 01 43 12 88 88
www.hediard.com
Lun.-sam. 9h-20h30
Formule thé
+ pâtisserie : 14 €.

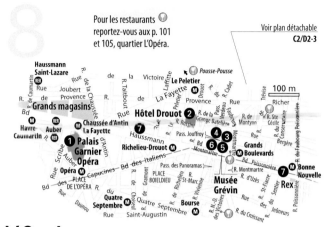

Pour les restaurants 🍴
reportez-vous aux p. 101
et 105, quartier L'Opéra.

Voir plan détachable
C2/D2-3

L'Opéra
et les Grands Boulevards

C'est le Paris de Napoléon III et des grands projets architecturaux, celui des travaux d'Haussmann, celui de la bourgeoisie aisée qui profite de la vie et de ses plaisirs. Le commerce bat son plein, les passages sont de parfaits lieux de promenade les jours de pluie. Le Grand Café de Paris organise la première projection cinématographique des films des frères Lumière...

❶ Le palais Garnier/ Opéra★★★

Pl. de l'Opéra, 75009
☎ 01 40 01 17 89
www.operadeparis.fr
T. l. j. 10h-16h30
Visites libres 9 €, visites

guidées 12,50 € en français (mer., sam., dim. 11h30 et 14h30 ; t. l. j. en été à 11h30, 14h et 15h30), en anglais (mer., sam., dim. et t. l. j. en été 11h30 et 14h30)
Salle de spectacle fermée durant les répétitions, un

tampon sur votre billet vous permet de revenir quand vous voulez.
Ce fut Charles Garnier, jeune architecte alors inconnu, qui remporta le concours lancé par Napoléon III pour l'édification d'un nouvel opéra. Malgré de nombreuses interruptions lors de la construction, l'inauguration eut lieu en 1875. Les ors, les marbres de couleur, les stucs et les sculptures, les velours cramoisis reflètent le luxe du style Second Empire. Le plafond de la salle de spectacle est une fresque de Chagall évoquant les plus grands opéras et ballets.

❷ Le quartier Drouot★★

Autour de l'**hôtel des ventes Drouot** s'est créé un quartier d'antiquaires concentré essentiellement dans les rues de Provence, de la Grange-Batelière, dans le passage Verdeau et la rue Rossini. Il règne ici une activité fébrile de transactions. On croise des brocanteurs et des antiquaires transportant des meubles, des objets de déco, ou discutant au comptoir d'un café. Ici, les portes des magasins sont toujours ouvertes.

❸ Les cannes de Gilbert Segas★★

34, passage Jouffroy, 75009
☎ 01 47 70 89 65
www.canesegas.com
Mar.-sam. 12h-18h (f. en août).

Passé la porte, Gilbert Segas vous accueille tout passé un décor de théâtre et vous fait découvrir toute l'originalité de ses cannes anciennes (de 150 à 1 500 €). Il y a celles en vertèbres de requin, apanage des capitaines ayant passé le cap Horn, celles taillées dans les tranchées par les poilus, celles qui se transforment en instrument de musique, celles qui racontent des faits

historiques… Bref, elles sont toutes des œuvres d'art à leur manière.

❹ Pain d'Épices★★

29-31, passage Jouffroy, 75009 (entrée au 12, bd Montmartre)
☎ 01 47 70 08 68
www.paindepices.fr
Lun. 12h30-19h, mar.-sam. 10h-19h.

Voilà une boutique qui fait le bonheur des petits enfants, car on y trouve toutes les miniatures pour aménager une maison de poupée ou le paysage d'un chemin de fer. Papier peint, tapis, luminaires, pots de fleurs pour orner les fenêtres, mais aussi meubles, bottes en caoutchouc à ranger près du portemanteau, couverts et assiettes, arbres… Un monde de lilliputiens ! À côté de cela, rééditions de jouets anciens en bois, et peluches bien sûr.

❺ Le musée Grévin★

10, bd Montmartre, 75009
☎ 01 47 70 85 05
www.grevin.com
Lun.-ven. 10h-18h30, sam.-dim. et j. f. 10h-19h (f. 1ère sem. de janv.)
Accès payant.

En 1882, le musée Grévin ouvre ses portes sur l'initiative du journaliste Arthur Meyer, qui eut l'idée de créer un lieu où les personnalités de l'époque seraient représentées en cire. Dans cette entreprise, il

se fait aider par le caricaturiste Alfred Grévin. Le succès est immense et, en 120 ans, plus de 2 000 personnages se sont succédés ! Stars du cinéma, célébrités de la politique, de la mode, de l'histoire, de la chanson sont représentées avec un réalisme troublant.

❻ Le Café Zéphyr★

12, bd Montmartre, 75009
☎ 01 47 70 80 14
Lun.-sam. 8h-2h, dim. 8h-20h30.

À l'angle des Grands Boulevards et du passage Jouffroy, ce café toujours animé vous propose des salades, des plats du jour (15 ou 16 €) cuisinés avec de délicieux produits du terroir français. Dans la musette du bougnat de Tizi Ouzou, craquez pour la truffade auvergnate (pommes de terre et cantal fondu), l'une des meilleures de Paris.

❼ LES GRANDS BOULEVARDS★

Vers 1750, le « boulevard », cette grande promenade bordée d'arbres aménagée à l'emplacement des murailles de l'enceinte de Charles V, connaît un franc succès. Du palais Garnier à la République, la bourgeoisie chic et à la mode s'y montre et s'y amuse. Tout est léger, on y trouve toutes sortes de divertissements comme le théâtre, le cirque, les bals… C'est l'esprit « boulevard ».

Pour les restaurants, reportez-vous à la p. 106, quartier La butte Montmartre.

Voir plan détachable
C1/D1-2

La butte Montmartre

Montmartre a des allures de village animé jusque tard dans la nuit et pendant le week-end. On prie beaucoup sur la Butte depuis le Moyen Âge, on y célèbre aussi dès le XIXᵉ s. la vigne, le vin, la musique et les arts dans les cabarets et autres guinguettes. Aujourd'hui, l'esprit bohème n'est plus vraiment ce qu'il était, mais le bas Montmartre, du côté des Abbesses, offre une vie de quartier réjouissante, diablement parisienne, et une multitude de troquets et boutiques de créateurs agréables.

❶ La place du Tertre★★

Bon, bien sûr, l'esprit bohème et authentique chanté par Aznavour a disparu… On jette quand même un coup d'œil en passant, pour le folklore. C'est sur cette place qu'en 1790 fut installée la première mairie de la commune de Montmartre. Aujourd'hui, qu'il pleuve, qu'il vente ou qu'il neige, vous y trouverez toujours des artistes – plus ou moins inspirés – pour vous tirer le portrait, romantique ou plutôt caricatural, mais aussi des serveurs à casquette de

Gavroche et pull marin pour vous servir leurs sempiternels croque-monsieur et soupes à l'oignon.

❷ L'Espace Dalí★★

11, rue Poulbot, 75018
☎ 01 42 64 40 10
www.daliparis.com
T. l. j. 10h-18h30
(20h en juil.-août)
Accès payant.

Le maître du surréalisme vécut un temps au 7, rue Becquerel, non loin de là. Après la Seconde Guerre mondiale, la veuve du peintre Utrillo, qui s'était proclamée « impératrice de Montmartre », proposa à Salvador Dalí de devenir à son tour « empereur de Montmartre ». Titre purement honorifique, qui n'eut pas de conséquences majeures sur son destin ! Ce musée présente des dessins regroupés par thèmes (le Nouveau Testament, l'art d'aimer, la quête du Graal…), des sculptures et des costumes inspirés à des créateurs de mode par l'artiste catalan.

❸ Le musée de Montmartre★

12, rue Cortot, 75018
☎ 01 49 25 89 37
www.museede
montmartre.com
Mar.-dim. 11h-18h
Entrée libre, sauf expos temporaires
En travaux mais le musée reste ouvert.

L'écrivain Claude de La Rose vécut au XVIIe s. dans cette maison, aménagée en ateliers pour artistes deux siècles plus tard. Renoir, Dufy ou Utrillo y ont séjourné. Menacée de démolition, la bâtisse a été sauvegardée par la société d'histoire et d'archéologie Le Vieux Montmartre, qui l'a transformée en musée en 1961. Dessins, affiches, revues y retracent la mémoire du quartier. D'importants travaux de rénovation sont prévus jusqu'en 2014. Nouvelle muséographie, boutique, salon de thé et jardin inspiré des peintures de Renoir.

❹ La basilique du Sacré-Cœur★★★

35, rue du Chevalier-de-la-Barre, 75018
☎ 01 53 41 89 00
ou ☎ 01 53 41 89 09
www. sacre-coeur-montmartre.com
• Basilique : t. l. j. 6h-22h30, entrée libre
• Dôme : t. l. j. 10h-20h, accès payant
• Crypte : t. l. j. 10h-19h30, accès payant
Voir « Zoom sur » p. 83.

Après la tour Eiffel, la basilique du Sacré-Cœur est le point

le plus élevé de la capitale, offrant un magnifique panorama depuis le parvis ou le dôme. C'est aussi un lieu de recueillement où l'on prie jour et nuit pour l'Église et le monde entier.

❺ De rue en rue, d'escalier en escalier★★

Petits immeubles anciens, rues pavées et tortueuses bordées d'échoppes, points de vue étonnants, escaliers qui montent vers la Butte… Montmartre fait le régal des promeneurs. La rue La Vieuville réunit des boutiques de créateurs, les escaliers de la rue Drevet et de la rue du Calvaire vous conduisent à la place du Tertre. Enfin, les escaliers de la rue Maurice-Utrillo sont parmi les plus beaux du quartier.

❻ La Halle Saint-Pierre★★

2, rue Ronsard, 75018
☎ 01 42 58 72 89
www.hallesaintpierre.org
T. l. j. 10h-18h.

Ouvert en 1986 dans un site à l'architecture de style Baltard, ce musée-galerie abrite une collection d'art brut et propose des expositions temporaires monographiques ou collectives de belle tenue. On y trouve aussi un petit café sympa et une librairie avec

❼ LES VIGNES ★★

Autrefois, une bonne part de la Butte était couverte de vignobles, et les vignerons pressaient leur raisin au couvent des Abbesses. En 1933, un petit carré de terre est sauvé de l'urbanisation et planté de 1 900 ceps, dont 75 % de gamay. En octobre, on fête les vendanges à Montmartre, et des 1 000 kg de grappes cueillies on tire 1 700 bouteilles de 50 cl ! Depuis 1996, on travaille à l'amélioration de ce vin, qui est désormais consommable.

14-18, rue des Saules (angle rue Saint-Vincent)
Entrée libre.

des rayons de livres d'art de qualité, une section jeunesse et une autre exclusivement dédiée à Paris.

❽ La Librairie des Abbesses★

30, rue Yvonne-Le-Tac, 75018
☎ 01 46 06 84 30
Lun.-sam. 9h30-20h, dim. 12h-20h.

Dans cette belle librairie aux murs rouges et gris, point de ralliement des « bibliophages » du quartier, littérature, poésie et art sont à la fête. À noter aussi, un intéressant rayon jeunesse. Accueil souriant et conseils avisés.

❾ La Mascotte★★

52, rue des Abbesses, 75018
☎ 01 46 06 28 15
www.la-mascotte-montmartre.com
• Bar : t. l. j. 7h-minuit
• Restaurant : lun.-jeu. 12h-15h et 19h-minuit, ven.-dim. 12h-minuit en continu.

Haut lieu de Montmartre que ce bistrot créé en 1889, à la déco authentique, entre miroirs et marqueterie. Là cohabitent touristes fous des charmes de la Butte et habitants du cru. Spécialité de la maison, les fruits de mer. On peut opter pour l'énorme plateau, le menu complet (39 €), savourer sur le pouce neuf huîtres et un verre de vin blanc seulement (12 €), ou une assiette de charcuterie et un verre de vin rouge (8 €).

❿ Les Établissements Lion ★

7, rue des Abbesses, 75018
☎ 01 46 06 64 71
Mar.-sam. 10h30-20h, dim. 11h-19h.

Ici, depuis 1895, on vend des graines. À l'entrée de la boutique, qui ressemble à une serre, un rayon plantes vertes et jardinage avec entre autres les fameuses graines à planter Kokopelli (préservant les variétés anciennes de légumes, 3,80 € le sachet). Plus loin, le coin épicerie fine avec des produits artisanaux de grande qualité, des huiles variées, des légumes secs, des thés, des bonbons dans de grands bocaux… Un petit air de campagne à Paris.

⓫ Appellation d'Origine, Épicerie du Terroir★

26, rue Lepic, 75018
☎ 01 42 62 94 66
T. l. j. 10h-20h
(f. 1er janv. et 25 déc.).

Ce magasin de spécialités régionales rassemble des produits artisanaux issus des « six coins » de la France ! Plus de 50 variétés de confitures, du nougat, des bonbons multicolores, tout est élaboré selon des recettes anciennes et traditionnelles. Ce sont des petits producteurs triés sur le volet qui font leur foie gras, leur charcuterie dans le Cantal ou en Corse…

De quoi apprécier la richesse du terroir français.

⑫ Les Petits Mitrons★★

26, rue Lepic, 75018
☎ 01 46 06 10 29
T. l. j. 7h-20h.

Juste en face du café des Deux Moulins, qui prêta son décor au film *Le Fabuleux Destin d'Amélie Poulain*, ne ratez pas cette pâtisserie de poche, culte à juste titre. Dans un décor bleu et rose façon bonbonnière, elle offre une sélection de tartes sucrées

et salées absolument divines. Un must, les cookies maison au chocolat (0,90 € pièce) ou au caramel !

⑬ Chine Machine★★

100, rue des Martyrs, 75018
☎ 01 80 50 27 66
T. l. j. 12h-20h.

Chiner la pièce vintage qui va réveiller sa garde-robe : voilà le nouveau sport de combat des Parisiennes. Ici, chez Chine Machine, à tous les coups on gagne. Selon les jours et les arrivages, on peut y dénicher une paire de boots ou de lunettes vintage, des pulls et des robes sixties, des sous-vêtements furieusement rétro et même des nuisettes en coton (7 €). Comme l'endroit fait aussi dépôt-vente, il est également possible de tomber

sur des pièces plus actuelles siglées Zara ou Comptoir des Cotonniers. Petit bonus : il y a même un bac réservé aux vêtements enfants ainsi qu'une sélection de vieux livres et de vieux vinyles.

⑭ Café Burq★★

6, rue Burq, 75018
☎ 01 42 52 81 27
Lun.-sam. 16h30-2h.

Le café Burq est l'une des adresses diablement tendance des Abbesses, où quelques vedettes de la télé ou de la mode se pressent. Le cadre oscille entre bistrot fifties et design seventies. Dans les assiettes, des saveurs d'ici et d'ailleurs se mélangent avec harmonie. L'incontournable du Burq, pour lequel ils sont nombreux à se pâmer, c'est le délicieux camembert rôti aux pignons et au miel.

⑮ STUDIO 28★★

« La salle des chefs-d'œuvre, le chef-d'œuvre des salles. » Ainsi Jean Cocteau évoquait-il le Studio 28, temple de l'art et essai et première salle de cinéma d'avant-garde, précisément inaugurée en 1928. Elle a longtemps été le repaire des créateurs, d'Abel Gance à Luis Buñuel. Aujourd'hui encore et subsistent les lustres de Cocteau, une haute exigence de programmation et une ambiance de quartier. Si vous rêvez d'une pause cinéma, c'est ici et nulle part ailleurs qu'il faudra vous arrêter.

10, rue Tholozé, 75018 - ☎ 01 46 06 36 07
www.cinemastudio28.com

10

Voir plan détachable
E4-5/F4-5

Bréguet M
Sabin

R. de la
Bastille
Rue Sedaine

Rue de la Roquette
R. des Taillandiers
Thiéré
Rue Keller
Rue Ledru Rollin
de
Rue Godefroy Cavaignac
R. St-Bernard
Rue Basfroi
Charonne
Rue Charrière
Rue Faidherbe

3 Bastille
M PL.
DE LA
BASTILLE

Rue de Lappe
8
Passage de la Main d'Or
Rue Trousseau
Rue Saint-Bernard
Rue Royale
R. P. Bert

Bastille M

4 Opéra-
Bastille
9 Port de
l'Arsenal
Rue du
Rue
2 1
Rue Aubry
Saint-Antoine

Ledru-Rollin M

Faidherbe M
Chaligny

Pour les restaurants
reportez-vous aux p. 101,
102 et 106, quartier
La Bastille. ○

R. Crillon
Boulevard Bourdon
Bd de la Bastille
R. Lacuée
R. J. César

Rue de Lyon
Av. Ledru Rollin
de Prague
R. de Cotte
Baudelaire
R. Abel
de la Main d'Or
PLACE
D'ALIGRE
R. Charenton
R. de Cîteaux
R. Bécarin
Crozatier

Coulée verte
6
7 Viaduc des arts
5
Diderot
Daumesnil

M
Quai de la Rapée
PONT
D'AUSTERLITZ
Boulevard
Avenue
R. Bercy
R. Traversière
Rue de Lyon
PLACE
LOUIS ARMAND
M Gare de Lyon
RER
Gare de Lyon

Q. de la Rapée
PONT CHARLES
DE GAULLE
Rue
de
la Rapée
Bercy

200 m

La Bastille
et le faubourg Saint-Antoine

De la forteresse de la Bastille construite au XIVe s.
aux portes de la ville pour défendre la capitale,
il ne reste qu'un contour signalé par un pavage
spécial aux débouchés de la rue Saint-Antoine
et du boulevard Beaumarchais, au nº 3 de la place.
Quand les révolutionnaires la prirent d'assaut
le 14 juillet 1789, il n'y avait que sept prisonniers
et un important stock de poudre… Elle sera
détruite et deviendra le symbole de la chute de la
royauté et du commencement de la Révolution.

1 Le faubourg
Saint-Antoine★★

Sous Louis XI, les artisans
du faubourg furent libérés de
l'autorité des corporations.
Ils purent alors utiliser des
bois précieux et inventer de
nouvelles formes. C'est ainsi
que ce lieu devint un creuset
de la création et rassembla
une multitude d'artisans
du meuble comme les
ébénistes, les marqueteurs,
les bronziers, les tapissiers.
Aujourd'hui, si les magasins
de meubles sont de plus
en plus nombreux, les petits
ateliers blottis au fond
des cours font encore le
charme de ces lieux.

2 L'Arbre à Lettres★★

62, rue du Faubourg-Saint-
Antoine, 75012
☎ 01 53 33 83 23
Lun.-sam. 10h-20h,
dim. 14h-19h.

Cette très bonne librairie générale, glissée furtivement entre deux vitrines de marchands de meubles, arbore avec une certaine rigueur un gris conventuel, que vient casser la pièce réservée à la jeunesse. Ouverte sur les arbres de la cour Bel-Air, une des plus jolies du quartier, elle est restée telle qu'elle devait être au XIXe s.

❸ Bofinger★★

5-7, rue de la Bastille, 75004
☎ 01 42 72 87 82
Lun.-ven. 12h-15h et 18h30-minuit, sam.-dim. 12h-0h30
Menu midi ou soir à 32 €.

On n'y va plus 24h/24 comme lors de sa création en 1864, mais sa vocation universelle demeure. Dans cette brasserie classée « lieu de mémoire », on trouve une excellente carte « brasserie » et plusieurs types de choucroutes, dont une, savoureuse, au poisson.

❹ L'Opéra-Bastille★★

Pl. de la Bastille, 75011
☎ 01 40 01 17 89
www.operadeparis.fr
Loc. lun.-ven. 9h-18h, sam. 13h-19h
au ☎ 0 892 89 90 90.

Tout était controversé : l'emplacement loin du centre, au cœur d'un quartier populaire, l'architecture épurée de Carlos Ott, l'acoustique de l'immense salle aux 2 700 places. Les débuts ont été difficiles, mais aujourd'hui les esprits se sont apaisés, et le public ne se passionne plus que pour la qualité des voix, la sonorité de l'orchestre, la maîtrise de la scène. Des spectacles à la pointe de l'actualité culturelle dont les places s'arrachent. À ne pas manquer si vous avez une soirée libre !

❺ Le Viaduc des arts et la Coulée verte★★★

Accès à la Coulée verte par l'av. Daumesnil, 75012
Ouverture : 8h en sem. et 9h le w.-e.
Fermeture : nov.-janv. 17h30, fév.-mars 18h, sept.-oct. 20h, de mi-avr. à août 21h.

Créée en 1988 à l'emplacement d'une ancienne ligne de chemin de fer, cette promenade originale de 4,5 km relie la Bastille au bois de Vincennes. Sur les arcades du viaduc, une « coulée verte » de jardins suspendus mêle liserons des champs et pavots sauvages. Sous les arcades, les ateliers, les vitrines et les créations des artisans parisiens s'exposent au public.

❻ Serge Amoruso★★★

13, rue Abel, 75012
☎ 01 43 45 14 10
www.ateliersdeparis.com
Lun.-ven. 9h-18h, sam. 14h30-18h.

Galuchat, queue de castor, patte d'autruche, croco, autant de peaux sublimes que Serge Amoruso travaille avec talent. Il les associe à des perles de Tahiti, des bois précieux ou des matières rares. Porte-monnaie à 110 €, sacs, ceintures et accessoires.

❼ Viaduc Café★

43, av. Daumesnil, 75012
☎ 01 44 74 70 70
www.viaduc-cafe.fr
T. l. j. 9h-2h
Formule midi à 16 €, dim. jazz-brunch à 25 €.

Sous les arcades de la Coulée verte se trouve le bar-restaurant branché du quartier. Pierre de taille, olivier, composition d'Hippolyte Romain constituent un décor tendance. La terrasse est très appréciée aux beaux jours.

❽ Librairie BDnet★★

26, rue de Charonne, 75011
☎ 01 43 55 50 50
www.bdnet.com
Lun.-sam. 10h30-19h30.

La boutique du site livre BD et mangas sur un simple coup de fil. Ses vitrines incroyables sont tapissées de figurines et d'accessoires : Droopy et Casper, Barbapapa et Tintin. Côté albums, *Yakari* et *Ric Hochet*, *Les Bidochon* et *Asterix*, *Alix* et *Jason*, forment un festival de héros dessinés. Amateurs du neuvième art, courez, courez !

❾ LE PORT DE L'ARSENAL★★★

Ce port de plaisance situé entre le canal Saint-Martin et la Seine constitue une bien agréable promenade. Boulevard Bourbon, une passerelle en fer enjambe le bassin de l'Arsenal et vous donne accès à un jardin idyllique. Au bord de l'eau, des pelouses et des pergolas qui se recouvrent de roses, de chèvrefeuilles, de clématites ou de bignones.

11, bd de la Bastille, 75012.

11

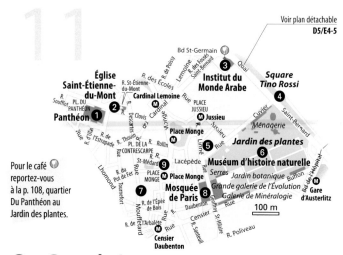

Voir plan détachable
D5/E4-5

Bd St-Germain
❸
R. des Poissy
Lemoine
R. des Fossés
St-Bernard
Quai

**Institut du
Monde Arabe**

**Square
Tino Rossi**
❹

**Église
Saint-Étienne-
du-Mont**
R. St-Étienne-
du-Mont
R. des Écoles
Cardinal Lemoine
R. Souffot
PL. DU
PANTHÉON
Panthéon ❶
❷
Descartes
R. Clovis
Cardinal
Rue
PLACE
JUSSIEU
Ⓜ Jussieu
Saint-Bernard
Cuvier
Ménagerie

R. de
l'Estrapade
R. de
R. Thouin
PL. DE LA
CONTRESCARPE
R. Rollin
Place Monge
Ⓜ
Linné
Jussieu
Rue
❺
Jardin des plantes
❻

Pour le café Ⓒ
reportez-vous
à la p. 108, quartier
Du Panthéon au
Jardin des plantes.

R. St-Médard
Lacépède
Muséum d'histoire naturelle
Serres
R. du
Pot de Fer
❾
PLACE
MONGE
Ⓜ **Place Monge**
Jardin botanique Buffon
Bd de l'Hôpital
❼
**Mosquée
de Paris**
R. de l'Épée
de Bois
❽
Daubenton
Geoffroy St-Hilaire
**Grande galerie de l'Évolution
Galerie de Minéralogie**
Rue
**Gare
d'Austerlitz**

Lhomond
Tournefort
R. Mouffetard
R. de l'Arbalète
Rue
Censier
Rue St-Santeuil
100 m

R. Poliveau

**Censier
Daubenton**

Du Panthéon
au Jardin des plantes

Derrière la montagne Sainte-Geneviève couverte depuis le Moyen Âge de couvents, de collèges et d'universités commence la rue Mouffetard, l'une des plus anciennes de Paris. Ce quartier de la « Mouff' », autrefois très populaire et misérable, où l'on trouvait les auberges les plus louches, séduit aujourd'hui par ses rues pavées qui descendent vers la Seine, bordées de petits immeubles anciens.

❶ Le Panthéon★★★

Pl. du Panthéon, 75005
☎ 01 44 32 18 00
www.pantheon.
monuments-nationaux.fr
Oct.-mars : t. l. j. 10h-18h,
avr.-sept. : t. l. j. 10h-18h30
(f. 1er janv., 1er mai et
25 déc.)
Accès payant.

Louis XV ayant fait le vœu
d'édifier une église à sainte
Geneviève, Soufflot fut chargé
d'en dessiner le plan. Il lui
donna la forme d'une croix
grecque. Les aléas de la
politique aidant, elle allait
perdre et retrouver sa vocation
religieuse à diverses reprises,
au hasard des gouvernements

et des révolutions. Lorsque
Victor Hugo mourut, elle
devint à jamais le tombeau des
grands hommes, sous les
fresques évanescentes de
Puvis de Chavannes.

❷ L'église
Saint-Étienne-
du-Mont★★

1, rue Saint-Étienne-
du-Mont, 75005
www.saintetiennedumont.fr
Horaires variables,
se renseigner sur le site
Entrée libre.

C'est l'une des plus curieuses
églises de Paris, qui fut
achevée au XVIIe s. par la
construction d'un portail
étonnamment asymétrique
dans le goût Renaissance.
Contrairement aux autres
édifices, elle a conservé
un jubé du XVIe s. dont
la sculpture est une pure
merveille. L'enchevêtrement

des nervures, la dentelle des clés de voûte, tout est d'une rare élégance. C'est là que sont enterrés Pascal et Racine.

❸ L'Institut du monde arabe★★★

1, rue des Fossés-St-Bernard, pl. Mohammed-V, 75005
☎ 01 40 51 38 38
www.imarabe.org
Mar.-dim. 10h-18h (f. 1er mai)
Accès payant.

La façade, conçue par Jean Nouvel, est couverte de 240 moucharabiehs qui, tels des diaphragmes, s'ouvrent et se ferment en fonction de l'intensité lumineuse. Les collections du musée se déploient autour d'un patio et retracent à travers des objets d'art, des manuscrits, des instruments scientifiques, de l'artisanat, la grandeur et l'épanouissement culturel et artistique des civilisations arabo-musulmanes.

❹ Le square Tino Rossi★★

Quai Saint-Bernard, 75001
Ouverture : 8h en sem., 9h le w.-e.
Fermeture : nov.-janv. 17h30, fév.-mars 18h, sept.-oct. 20h, avr.-août 21h
Entrée libre.

Ce jardin situé sur les berges de la Seine en face du Jardin des plantes est aussi un musée de sculpture contemporaine. Sous l'ombrage de vieux platanes, les œuvres de Brancusi, César, Ipoustzeguy, Zadkine, Schöffer, Stahly et bien d'autres artistes.

❺ L'Arbre à Cannelle★★

14, rue Linné, 75005
☎ 01 43 31 68 31
Lun.-ven. 12h-18h, sam. 15h-18h
12 € le plat.
On baigne ici dans le vert anis, couleur aussi fraîche

que les salades, les assiettes gourmandes et les tartes maison (5 à 8,50 €) servies. Cuisine du marché.

❻ Le Jardin des plantes★★★

36, rue G.-St-Hilaire, 75005
☎ 01 40 79 56 01
www.mnhn.fr
• Jardin : t. l. j. 7h30-20h, entrée libre
• Serres : mer.-lun. 10h-17h (18h30 en été, f. 1er mai), accès payant
• Grande Galerie de l'Évolution : mer.-lun. 10h-18h (20h sam., f. 1er mai), accès payant
• Ménagerie : t. l. j. 9h-18h (18h30 dim. et j. f.), accès payant
Voir « Zoom sur » p. 79.

Le Jardin royal des plantes médicinales créé en 1626 par Louis XIII est l'ancêtre de l'actuel Jardin des plantes, qui ouvre ses portes au public en 1640. Ce lieu unique et protégé au cœur de Paris rassemble, depuis plusieurs siècles, scientifiques, élèves de tous âges et artistes animaliers ou peintres de fleurs. Ménagerie, jardin botanique, galerie de Minéralogie ou de l'Évolution… Les quatre serres ont rouvert leurs portes en juin 2010, ne les manquez pas !

❼ La rue Mouffetard★★

Entre la place du Panthéon et la place de la Contrescarpe, la rue Mouffetard reste un

lieu pittoresque de la ville, encore peuplée par endroits d'étudiants. Ambiance nonchalante et populaire pour la Mouff', immortalisée dans les *Contes de la rue Broca* de Pierre Gripari. Au n° 141, l'église Saint-Médard et ses beaux vitraux.

❽ La Mosquée de Paris★★★

39, rue Geoffroy-Saint-Hilaire, 75005
☎ 01 43 31 38 20
www.mosquee-de-paris.org
Téléphoner pour les jours et les heures d'ouverture.

Dépaysement garanti dans cette fabuleuse mosquée. Inaugurée en 1926, la Grande Mosquée fut bâtie pour rendre hommage aux 100 000 musulmans morts durant la Première Guerre mondiale. Aujourd'hui, on y prie, on peut y prendre un thé dans les cours et sous le jasmin, on y mange des tagines et du couscous ; quant au hammam, il est bien agréable !

❾ LA MAISON DES TROIS THÉS★★

Décor élégant et sans folklore pour ce comptoir de vente et temple de la dégustation de thés, ouvert par maître Tseng en 1995. Les plus grands noms de la gastronomie se servent ici, et vous pourrez goûter de grands crus, dans des tasses de porcelaine ultra-fine, à partir de 10 € (pour des millésimes rares, les prix peuvent atteindre 5 000 € !).
1, rue Saint-Médard, 75005
☎ 01 43 36 93 84 – Mar.-sam. 11h-19h30.

12

Pour les restaurants et cafés ☕ reportez-vous aux p. 102, 106, 108 et 109, quartier Du pont des Arts au jardin du Luxembourg.

Voir plan détachable
**C4-5/D4-5 et zoom
H6-7/I6-7-8**

Du pont des Arts
au jardin du Luxembourg

(plan)

1 Institut de France
PL. DE L'INSTITUT
2 Musée des lettres et manuscrits
St-Germain-des-Prés Ⓜ
3 Mabillon Ⓜ
4
5
6 Odéon Ⓜ
7 Saint-Sulpice Ⓜ — Église Saint-Sulpice
8 Sénat (Palais du Luxembourg)
Jardin du Luxembourg
100 m
PL. ANDRÉ HONNORAT
Luxembourg RER

Les saint-sulpiceries disparaissent peu à peu de la place avec les dernières boutiques d'art religieux, mais la fontaine de Visconti continue à ruisseler comme si de rien n'était. Des rues pleines de charme mènent au jardin du Luxembourg, comme la rue Servandoni ou la rue Férou. La rue Guisarde et la rue des Canettes, souvenirs d'un très vieux Paris, rejoignent l'animation du boulevard Saint-Germain.

1 L'institut de France★★

**23, quai de Conti, 75006
Téléphoner pour les horaires et les visites :
☎ 01 44 41 44 41
www.institut-de-france.fr
Visites un dimanche par mois (se renseigner par téléphone).**

Sous la coupole de Le Vau édifiée en 1663 se réunissent en séance solennelle les académiciens. L'Institut de France comprend l'Académie française créée par Richelieu en 1635, l'Académie des inscriptions et belles-lettres (1663), l'Académie des sciences (1666), l'Académie des beaux-arts et l'Académie des sciences morales et politiques. Le jeudi, les académiciens se réunissent

pour statuer sur le sort des mots devant figurer ou non dans le dictionnaire français...

2 Le musée des Lettres et Manuscrits★

**222, bd Saint-Germain, 75007
☎ 01 42 22 48 48
www.museedeslettres.fr
Mar.-dim. 10h-19h
(21h30 jeu.)
Accès payant.**

Fondé en 2004, le musée a quitté son écrin de la rue de Nesle, direction le boulevard Saint-Germain. Dans un vaste hôtel particulier de toute beauté, les collections riches de 70 000 lettres, manuscrits, livres et œuvres d'art s'exposent sous forme d'un accrochage renouvelé régulièrement, et au fil d'expositions temporaires thématiques…

la rue Mazarine ou du n° 30 de la rue Dauphine)
☎ 01 46 34 00 40
T. l. j. 11h30-19h
Formules entre 9 et 27 €
Rés. souhaitable à midi.

Dans le calme du passage Dauphine se trouve la meilleure adresse du quartier

et ambiance bonbonnière. Il n'est pas rare d'y croiser des actrices en séance shopping pour leur progéniture. Dans la salle voûtée du sous-sol, un restaurant-salon de thé du même esprit, où l'on peut déguster de grandes salades (18 €), des légumes grillés ou une pâtisserie à l'heure du thé. Des chaises hautes sont disponibles sur place pour accueillir vos chères têtes blondes…

❼ La place et l'église Saint-Sulpice★★★
Pl. Saint-Sulpice, 75006.
On se croirait en Italie sur cette place ombragée avec au centre la fontaine dite des « quatre points cardinaux » représentant les évêques Bossuet, Fénelon, Massillon et Fléchier, qui ne furent jamais cardinaux ! Derrière la majestueuse façade Renaissance conçue par Servandoni se cachent à l'entrée des bénitiers en coquille sculptés par Pigalle, dans la chapelle des Saints-Anges les fresques de Delacroix, autour du chœur des statues de Bouchardon.

❸ Le marché de Buci★
Au croisement de la rue de Buci et de la rue de Seine Mar.-dim. toute la journée.

Le marché de Buci, ce sont des boutiques, mais leurs étals débordants de fleurs, de fruits, de légumes et de fromages empiètent si largement sur la rue que l'on parle de marché. On s'y promène, on y fait ses courses bien sûr, et c'est toujours la bousculade !

❹ L'Heure Gourmande★★
22, pass. Dauphine, 75006 (accès au niveau du n° 27 de

pour déjeuner sur le pouce. En été, on profite de la petite terrasse, en hiver du chocolat chaud à l'ancienne. Cathie met un point d'honneur à cuisiner d'excellentes tartes salées ou sucrées. Le Safari tartes, un assortiment de trois tartelettes salées, est à 12,80 €.

❺ Bonpoint★★
6, rue de Tournon, 75006
☎ 01 56 24 05 79
Restaurant/salon de thé :
lun.-sam. 12h-18h
Brunch le sam. 30 €.
La boutique des bébés et enfants chic et branchés, dans un cadre qui marie design

❽ Le Sénat et le jardin du Luxembourg★★★
Ce magnifique palais Renaissance construit par Catherine de Médicis abrite le Sénat. Le jardin romantique était la promenade favorite des artistes et des poètes. Aujourd'hui, dans le bassin louvoient les bateaux à voile des enfants, sous les arbres évoluent les maîtres de tai-chi, tandis que les joueurs d'échecs et de belote font des parties endiablées.

❻ LA COUR DU COMMERCE-SAINT-ANDRÉ ET LA COUR DE ROHAN★★★
La cour du Commerce-Saint-André fut édifiée en 1776. Au n° 8, Marat imprimait son journal *L'Ami du peuple,* ; au n° 9, on construisit la première guillotine. Aujourd'hui, on y trouve surtout des salons de thé, mais aussi un passage qui communique avec la cour de Rohan. Là, Trouvon découvre des vestiges de la muraille de Philippe Auguste, un pas-de-mule pour monter sur les chevaux et un vieux puits.
Pl. Henri-Mondor ou rue de l'Ancienne-Comédie, 75006.

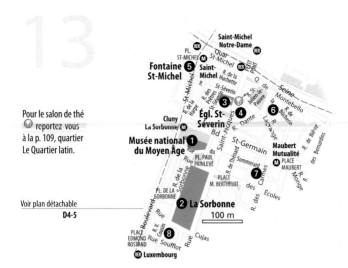

Pour le salon de thé ☕ reportez vous à la p. 109, quartier Le Quartier latin.

Voir plan détachable
D4-5

Le Quartier latin

Les rues se chargent d'étudiants à la sortie des cours, les cafés restent ouverts tard le soir, les librairies universitaires bruissent d'une agitation studieuse. Depuis la fondation de la Sorbonne au XIIIe s., le quartier vit du savoir et de sa transmission, en latin bien sûr, d'où son nom. Agité parfois de soubresauts, le quartier n'en demeure pas moins l'un des plus touristiques de Paris.

❶ Le musée national du Moyen Âge, les thermes et l'hôtel de Cluny★★★

6, pl. Paul-Painlevé, 75005
☎ 01 53 73 78 00
www.musee-moyenage.fr
Mer.-lun. 9h15-17h45.
Accès payant.
De la partie la plus ancienne du musée – les thermes de Lutèce construits aux IIe et IIIe s. – à l'autel gothique des abbés de Cluny – un joyau de l'architecture flamboyante – ce sont les racines mêmes de Paris que l'on découvre ici. Les objets proviennent de monuments parisiens ou de trésors d'églises ; les

sculptures évoquent les noms les plus prestigieux : la Sainte-Chapelle, Notre-Dame... et la tapisserie de *La Dame à la*

licorne rappelle l'univers de l'amour courtois. Un jardin botanico-potager montre au public les plantes cultivées au Moyen Âge.

❷ La Sorbonne★★

17, rue de la Sorbonne, 75005.

C'est Robert de Sorbon qui fonde au XIIIe s. le collège appelé à devenir le siège de la faculté de théologie de Paris. La Sorbonne a connu au fil des âges une histoire architecturale et sociale mouvementée, jusqu'à se voir propulsée bastion de la révolte étudiante de Mai 68. Aujourd'hui, si vous avez la chance de pouvoir pénétrer dans la cour d'honneur, vous y admirerez de belles façades et fresques d'artistes. La place de la Sorbonne offre aussi quelques terrasses agréables, où refaire le monde aux beaux jours.

❸ L'église Saint-Séverin★

3, rue des Prêtres-Saint-Séverin, 75005
☎ 01 42 34 93 50
www.saint-severin.com
Lun.-sam. 11h-19h30,
dim. 9h30-20h
Visite de l'église sam. 17h30.

C'est l'une des plus jolies paroisses de Paris, l'une des plus anciennes aussi. Un parfait exemple de l'évolution des styles du XIIIᵉ au XVIᵉ s., un spécimen achevé de l'architecture gothique flamboyante. La visite est courte si l'on veut, mais éblouissante entre les spirales de la colonne centrale et la nervosité des voûtes en palmier où les lignes tissent leur toile de pierre.

❹ Autour de la rue Saint-Séverin★

Dans ce quartier épargné par les grandes avenues, ruelles entrecroisées font la joie des piétons. La rue Saint-Séverin est aujourd'hui prise d'assaut par les restaurants grecs, qui invitent au voyage au son du sirtaki. À deux pas de là, la rue Dante est le royaume des bulles : les librairies et les héros de BD s'y succèdent presque à touche-touche : Tintin, Superman et autres personnages se dévoilent dans les albums et les planches originales.

❺ La fontaine Saint-Michel★

Haussmann décida de construire cette majestueuse fontaine pour masquer le départ du tout nouveau boulevard Saint-Michel, désaxé par rapport au boulevard du Palais de l'île de la Cité. En 1860, Davioud dessina l'ensemble, s'inspirant de la fontaine de Trevi à Rome et de celle de Marie de Médicis au jardin du Luxembourg. Duret réalisa le saint Michel terrassant le dragon.

❻ Shakespeare & Co★

37, rue de la Bûcherie, 75005
☎ 01 43 25 40 93
Lun.-ven. 10h-23h,
sam.-dim. 11h-23h.

Les rayonnages débordent jusqu'au plafond de livres en anglais, anciens et contemporains. La façade à colombages est une des plus anciennes du quartier, et la rue longe Notre-Dame, dont elle est simplement séparée par la Seine. *Tea party* le dimanche après-midi au 1ᵉʳ étage, dans l'appartement du libraire (entrée libre). À voir pour le plaisir.

❼ Mayette★

8, rue des Carmes, 75005
☎ 01 43 54 13 63
www.mayette.com pour télécharger des tours de magie !
Mar.-sam. 14h-19h30.

Depuis 1808, Mayette est le plus vieux magasin de prestidigitation de France, où l'on apprend tout sur la magie. On y trouve les tours les plus simples comme les plus difficiles, démonstration à l'appui. Livres, cassettes vidéo et CD-Rom remplissent des tiroirs qui datent d'un autre siècle. De tout, à tous les prix : c'est magique.

❽ CAFÉ PANTHÉON★★

À l'étage du cinéma Panthéon, pas évident de soupçonner l'existence de ce café-restaurant pourtant très tendance depuis son ouverture à l'été 2007. Canapés douillets et tables basses, bibliothèques chargées d'ouvrages consacrés au septième art : design et brocante se mêlent dans un cadre hétéroclite conçu par le décorateur de cinéma et antiquaire François Sapet et par l'actrice Catherine Deneuve, s'il vous plaît ! Dans les assiettes, d'honnêtes plats du jour et des salades copieuses. Très agréable.

13, rue Victor-Cousin, 75005 – ☎ 01 56 24 88 80
Lun.-ven. 12h30-14h30, salon de thé jusqu'à 18h30
Menu midi à 13-14 €, menu-carte à 15-20 €.

14

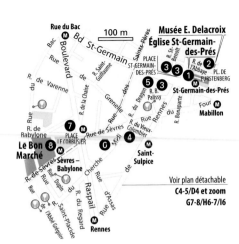

Pour les restaurants et le glacier 🍦 reportez-vous aux p. 102, 106 et 109, quartier Saint-Germain-des-Prés et Sèvres-Babylone.

Voir plan détachable
C4-5/D4 et zoom
G7-8/H6-7/I6

De Saint-Germain-des-Prés
à Sèvres-Babylone

Rue du Cherche-Midi, rue de Grenelle, rue du Four, rue du Vieux-Colombier, rue Bonaparte, boulevard Saint-Germain… Le quartier du carrefour de la Croix-Rouge marqué par une statue de César est sans aucun doute le « faubourg Saint-Honoré » de la rive gauche. On y trouve les marques les plus chic et les plus prestigieuses dans des boutiques de charme.

❶ L'église Saint-Germain-des-Prés★★★

3, pl. Saint-Germain-des-Prés, 75006
☎ 01 55 42 81 33
www.eglise-sgp.org
T. l. j. 8h-19h.
Avec Saint-Pierre-de-Montmartre, Saint-Germain-des-Prés est l'une des plus anciennes églises de Paris. De la grande abbaye romane des XIe et XIIe s., il ne reste que le clocher-porche, la façade et le déambulatoire. À noter aussi, les colonnes de marbre du triforium qui proviennent du premier édifice mérovingien de Childebert construit au VIe s.

Dans la nef, les peintures murales, réalisées en 1846, sont d'Hippolyte Flandrin, élève d'Ingres.

❷ La place de Furstenberg★★

Cette charmante petite place que traverse la rue Furstenberg s'ouvre comme une scène de théâtre qu'ombragerait un paulownia. Un réverbère, un banc public, on dirait un décor pour les amoureux de Peynet. Delacroix s'était installé au n° 6, et aujourd'hui l'on visite son musée (**musée Eugène-Delacroix** : ☎ 01 44 41 86 50, www.musee-delacroix.fr, mer.-lun. 9h30-17h, été : sam.-dim. 9h30-17h30).

❸ Cafés et célébrités à Saint-Germain★

Sur le boulevard Saint-Germain se succèdent des cafés renommés qui virent et voient toujours passer artistes, écrivains, politiciens, intellectuels et célébrités.

Les Deux Magots (6, pl. Saint-Germain, t. l. j. 7h30-1h) et le **Café de Flore** (172, bd Saint-Germain, t. l. j. 6h30-1h30), fréquentés par les surréalistes, Jean-Paul Sartre et Simone de Beauvoir. En face, à la **Brasserie Lipp** (151, bd Saint-Germain, t. l. j. sf 24 et 25 déc. 9h-1h), se retrouvaient les hommes politiques ; François Mitterrand y avait sa table attitrée.

❹ Longchamp★

21, rue du Vieux-Colombier, 75006
☎ 01 42 22 74 75
www.longchamp.com
Lun.-sam. 10h-19h.

C'est en développant son commerce de pipes dans une civette que Jean Cassegrain a eu l'idée de les faire gainer de cuir. Le succès naissant, il crée sa propre marque en 1848. Il commence par des accessoires de fumeurs et de la petite maroquinerie, puis des bagages et, à la fin des années 1970, apparaissent les premiers sacs à main. Depuis, l'offre s'est encore diversifiée avec à chaque saison de nouvelles collections de ceintures, de chaussures, de gants, de cravates et foulards en soie.

❺ La rue du Dragon★

Au 1ᵉʳ étage de l'immeuble qui fait l'angle entre la rue de Sèvres et la rue du Dragon, un petit balcon arrondi en fer forgé est surmonté d'une lanterne et d'un dragon de bronze. Dans cette petite rue où foisonnent les boutiques de mode et d'accessoires débouchent deux ruelles au tracé moyenâgeux qui vous font remonter le temps : la rue du Sabot et la rue Bernard-Palissy.

❻ Poilâne★★★

8, rue du Cherche-Midi, 75006
☎ 01 45 48 42 59
www.poilane.fr
Lun.-sam. 7h15-20h15.

Depuis 1932, la maison Poilâne fait du bon « pain noir » avec une farine moulue à la meule, une fermentation naturelle au levain et une cuisson au feu de bois qui donne à la croûte un petit goût inimitable. Mais dans cette boutique, vous trouverez aussi de délicieuses viennoiseries, sans oublier les petits sablés (22 €/kg) et la tartelette aux pommes à 2,10 € !

❼ Petrusse★

46, bd Raspail, 75007
☎ 01 42 22 36 28
www.petrusse.com
Lun. 14h-19h, mar.-sam.10h30-19h
(f. 2 sem. en août).

Depuis 1994, Petrusse réalise de somptueux châles (de 49 à 400 €) et étoffes dont les motifs créés par des artistes de talent peuvent aussi s'inspirer des textiles anciens qui constituent le fonds historique de la maison, comme des cachemires européens des XVIIIᵉ et XIXᵉ s. ou les obis des kimonos. Chaque année, deux collections de châles voient le jour, ainsi qu'une collection maison.

❽ LE BON MARCHÉ★★

Décrit par Zola dans son roman *Au Bonheur des Dames*, Le Bon Marché créé en 1852 par Aristide Boucicaut et sa femme Marguerite est le premier grand magasin de Paris. Dès 1869, on fait appel à Gustave Eiffel pour agrandir le lieu en utilisant pour la première fois une architecture métallique. Aujourd'hui, on y trouve ce qu'il

y a de plus chic, et les fashion victims ne manquent pas d'y faire leur shopping. On y vend toujours beaucoup, mais plus à bas prix !

24, rue de Sèvres, 75006 – ☎ 01 44 39 80 00
www.lebonmarche.com – Lun.-mer. et sam. 10h-20h,
jeu.-ven. 10h-21h.

15

Pour le restaurant 🔴
reportez-vous à la p. 102,
quartier Autour de
Montparnasse.

Voir plan détachable
C5/D5

Musée du
Montparnasse
Musée   Montparnasse
Bourdelle   Bienvenüe
      ②   ⑥
Tour Montparnasse ①   **Vavin**
Montparnasse Bienvenüe   ③ Ⓜ Pl. PABLO
                                    PICASSO
Bd de Vaugirard   Ⓜ Edgar Quinet Ⓜ   Montparnasse
Gare
Montparnasse   Edgar
Jardin   Quinet
Atlantique   ④   ③ Ⓡ
                   ⑤   Raspail   Port-
              Ⓜ Gaîté   Ⓜ   Royal
         Cimetière
         du Montparnasse   **Fondation Cartier**
                                     ⑦
                         ┕━ 100 m ━┙

Autour de Montparnasse

Montparnasse fut le cadre d'une vie artistique foisonnante entre les deux guerres : Modigliani, Soutine, Apollinaire, Léger, Picasso… De La Closerie des Lilas à La Coupole, intellectuels et artistes des quatre coins du monde y résidaient, créaient, échangeaient, . Aujourd'hui, les Montparnos ont déserté mais le quartier conserve, sur les murs de ses brasseries mythiques et dans de riches musées, les traces de ce passé effervescent. À l'ombre d'une tour à l'esthétique souvent décriée, il reste un lieu très vivant, entre théâtres, cinémas et commerces.

Eiffel, arguent que « la tour Montparnasse offre la plus belle vue de Paris, car c'est le seul endroit d'où on ne la voit pas ». Quoi qu'il en soit, elle s'élève à 210 m, et on peut monter jusqu'à 186 m, d'où l'on découvre effectivement une vue inégalée de la ville, avec un panorama à 360°. Les visiteurs continuent de s'y bousculer…

① La tour Montparnasse★★

33, av. du Maine, 75014
☎ 01 45 38 52 56
www.tour
montparnasse56.com
1er avr.-30 sept. :
t. l. j. 9h30-23h30,
1er oct.-31 mars : dim.-jeu.
9h30-22h30, ven.-sam. et
veilles de fêtes 9h30-23h
Accès payant
Voir « Zoom sur » p. 92.

Certains, reprenant à leur compte la phrase de Tristan Bernard au sujet de la tour

② Musée Bourdelle★★

18, rue Antoine-
Bourdelle, 75015
☎ 01 49 54 73 73
www.paris.fr
Mar.-dim. 10h-18h
Entrée libre, sauf
expos temporaires.

Antoine Bourdelle fut aussi l'élève d'Auguste Rodin, mais vola de ses propres ailes bien plus vite que Camille Claudel. En lieu et place de l'ancien atelier-appartement du sculpteur, restauré et agrandi en 1992, un musée lui est aujourd'hui consacré. Parmi les œuvres à ne pas rater, les bustes de Beethoven, celui de Rodin, ou le *Centaure mourant,* qui domine l'atelier.

❸ Les « brasseries littéraires »★

• La Coupole
102, bd du Montparnasse, 75014
☎ 01 43 20 14 20
www.flobrasseries.com
Dim.-mer. 8h-minuit, jeu.-sam. 8h-1h
Menus de 25,50 à 31,50 €
• La Closerie des Lilas
171, bd du Montparnasse, 75006
☎ 01 40 51 34 50
www.closeriedeslilas.fr
T. l. j. 11h-1h
Env. 52 €.

À La Coupole, qui célébrera ses 85 ans d'existence en 2012,

on boit un verre ou on déguste un plateau de fruits de mer sous les portraits de ses hôtes vénérables : Sartre et Picasso, Giacometti et Piaf. À La Closerie des Lilas, cocon né en 1847, Zola, Théophile Gautier et Verlaine avaient leurs habitudes, suivis par Fitzgerald et Hemingway. Aujourd'hui encore s'y croisent bon nombre de ceux qui font le Paris littéraire, de Jean

d'Ormesson à Philippe Sollers ou Frédéric Beigbeder.

❹ La rue de la Gaîté★

Au début du XIXᵉ s., il s'agissait d'une partie du chemin menant de Clamart à la barrière de Montparnasse. Les gens du quartier l'appelaient « la rue de la joie ». À l'extérieur de la barrière, elle abritait guinguettes, bals et restaurants, situés là pour échapper aux taxes perçues par l'octroi de Paris. Aujourd'hui subsistent cafés et restaurants, mais surtout nombre de théâtres : Théâtre de la Gaîté, Rive Gauche, Théâtre Montparnasse, Comédie-Italienne figurent parmi les plus courus.

❺ Le cimetière du Montparnasse★★★

3, bd Edgar-Quinet, 75014
☎ 01 44 10 86 50
Été : lun.-ven. 8h-17h45, sam. 8h30-17h45, dim. 9h-17h45
hiver : lun.-ven. 8h-17h15, sam. 8h30-17h15, dim. 9h-17h15.

Il est moins illustre que le Père-Lachaise. Pourtant, nombre de grands de ce monde reposent dans ce cimetière célèbre, qui s'étend sur pas moins de 19 ha, en deux parties. Pour n'en citer que quelques-uns : Man Ray

et Baudelaire, Ionesco et Beckett, Maupassant et Gainsbourg, dont la tombe est l'une des plus visitées. Vous pouvez flâner au hasard des allées ou grossir les rangs des visites thématiques, bien organisées et instructives (Rens. au ☎ 01 40 33 85 85).

❻ Le musée du Montparnasse★★

21, av. du Maine, 75015
☎ 01 42 22 91 96
www.museedu montparnasse.net
Mar.-dim. 12h30-19h.

Dans une rue pavée à l'abri du Montparnasse grouillant, cet espace de calme et de sérénité abrite plusieurs ateliers d'artistes. Entre 1915 et 1918, Marie Vassilief y ouvrit sa cantine des artistes, alors fréquentée par Picasso, Modigliani, Chagall et Matisse. De 1938 à 1952, Jean-Marie Serreau et Roger Blin y créèrent leurs premiers spectacles. Aujourd'hui, un charme désuet se dégage toujours de l'endroit transformé en musée. L'espace, où verre et lierre cohabitent, ressuscite la mémoire du grand Montparnasse au fil d'expositions variées. Tous les artistes qui ont fait l'histoire du quartier y ont leur place, ainsi que Kiki, reine d'alors.

❼ LA FONDATION CARTIER★★

À deux pas de la place Denfert-Rochereau, une construction moderne aux tubes gris et aux larges baies vitrées. Signée Jean Nouvel et Lothar Baumgarten, la Fondation Cartier, magnifique écrin dévolu à l'art contemporain, a ouvert ses portes à l'initiative d'Alain-Dominique Perrin en 1984. Après la visite des expositions temporaires qui se déclinent sur deux niveaux, découvrez le « Theatrum botanicum », un jardin regroupant 200 espèces de plantes sauvages.
261, bd Raspail, 75014 – ☎ 01 42 18 56 50
www.fondation.cartier.com

16

Assemblée nationale (Palais Bourbon)
Q. d'Orsay
R. R. Esnault-Pelterie
Maréchal Galliéni
PONT DE LA CONCORDE
Fabert
7
Invalides
Assemblée Nationale M
PL. DU PALAIS BOURBON
PL. DU PRÉS. É. HERRIOT
de Lille
Esplanade des Invalides
Rue
du
Rue de Constantine
Invalides
Rue
8
de Bourgogne
Saint-Dominique
de l'Université
R. de Martignac
R. J. C. Périer
R. de Bellechasse
Las Cases
Solférino M
de
La Tour-Maubourg M
Av. de Tourville
PLACE DES INVALIDES
St-Germain
Rue du Bac M
Bd de La Tour-Maubourg
Les Invalides
1
Invalides
des
Varenne M
Rue de Varenne
de
Bd Raspail
0
Grenelle
Musée Maillol **5**
Rue du Bac M
Musée Rodin
3
Rue de Jouy
Rue Barbet
Vaneau
Varenne
4
Avenue
de
PLACE VAUBAN
Tourville
Boulevard
Av. de Breteuil
Villars
Rue
Rue
de
Babylone
Saint-François-Xavier
Rue Monsieur
2 Cinéma La Pagode
Oudinot
Rue
100 m
Vaneau M

Des Invalides
à la rue du Bac

C'est le quartier calme et feutré des ministères, où il n'est pas rare après les séances à l'Assemblée nationale de croiser des hommes politiques qui regagnent Matignon (57, rue de Varenne). Les rues étroites sont bordées de beaux immeubles ou de grands murs qui cachent des hôtels particuliers, mais aussi de grands jardins.

1 Les Invalides ★★★

Pl. des Invalides, 75007
☎ 01 44 42 37 72
www.invalides.org
1er avr.-30 sept. : t. l. j. 10h-18h (21h mar.), 1er oct.-31 mars : t. l. j. 10h-17h (f. le 1er lun. de chaque mois, 1er janv., 1er mai, 1er nov. et 25 déc.)
Accès payant
Voir « Zoom sur » p. 84.
Louis XIV lança la construction des Invalides pour héberger les vétérans de ses armées. Il fit appel à Libéral Bruant pour les bâtiments civils et à Jules Hardouin-Mansart pour l'église du Dôme, qui abrite

depuis 1840 le tombeau de Napoléon Ier. On peut voir dans les ailes du bâtiment le musée de l'Armée et le musée des Plans-Reliefs.

2 Le cinéma La Pagode ★★

57 bis, rue de Babylone, 75007
☎ 01 45 55 48 48.

C'est une véritable pagode qui se trouve devant vous. En 1896, le directeur du Bon Marché, M. Morin, offrit à son épouse cette pagode qu'il fit venir du Japon et remonter dans ce jardin. Elle

servit de salle de bal puis fut transformée en 1931 en cinéma. Aujourd'hui classée Monument historique, on y voit toujours des films dans

la splendide salle japonaise, et l'on peut se restaurer dans son jardin oriental.

❸ Le musée Rodin et son jardin★★★

79, rue de Varenne, 75007
☎ 01 44 18 61 10
www.musee-rodin.fr
• Musée : mar.-dim. 10h-17h45
• Jardin : mar.-dim. 10h-18h (17h oct.-mars)
Accès payant.

C'est ici, dans le bel hôtel Biron, qu'habita Rodin à la fin de sa vie. Déjà, il avait en tête de faire de ce lieu un musée, c'est pourquoi il légua à l'État l'ensemble de ses œuvres. Aujourd'hui, on y admire *La Porte de l'Enfer, Le Baiser,* des bronzes, des plâtres, mais aussi des œuvres de ses amis, Monet, Renoir et Van Gogh. Dans le grand jardin où sont placés le *Balzac* et *Le Penseur* se trouve une cafétéria où il fait bon se reposer et déjeuner.

❹ La galerie Triff★★

13, bd Raspail, 75007
☎ 01 42 60 22 60
www.triff.com
Mar.-sam. 10h30-19h (f. 15 premiers jours d'août).
La galerie Triff vend des kilims ainsi que de nombreux textiles orientaux comme les *suzani.* Ils vont chercher des pièces anciennes jusqu'en Asie centrale en passant par la Turquie, le Caucase et l'Iran, et réalisent avec les plus belles laines d'Anatolie des tapis contemporains aux motifs géométriques et colorés.

❺ Le musée Maillol/ Fondation Dina-Vierny★★

61, rue de Grenelle, 75007
☎ 01 42 22 59 58
www.museemaillol.com

T. l. j. 10h30-19h (21h30 ven., f. 1er janv. et 25 déc.).
Dina Vierny, qui fut la muse et le modèle du sculpteur Aristide Maillol, a acheté l'immeuble dès 1955. Depuis 1995, il abrite un musée délicieux. À l'étage, on découvre les collections permanentes, peintures, dessins, sculptures de Maillol à Gauguin, de Bonnard à Kandinsky. Au rez-de-chaussée, des expositions temporaires de grande qualité célèbrent la peinture et la photo. Ne manquez pas la jolie petite librairie.

❻ Deyrolle★★★

46, rue du Bac, 75007
☎ 01 42 22 30 07
www.deyrolle.fr
Lun.-sam. 10h-19h (f. entre 13h et 14h le lun.).
Ce célèbre cabinet de taxidermie et d'entomologie est un lieu fou ! Créé en 1831, il a inspiré Salvador Dalí, Bernard Buffet, André Breton et mille petits enfants. Son initiateur Émile Deyrolle prônait l'éducation par les yeux. Après un grave incendie, nombre de visiteurs et voisins se sont mobilisés pour lui permettre, peu à peu, d'être restauré. Vous y verrez de nombreux animaux naturalisés, des curiosités naturelles et des planches pédagogiques. De quoi se frotter aux sciences naturelles avec plaisir.

❼ L'Assemblée nationale★★

33 bis, quai d'Orsay, 75007
☎ 01 40 63 64 80
ou ☎ 01 40 63 99 99
www.assemblee-nationale.fr
Visites guidées seulement sur demande auprès du secrétariat de votre député, pièce d'identité obligatoire.

Dans l'hémicycle de l'Assemblée nationale siègent les députés, qui discutent et votent les lois. Le palais Bourbon construit en 1726 pour une fille légitimée de Louis XIV et de Mme de Montespan fut confisqué à la Révolution. C'est là qu'apparaît le clivage des partis : à droite les monarchistes, à gauche les révolutionnaires. La façade de 1807 répond à celle de la Madeleine, de l'autre côté de la Seine.

❽ MOULIÉ★

Les fleurs splendides et incroyables de Moulié empiètent sur la rue. Dans la boutique rue de Bourgogne, on trouve les plantes. Sur la place du Palais-Bourbon, fleurs blanches et camaïeu bleu des hortensias apparaissent dès le mois de juillet.
8, pl. du Palais-Bourbon et 8, rue de Bourgogne, 75007
☎ 01 45 51 78 43 – www.mouliefleurs.com
Lun.-ven. 8h-20h, sam. 8h-19h (f. en août)
Bouquets de 60 à 80 €.

PLACE DES
ÉTATS-UNIS
PL. AMIRAL
DE GRASSE
Boissière
Musée
Guimet
PLACE D'IÉNA
Longchamp
Président Wilson
Alma
Marceau
R. de
Avenue
du
Iéna
Musée d'Art
moderne
Trocadéro
PLACE DU
TROCADÉRO
New York
Pont de l'Alma
PL. DE LA
RÉSISTANCE
Palais
de Chaillot
(Trocadéro)
Av. des
Nations Unies
Musée du
Quai-Branly
Branly
l'Université
PL. DE
VARSOVIE
Seine
Av. des
Nations Unies
PONT D'IÉNA
Les Cocottes
Tour Eiffel
Quai
Champ
de Mars
Champ de Mars
Tour Eiffel
Rue Jean
Suffren

Voir plan détachable
A3-4/B3

Pour le restaurant reportez-vous à la p. 102, quartier La tour Eiffel et le Trocadéro.

100 m

La tour Eiffel
et le Trocadéro

Ce décor, planté en partie au cours des Expositions universelles de 1889 et 1937, offre un panorama de l'architecture contemporaine : la tour Eiffel Art nouveau, le palais de Chaillot et le musée d'Art moderne Art déco, et le nouveau musée du Quai-Branly, la dernière tendance contemporaine. Du haut de ces bâtiments, la vue est remarquable, et au milieu coule la Seine.

❶ La tour Eiffel★★★

Champ-de-Mars, 75007
☎ 01 44 11 23 23
www.tour-eiffel.fr
T. l. j. 9h30-23h, 18h30 pour les escaliers (9h-minuit de mi-juin à fin août)
Accès payant
Voir « Zoom sur » p. 78.

La vieille dame de métal, élevée pour fêter le centenaire de la Révolution française, porte allègrement ses 122 ans. Avec six millions de visiteurs par an, elle est l'un des monuments les plus courus de Paris. On y trouve des restaurants, des observatoires scientifiques, des boutiques

et un panorama fantastique. À près de 300 m de haut, la vue porte à 90 km par beau temps !

❷ Le palais de Chaillot★★

17, pl. du Trocadéro, 75016.
Le palais de Chaillot, ou Trocadéro, fut construit par les architectes Azéma, Carlu et Boileau, pour l'Exposition universelle de 1937. Dans le plus pur style Art déco, deux grandes ailes arrondies descendent vers la Seine et abritent le musée de la Marine et le musée de l'Homme. Au centre, l'esplanade des Droits-de-l'Homme offre l'un des plus beaux panoramas de Paris sur la tour Eiffel et les fontaines du jardin du Trocadéro.

❸ Le Café de l'Homme★

17, pl. du Trocadéro, 75016
☎ 01 44 05 30 15
www.restaurant-cafedelhomme.com
F. jusqu'à l'été 2012.

La vue y est tout simplement exceptionnelle. Le restaurant et sa terrasse (ouverte dès les beaux jours) donnent sur la tour Eiffel et le Champ-de-Mars. À l'intérieur, des feuilles d'or aux murs et des grands lustres de cristal, et, dans les assiettes, une cuisine traditionnelle et moderne. Pour les petits budgets, on peut prendre un thé l'après-midi ou un cocktail le soir.

❹ Le musée Guimet★★★

6, pl. d'Iéna, 75016
☎ 01 56 52 53 00
www.guimet.fr
Mer.-lun. 10h-18h
Accès payant.

La collection d'Émile Guimet, à l'origine du musée, fut complétée au fil des ans par des donations et des acquisitions, qui font de ce musée d'Art asiatique l'un des plus riches au monde. On se rend compte du rayonnement de l'art chinois et de l'importance de l'art indien. Mandalas tibétains, objets du Népal, peintures japonaises et coréennes, porcelaine chinoise, c'est un grand voyage au cœur des civilisations de l'Asie centrale et de l'Extrême-Orient.

❺ Baccarat, le nouveau palais de Cristal★★★

11, pl. des États-Unis, 75016
☎ 01 40 22 11 00
www.baccarat.fr
Lun. et mer.-sam.
10h-18h30 (f. j. f.).
Accès payant.

Ce splendide hôtel particulier où Marie-Laure de Noailles

donnait des fêtes magiques courues de l'intelligentsia parisienne et des artistes est aujourd'hui le siège de Baccarat. Dans un décor imaginé par Philippe Starck et Gérard Garouste, il abrite une boutique étonnante, un restaurant idéal pour une collation sur le pouce, une galerie-musée et une salle de bal dans son décor d'origine du XVIIIe s. La galerie-musée présente le savoir-faire de la maison asiatique : des pièces monumentales et prestigieuses créées depuis 1764.

❻ Le musée d'Art moderne★★★

11, av. du Président-Wilson, 75016
☎ 01 53 67 40 00
www.mam.paris.fr
• Collections : mar.-dim. 10h-18h (f. j. f.), entrée libre
• Expositions temporaires : mar.-dim. 10h-22h, accès payant
Voir « Zoom sur » p. 80.

Il réunit les artistes représentatifs des plus grands courants du XXe s. Ce sont des œuvres monumentales de Robert Delaunay, des tableaux de Bonnard, Vuillard, Picasso, Modigliani, Soutine, Van Dongen, Matisse et bien d'autres. Des expositions toujours remarquables sont organisées entre ces murs.

❼ LE MUSÉE DU QUAI-BRANLY★★★

Masques, statuettes, textiles, parures de plumes, d'or ou d'argent, objets rituels, peintures sur écorce, des œuvres fantastiques qui se découvrent dans ce nouveau musée dont l'architecture a été conçue par Jean Nouvel. Un parcours géographique vous fera découvrir les arts et les civilisations d'Afrique, d'Océanie, d'Asie et des Amériques.

27, 37 et 51, quai Branly
ou 206 et 218, rue de l'Université, 75007
☎ 01 56 61 70 00 – www.quaibranly.fr
Mar.-mer. et dim. 11h-19h, jeu.-sam. 11h-21h
(f. 1er mai et 25 déc.) – Accès payant
Voir « Zoom sur » p. 87.

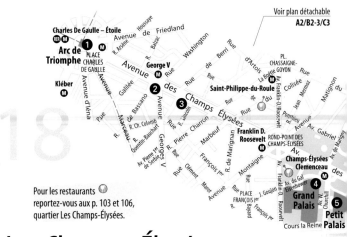

Voir plan détachable
A2/B2-3/C3

Pour les restaurants reportez-vous aux p. 103 et 106, quartier Les Champs-Élysées.

Les Champs-Élysées :
la plus belle avenue du monde

À la fin du XVIIe s., les Champs-Élysées n'étaient qu'un terrain vague sur lequel Le Nôtre fit planter des arbres pour agrandir la perspective des Tuileries. Sous le Second Empire, on s'y montrait dans un défilé incessant de voitures à cheval. Les femmes exhibaient leurs toilettes et leurs bijoux. Aujourd'hui plus populaire, bordée de cinémas et de galeries marchandes, l'avenue fait partie de la fameuse perspective historique qui relie le Louvre au quartier de la Défense.

❶ L'Arc de Triomphe★★★

Pl. Charles-de-Gaulle, 75008
☎ 01 55 37 73 77
www.arc-de-triomphe.
monuments-nationaux.fr
Oct.-mars : t. l. j. 10h-22h30,
avr.-sept. : t. l. j. 10h-23h
(f. 1er janv., 1er mai, 8 mai
matin, 14 juil. matin, 11 nov.
matin et 25 déc.)
Accès payant
Voir « Zoom sur » p. 81.

En 1806, Chalgrin en dessina les plans pour Napoléon Ier, qui voulait un monument à la

mesure de sa Grande Armée, mais les travaux ne furent achevés qu'en 1836 par Louis-Philippe. Sous cet arc de 50 m de haut orné de hauts-reliefs, dont *La Marseillaise* exécutée par Rude, brûle la flamme du Soldat inconnu en mémoire des soldats morts au combat. Depuis la plate-forme, on a le plus beau point de vue sur les Champs-Élysées et la place de l'Étoile, d'où rayonnent douze avenues.

❷ Louis Vuitton★★

101, av. des Champs-Élysées, 75008
☎ 01 53 57 52 00
www.louisvuitton.com
Lun.-sam. 10h-20h,
dim. 11h-19h.

La maison des Champs-Élysées du célèbre malletier français est une promenade chic. Éric Carlson et Peter Marino ont imaginé un espace ouvert, fait de terrasses où l'on découvre sacs, vêtements, montres et bien sûr tout ce qui tourne autour de l'art de voyager. On y admire aussi des œuvres d'artistes contemporains.

PLACE BEAUVAU

❼ Palais de l'Élysée

❻ PLACE DE LA CONCORDE

Concorde Ⓜ

100 m

❸ Ladurée★★

75, av. des Champs-Élysées, 75008
☎ 01 40 75 08 75
www.laduree.fr
Lun.-ven. 7h30-23h, sam. 7h30-minuit, dim. 7h30-22h.

Jacques Garcia a réalisé un décor dans le style « cocotte » du Second Empire, qui aurait pu être celui de la Païva. Un décor exubérant pour faire une petite pause autour d'une assiette aux saveurs raffinées, ou pour déguster les fameux macarons de saison au poivre de Java ou à la menthe glaciale, par exemple.

❹ Le Grand Palais★★

3, av. du Général-Eisenhower, 75008
(entrée public : nef du Grand Palais, porte H, av. Winston-Churchill)
☎ 01 44 13 17 17
www.grandpalais.fr
Ouvert pour les expositions, jeu.-mar. 10h-20h, mer.10h-22h (f. 1er mai et 25 déc.).

Ce bâtiment de pierre, de fer et de verre, de 240 m de long et 45 m de haut, fut édifié pour l'Exposition universelle de 1900 par les architectes Deglane, Louvet et Thomas. Il est consacré à la « gloire de l'art français » et les plus grands artistes du XXe s. y exposèrent. Aujourd'hui, des expositions temporaires internationales y sont organisées, ainsi que, sous sa somptueuse nef restaurée, la Foire internationale d'art contemporain ou l'événement Monumenta, où se sont succédé Anselm Kiefer, Richard Serra et Christian Boltanski.

❺ Le Petit Palais★★

Musée des Beaux-Arts de la Ville de Paris, av. Winston-Churchill, 75008
☎ 01 53 43 40 00
www.petitpalais.paris.fr
Mar.-dim. 10h-18h (20h jeu. pour les expositions temporaires, f. j. f.)
Entrée libre, sauf expos temporaires.

Pendant du Grand Palais, construit par Charles Girault

pour l'Exposition universelle de 1900, le Petit Palais abrite depuis 1902 le musée des Beaux-Arts de la Ville de Paris. Ses collections offrent un large éventail de la création artistique depuis l'Antiquité jusqu'au XXe s., avec pour point fort le XIXe s. représenté par Ingres, Delacroix, Courbet, Carpeaux, Cézanne, les peintres de Barbizon et des impressionnistes. Dans le jardin intérieur, un agréable café-restaurant.

❻ La place de la Concorde★★★

Les *Chevaux de Marly*, sculptés par Coustou au XVIIIe s., vous accueillent sur la place de la Concorde. Jacques-Ange Gabriel l'aménagea entre 1755 et 1775, et la borda au nord par deux bâtiments abritant l'Hôtel Crillon et l'Hôtel de la Marine. Elle fut « complétée » par Hittorff au XIXe s. C'est là, près du jardin des Tuileries, que furent guillotinés Louis XVI et Marie-Antoinette. Au centre s'élèvent l'obélisque du temple de Louxor offert par l'Égypte en 1831, deux fontaines représentant la navigation fluviale et maritime, et huit statues de villes françaises.

❼ LE PALAIS DE L'ÉLYSÉE★★

Le long de l'avenue de Marigny se cache le palais de l'Élysée. Premier hôtel particulier construit « hors les murs » dans les pâturages du faubourg Saint-Honoré, il connut d'illustres propriétaires telle la marquise de Pompadour. Depuis 1848, il est assigné au président de la République et devient en 1873 le palais officiel des chefs de l'État. Lors des Journées du patrimoine (le 3e week-end du mois de septembre), il ouvre ses portes, mais armez-vous de patience, la file est longue…

55, rue du Faubourg-Saint-Honoré, 75008
☎ 01 42 92 81 00.

19

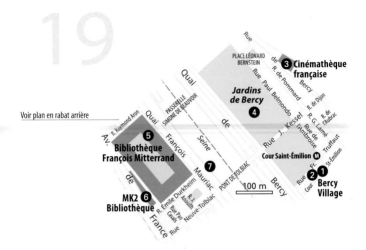

PLACE LÉONARD
BERNSTEIN

❸ Cinémathèque française

Jardins de Bercy
❹

Voir plan en rabat arrière

❺ Bibliothèque François Mitterrand

Cour Saint-Émilion Ⓜ

❼

100 m

PONT DE TOLBIAC

❷ ❶ Bercy Village

MK2 ❻ Bibliothèque

De la BNF à Bercy

Les environs du quai François Mauriac, dans le 13ᵉ arrondissement, se sont développés en lieu et place d'un ancien faubourg industriel. Le quartier est sorti de terre dans les années 1990, autour de l'emblématique et controversée Bibliothèque nationale de France, voulue par François Mitterrand. À un jet de pierre, on aime aussi arpenter le quartier de Bercy, son village, ses jardins et sa cinémathèque, riche havre des cinéphiles en tout genre.

❶ Bercy Village, cour Saint-Émilion★

Depuis 2000, Bercy Village est un minicentre commercial à ciel ouvert. La longue allée piétonne pavée est bordée

d'anciens chais, aujourd'hui restaurés et classés. Elle abrite de nombreuses boutiques de mode dévolues à l'homme et à la femme, mais aussi des magasins spécialisés dans la

décoration ou les jouets. Sous les passages, on découvre des expositions temporaires parfois consacrées à Paris.

❷ Chai 33★

33, cour Saint-Émilion, 75012
☎ 01 53 44 01 01
T. l. j. 8h-2h.

Briques et pierres apparentes, métal et couleur lie-de-vin composent le décor de ce restaurant-bar à vins-boutique. « Fruité et intense », « frais et gourmand », « doux et éclatant » : les vins y sont classés par goûts et couleurs. On peut les déguster sur

place ou les emporter, tout comme une série d'accessoires destinés aux amateurs. Formules déjeuner à 23 €, brunch le dimanche.

❸ La Cinémathèque française★★★

77, rue de Bercy, 75012
☎ 01 71 19 33 33
www.cinematheque.fr
Expositions : lun., et mer.-sam. 12h-19h (22h jeu.), dim. 10h-20h .

En septembre 2005, la Cinémathèque française, riche de 70 ans d'existence, s'installait à Bercy, dans un bâtiment initialement conçu par l'architecte Frank Gehry pour le centre culturel américain. Là, une exposition permanente, « Passion cinéma », dévoile notamment les trésors d'Henri Langlois. On y trouve également des accrochages temporaires, des rencontres avec acteurs et réalisateurs, et trois salles de projection pour des rétrospectives régulières : la programmation au long cours fait la part belle au cinéma d'hier et d'aujourd'hui, d'ici et d'ailleurs. Ajoutez à cela une librairie et un resto, et voilà l'un des lieux culturels les plus réjouissants qui aient vu le jour à Paris ces dernières années.

❹ Les jardins de Bercy★

Dans le cadre de l'aménagement du quartier de Bercy, trois jardins sont sortis de terre sous la houlette d'un collectif d'architectes et de paysagistes entre 1993 et 1997. Le Jardin romantique, les Parterres et les Prairies sont respectivement dédiés à la balade, au travail des plantes et à diverses activités sportives. Un havre vert bienvenu, entre Bercy et la Bibliothèque nationale de France.

❺ La Bibliothèque François-Mitterrand★★

Quai François-Mauriac, 75013
☎ 01 53 79 59 59
www.bnf.fr
Mar.-sam. 10h-20h, dim. 13h-19h.

Elles sont impressionnantes, ces quatre tours de verre immenses représentant des livres, qui se font face, formant un carré sur la vaste esplanade en bordure de Seine. Ouverte en décembre 1996 et emblématique des grands chantiers de l'ère Mitterrand, la BNF est annoncée dès 1988 par le président comme « l'une ou la plus grande et plus moderne des bibliothèques, qui devra couvrir tous les champs de la connaissance et utiliser les technologies les plus modernes »… Aujourd'hui, outre son important département de recherche et d'étude, le lieu signé Dominique Perrault propose régulièrement des expositions prestigieuses, lors desquelles il dévoile une partie de ses collections.

❻ Le MK2 Bibliothèque★★

128-162, av. de France, 75013
☎ 08 92 69 84 84
www.mk2.com

Voisin de la Bibliothèque, le complexe cinématographique aux mille couleurs – l'un des temples parisiens du septième art signés Marin Karmitz – réunit quatorze salles, un café agréable, une librairie et une boutique spécialisée dans la vente de DVD et de bandes originales de films.

❼ LE BATOFAR★★

Après avoir tangué et risqué la fermeture plus d'une fois, Le Batofar reste bel et bien amarré au quai François-Mauriac, et c'est tant mieux pour les oiseaux de nuit. Été comme hiver, il fait le plein, ce bateau-phare couleur rouge sang de 45 m de long. On y trouve plusieurs bars, des dancefloors et des salles d'expositions. Programmation de concerts et sets de DJ réguliers, au rayon rock, jazz et hip-hop.

11, quai François-Mauriac, 75013 – ☎ 09 71 25 50 61 ou ☎ 01 53 60 17 30 – www.batofar.org – Mar.-sam. 20h-7h.

20

Jaurès Ⓜ

Louis Blanc Ⓜ

R. La Fayette

R. Louis Valmy Jemmapes

R. Alexandre Parodi

Faubourg St-Martin

Rue du

R. Valle

❼

Voir plan détachable
E1-2/F1-2

100 m

Canal St-Martin

Gare de l'Est
Ⓜ Gare de l'Est

Sq. J. A. Villemin

Rue des Récollets

R. de la Grange aux Belles

❻ Ⓘ❷ Hôtel du Nord
❶

Rue des Vinaigriers

R. Lucien Sampaix

R. de Lancry

R. de Marseille

❸
❺

R. Bichat
R. Marie-et-Louise
R. Albert

❹

Le Chateaubriand

Jacques Bonsergent Ⓜ

Yves

R. Dieu

R. Beaurepaire

Jemmapes

Valmy

❶

R. Albert Thomas

R. Boudi

R. L. Jouhaux

Pour le restaurant Ⓘ reportez-vous à la p. 103, quartier Autour du canal Saint-Martin.

Autour du canal
Saint-Martin

« Atmosphère, atmosphère… » Voilà bien un quartier qui n'en manque pas et qui accomplit sa mue avec bonheur depuis une petite décennie. Le long du canal Saint-Martin, les quais de Valmy et de Jemmapes regorgent de bistrots et de restos où l'aspect tendance n'entame pas l'atmosphère conviviale du quartier. On se perd aussi avec bonheur dans les rues adjacentes où lieux populaires et boutiques de créateurs se partagent la vedette.

❶ Les ponts tournants et les écluses★

Plusieurs fois par jour, le canal offre un spectacle étonnant, mécanique d'une extrême

précision, qui se joue entre les ponts tournants et les écluses pour laisser passer les bateaux. Avec un peu de chance, vous flânerez dans le quartier à ce moment-là. Vous serez aux premières loges en vous postant à l'angle du quai de Jemmapes et de la rue de la Grange-aux-Belles, ou à celui du quai de Valmy et de la rue Dieu.

❷ L'Hôtel du Nord★★

102, quai de Jemmapes, 75010
☎ 01 40 40 78 78
www.hoteldunord.org
• Restaurant : t. l. j. 12h-15h

et 20h-minuit
• Bar : t. l. j. 9h-1h30.

Le roman d'Eugène Dabit *Hôtel du Nord* décrit le Paris populaire se côtoyant dans cette pension de mariniers que tenaient les parents de l'auteur. Il connaît la consécration quand son adaptation par Marcel Carné réunit à l'écran Arletty et Louis Jouvet en 1938. « Atmosphère, atmosphère, est-ce que j'ai une gueule d'atmosphère ?! » La réplique prononcée avec la gouaille légendaire d'Arletty est devenue culte. Aujourd'hui, la façade du décor est restée intacte, mais l'intérieur a connu un sérieux lifting. On peut y boire un verre ou y déguster de la cuisine française dans un cadre feutré, entre gens de bonne compagnie. À midi, formules à 10 et 13,50 €, le soir à la carte.

❸ Le Verre Volé★

67, rue de Lancry, 75010
☎ 01 48 03 17 34
T. l. j. 10h-2h.

Dans une petite rue en bordure de canal, ce bistrot à vins de poche a sa clientèle d'aficionados. Dans un décor sans chichis, on s'y délecte de bonnes planches de fromages et de charcuterie, et de plats du terroir. L'accueil est souriant.

❹ Chez Prune★

71, quai de Valmy, 75010
☎ 01 42 41 30 47
T. l. j. 9h-2h.

Nous y voilà. L'antre bobo du quartier, c'est ici. Comptoir en zinc cuivré, sol carrelé multicolore, murs jaunes… Bourgeois bohèmes donc, mais aussi Parisiens arty et autres trentenaires et quadra qui peuplent les abords du quartier se retrouvent Chez Prune à toute heure, du petit noir du matin à la caïpirinha de la nuit, en passant par l'incontournable brunch du

dimanche. Terrasse de poche sur le trottoir, prise d'assaut dès les premiers rayons de soleil, naturellement.

❺ Artazart★★

83, quai de Valmy, 75010
☎ 01 40 40 24 00
www.artazart.com
Lun.-ven. 10h30-19h30,
sam. 11h-20h, dim. 14h-20h.

Cette librairie est le haut lieu du graphisme, du design, de la photo et de l'architecture. Livres grand format magnifiques et revues spécialisées d'ici et d'ailleurs y ont la part belle. Des rencontres-dédicaces avec des auteurs y sont régulièrement organisées. Vous ne devriez pas avoir trop de mal à trouver l'endroit : la façade orange qui flashe sur le canal vous montrera le chemin.

❻ Antoine et Lili★

95, quai de Valmy, 75010
☎ 01 40 37 41 55
www.antoineetlili.com
Mar.-sam. 11h-20h,
dim.-lun. 11h-19h.

Là encore, une devanture reconnaissable entre mille. Ou plutôt trois devantures. Rose bonbon, vert vif et jaune poussin s'alignent pour trois boutiques : l'une dévolue aux fringues pour femmes (120 € la robe), l'autre aux vêtements et jouets pour enfants, la troisième aux accessoires et objets de décoration. Tons flashy, fleurs, pois, imprimés en tout genre annoncent la couleur : bienvenue dans le temple du world kitsch, qui foisonne d'idées cadeaux à tous les prix. Impossible de quitter l'endroit les mains vides.

❼ LE POINT ÉPHÉMÈRE★★

Ce fut d'abord un dock, puis un magasin de matériaux de construction, et aujourd'hui un centre artistique protéiforme. Voilà le Point Éphémère, qui déroule ses activités en bord de canal, sur 1 400 m² depuis octobre 2004. Ateliers d'artistes, studios de danse et de répétition de musique s'y mêlent, et le public mélangé se presse aux concerts, expos et dans le bar-resto aux larges baies vitrées…

200, quai de Valmy, 75010
Centre artistique : ☎ 01 40 34 02 48
Restaurant : ☎ 01 40 34 04 06
www.pointephemere.org
• Bar : lun.-sam. 12h-2h, dim. 12h-21h
• Restaurant : t. l. j. 12h-14h30 et 20h-23h
Brunch sam.-dim. : 12h-16h (16h30 dim.).

La tour Eiffel

Elle fut pourtant louée par Apollinaire, représentée par Robert Delaunay et chantée par Trenet.

Aucun monument au monde ne jouit d'une telle célébrité. Dans les esprits, Paris ne va pas sans sa tour de métal vieille de plus de 120 ans. Depuis 1889, plus de 223 millions de visiteurs ont gravi les 1 665 marches ou utilisé les ascenseurs pour atteindre le sommet culminant à 324 m, antenne comprise !

L'Exposition universelle de 1889

C'est en gagnant le concours organisé pour l'Exposition universelle qui allait se tenir sur le Champ-de-Mars que Gustave Eiffel est entré dans la légende. Il faudra moins de deux ans à l'ingénieur et à ses ouvriers pour monter ce gigantesque assemblage de pièces métalliques. La tour Eiffel est inaugurée le 31 mars 1889 pour fêter le centenaire de la Révolution française, puis ouverte au public au mois de mai. Vingt ans après son édification, la tour devait être démontée comme les autres bâtiments de l'Exposition, mais elle fut sauvée grâce à son utilisation scientifique, puisqu'elle servit de relais télégraphique, radio, puis d'émetteur pour la télévision et de station météorologique.

Fortune critique

Dès sa construction, la tour a suscité des critiques d'artistes, qui s'interrogeaient sur la capacité d'un « constructeur de machines » à créer des œuvres d'art.

COORDONNÉES

Voir p. 70
Champ-de-Mars,
75007 (A3-4)
M° Bir-Hakeim
RER Champ-de-Mars-
Tour-Eiffel
☎ 01 44 11 23 23
www.tour-eiffel.fr
• Visite : t. l. j. 9h30-23h,
18h30 pour les escaliers
(9h-minuit de mi-juin
à fin août)
Accès payant
• Restaurant :
☎ 01 45 55 61 44
T. l. j. 12h-13h30
et 19h-21h30.

Restauration et illumination

Après les travaux de restauration de 1985, un nouvel éclairage fait ressortir la beauté de la structure métallique. Les dernières nouveautés en matière d'illumination furent le phare et le scintillement. Le phare, avec ses deux puissants faisceaux lumineux, rappelle celui d'origine installé par Eiffel. Et depuis l'an 2000, à la nuit tombée, la tour revêt son habit de lumière toutes les cinq premières minutes de chaque heure jusqu'à extinction à 1h l'hiver et 2h l'été.

Une table au Jules Verne

En décembre 2007, le chef multi-étoilé Alain Ducasse prend les rênes du restaurant Le Jules Verne, qui a également subi un lifting intégral, signé du designer Patrick Jouin. À 125 m de haut, on goûte à la fois une vue magique et une cuisine française contemporaine. Menu à 85 € à midi, 200 € le soir.

Le Jardin des plantes
et le Muséum d'histoire naturelle

Au cœur de Paris, le Jardin des plantes est un lieu unique en son genre, tant les allées, les bâtiments virent passer promeneurs, scientifiques et artistes venus dessiner les plantes ou sculpter les animaux de la ménagerie.

Le Jardin des plantes

Il voit le jour avec la création sous Louis XIII d'un Jardin royal des plantes médicinales, qui devint Jardin du Roy en 1739 et Jardin des plantes à la Révolution. Aujourd'hui, une roseraie longe la galerie de Minéralogie, et le Jardin botanique abrite le Jardin alpin, qui rassemble à lui seul plus de 2 000 espèces végétales montagnardes provenant du monde entier !

Les Grandes Serres

Elles ont été réaménagées pour proposer aux visiteurs un voyage à travers quatre univers différents : la serre des fôrets tropicales humides, la serre des déserts et des milieux arides, la serre de Nouvelle-Calédonie et la serre de l'histoire des plantes. Pour découvrir l'incroyable richesse de la biodiversité de notre planète.

La Grande Galerie de l'Évolution

Sous cette belle architecture métallique de Jules André passe la caravane des animaux naturalisés qui raconte l'histoire de l'évolution des espèces depuis les origines de la vie, il y a quatre milliards d'années.

La Ménagerie

Avec ses bâtiments datant des XVIIIe et XIXe s., elle est le plus ancien zoo du monde ! Créée à la Révolution en 1794 pour accueillir les animaux qui provenaient de la ménagerie royale de Versailles, elle a conservé son aspect d'origine et abrite aujourd'hui des animaux de petite taille.

Les galeries de Paléontologie et d'Anatomie comparée

Un voyage au pays des squelettes avec au 2e étage la galerie de Paléontologie où se dressent les dinosaures et les mammouths, et où les fossiles évoquent d'anciennes formes animales vieilles de 600 millions d'années.

La galerie de Minéralogie et de Géologie

Météorites, minéraux et fabuleux cristaux, cette collection figure parmi les plus anciennes et les plus prestigieuses du monde. Une salle du Trésor avec 2 000 gemmes, dont l'émeraude de Saint Louis, une salle de cristaux géants, des pierres sorties des cabinets de curiosités.

COORDONNÉES

Voir p. 59
36, rue Geoffroy-Saint-Hilaire, 75005 (E5)
Mº Austerlitz ou Jussieu
☎ 01 40 79 56 01
www.mnhn.fr
· **Jardin :** t. l. j. 7h30-20h, entrée libre
· **Serres :** mer.-lun. 10h-17h (18h30 en été, f. 1er mai), accès payant
· **Grande Galerie de l'Évolution :** mer.-lun. 10h-18h (20h sam., f. 1er mai), accès payant
· **Ménagerie :** t. l. j. 9h-18h (18h30 dim. et j.f.), accès payant

Le musée d'Art moderne

Il est installé dans l'aile est du palais de Tokyo réalisé pour l'Exposition universelle de 1937. Prévu à l'origine pour récupérer les collections contemporaines du Petit Palais, la guerre retarda ce projet, et l'ouverture du musée n'eut lieu qu'en 1961. C'est tout d'abord pour des expositions temporaires puis grâce à des legs et des achats que le musée s'est constitué une collection permanente de 8 000 œuvres qui illustrent les différents courants artistiques du XXe s.

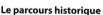

Le parcours historique

Le parcours débute avec le fauvisme, représenté par Derain (*Trois personnages assis sur l'herbe*) et Vlaminck réunis en 1905 autour de Matisse (*Odalisque au fauteuil*) ; il se poursuit avec le cubisme de Picasso (*Tête d'homme*) et de Braque, et l'orphisme de Robert Delaunay, qui met la couleur en mouvement (*L'Équipe de Cardiff*). Le courant surréaliste est évoqué par des œuvres de Picabia, Brauner et Bellmer. Enfin, à l'abstraction de Jean Arp s'opposent les portraits expressionnistes de Modigliani (*La Femme aux yeux bleus*), de Soutine et de Van Dongen.

Le parcours contemporain

Il concerne les années qui suivent la Seconde Guerre mondiale et qui sont marquées par le nouveau réalisme représenté par les accumulations d'Arman, les compressions de César, les détournements d'objets de Gérard Deschamps et l'abstraction lyrique avec les œuvres de Soulages.

Les grandes compositions

De grands panneaux forment le renouveau du genre monumental durant les années 1930 : les quatre *Rythmes* offerts par Sonia et Robert Delaunay, les deux triptyques de 3,5 m par 13 m pour les versions de *La Danse* d'Henri Matisse et *La Fée Électricité* de Raoul Dufy avec 60 m de long par 10 m de haut !

COORDONNÉES

Voir p. 71
11, av. du Président-Wilson, 75016 (A3)
M° Iéna ou
Alma-Marceau
☎ 01 53 67 40 00
www.mam.paris.fr
• **Collections :** mar.-dim.
10h-18h (f. j. f.), entrée libre
• **Expositions temporaires :** mar.-dim.
10h-22h, accès payant.

L'Arc de Triomphe

Érigé au milieu de la place de l'Étoile (officiellement baptisée Charles-de-Gaulle depuis 1969), l'Arc de Triomphe est l'un des sites les plus visités de Paris. Napoléon ordonna la construction du monument en 1806 d'après les plans de Chalgrin, mais c'est Louis-Philippe qui en fit l'inauguration en 1836. Il domine aujourd'hui le départ des douze avenues percées par Haussmann.

Le symbole de la nation

Ce bâtiment était originellement voué à la gloire de la Grande Armée, mais la chute de l'Empire perturba ce projet. L'endroit a toutefois conservé sa vocation avec l'exposition des cendres de Napoléon avant leur transfert aux Invalides et l'hommage posthume fait à Victor Hugo en 1885. C'est en janvier 1921, avec l'inhumation du Soldat inconnu, que l'Arc a pris toute sa valeur. Depuis, une flamme perpétuelle du souvenir brûle sur le tombeau. C'est sur cette tombe que le général de Gaulle choisit de se recueillir après la libération de Paris. Le monument est aujourd'hui le lieu des cérémonies officielles du 14 juillet et du 11 novembre.

La plate-forme et le musée

En accédant au sommet de l'Arc, on peut admirer l'alignement que forment la Grande Arche, les Champs-Élysées et la place de la Concorde. Ce point de vue est certainement l'un des plus beaux sur la capitale et sur celle qui fut baptisée « la plus belle avenue du monde ». Un nouveau musée a ouvert ses portes en février 2008 et présente à l'aide d'outils multimédias des explications sur la construction de l'Arc de Triomphe, sur l'histoire des arcs dans le monde, leur symbolique et leur rôle commémoratif.

COORDONNÉES

Voir p. 72
Pl. Charles-de-Gaulle, 75008 (A2)
M° et RER Charles-de-Gaulle-Étoile
☎ 01 55 37 73 77
www.arc-de-triomphe.monuments-nationaux.fr
Oct.-mars : t. l. j. 10h-22h30, avr.-sept. : t. l. j. 10h-23h (f. 1er janv., 1er mai, 8 mai matin, 14 juil. matin, 11 nov. matin et 25 déc.)
Accès payant.

Le Louvre

Une semaine suffirait à peine pour faire le tour de ce musée considéré comme l'un des plus vastes au monde. L'histoire du Louvre débute en 1190 lors de la construction par le roi Philippe Auguste d'une forteresse destinée à protéger Paris. En 1793, le Muséum central des arts ouvre ses portes, et en 1989, la pyramide de verre est inaugurée. Aujourd'hui, le Louvre est constitué de huit départements et présente 35 000 œuvres dans 60 600 m².

Les antiquités orientales, égyptiennes, grecques, étrusques et romaines

Les antiquités orientales concernent les pays du Proche et du Moyen-Orient depuis les premiers villages il y a plus de 7 000 ans jusqu'à l'arrivée de l'islam. À voir : les taureaux ailés de Khorsabad (salle 4) et le chapiteau de l'Apadana (salle 12). L'Égypte est abordée de façon thématique et chronologique. À voir : le scribe « accroupi » (salle 22) et le buste d'Akhenaton (salle 25). L'art grec est représenté par la *Victoire de Samothrace* et la *Vénus de Milo* (salle 74), l'art étrusque par *Le sarcophage des époux* (salle 18), et l'art romain par de belles mosaïques.

Les objets d'art

La galerie d'Apollon (salle 66) arbore un magnifique plafond décoré au fil des siècles par de nombreux artistes, de Le Brun à Delacroix. Elle abrite depuis le XIXe s. les Diamants de la Couronne, un trésor unique. D'autres objets d'art sont présentés au 1er étage des ailes Richelieu (salles 2, 10, 83, 84 et 87) et Sully (salle 42).

La sculpture

De l'art roman aux œuvres monumentales du XIXe s., toute la sculpture européenne est représentée au Louvre avec le tombeau de Philippe Pot (salle 10), l'*Esclave mourant* de Michel-Ange (salle 4), le *Milon de Crotone* de Puget et les *Chevaux de Marly* dans la cour Puget.

La peinture

Un département très vaste et encyclopédique qui regroupe des œuvres de toutes les écoles de peinture européennes du XIIIe s. à 1848. Dans la Grande Galerie, la peinture italienne avec les primitifs et la salle 6 où se trouve *La Joconde*. Au bout, dans le pavillon de Flore, les peintures espagnole et italienne avec Murillo, le Caravage. Au 2e étage, la peinture française avec des œuvres de G. de La Tour

(*Le Tricheur* salle 30), de Watteau (*Le Gilles* salle 36), d'Ingres (*Le Bain turc* salle 60), mais aussi la peinture des écoles du Nord.

COORDONNÉES

Voir p. 36
Quai François-Mitterrand
et rue de Rivoli, 75001
(C3/D3)
M° Palais-Royal-
Musée-du-Louvre
☎ 01 40 20 50 50
www.louvre.fr
Mer.-lun. 9h-18h
(21h45 mer. et ven.
f. 1er janv., 1er mai,
15 août et 25 déc.)
Accès payant, gratuit le
1er dim. de chaque mois.

La basilique du Sacré-Cœur

Sur cette colline qui culmine à 129 m au-dessus du niveau de la mer, saint Denis, premier évêque de Paris, aurait été décapité à la fin du IIIe s. avec d'autres chrétiens. C'est ainsi que le site prit le nom de Montmartre, le « mont des Martyrs ». Aujourd'hui, c'est l'un des lieux les plus visités de Paris, on vient pour y respirer la bohème, pour y découvrir un panorama fantastique, mais aussi pour prier.

afin de créer les fondations. En 1914, l'édifice long de 85 m et large de 35 m, avec une coupole qui s'élève à 55 m, est achevé. Il est consacré après la Première Guerre mondiale, en 1919 et devient alors un lieu de pèlerinage.

La visite
À l'intérieur, une grande mosaïque de Luc-Olivier Merson représentant la Trinité avec le Christ au cœur rayonnant, le grand orgue signé Cavaillé-Coll et comptant 5 384 tuyaux, et la crypte abritant le trésor et une salle retraçant l'histoire de la basilique. À l'extérieur, dans le campanile, se trouve la Savoyarde, dont les 19 t en font la plus grosse cloche connue ! Enfin, le dôme qui, à plus de 200 m de haut, offre, depuis sa galerie, un panorama fantastique sur la capitale.

Le vœu national
Pour expier les horreurs de la guerre de 1870 et de la Commune, Alexandre Legentil et Hubert Rohault de Fleury font le vœu d'édifier un lieu de culte dédié au Cœur du Christ. Le cardinal Guibert propose alors le site de la Butte Montmartre pour ériger l'église, entièrement financée par des collectes de dons.

La construction
L'architecte Paul Abadie réalisa un bâtiment dans un style romano-byzantin. Le premier coup de pioche fut donné en 1875 pour creuser 83 puits de 33 m de profondeur

COORDONNÉES

Voir p. 53
35, rue du Chevalier-de-la-Barre, 75018 (D1)
Mo Abbesses ou Anvers, puis prendre le funiculaire ou les escaliers
☎ 01 53 41 89 00
ou ☎ 01 53 41 89 09
www.sacre-coeur-montmartre.com
• Basilique : t. l. j. 6h-22h30, entrée libre
• Dôme : t. l. j. 10h-20h, accès payant
• Crypte : t. l. j. 10h-19h30, accès payant.

Les Invalides

Louis XIV fait appel à Libéral Bruant et Jules Hardouin-Mansart pour construire un bâtiment destiné à héberger les soldats invalides ou les vétérans de ses armées. Les travaux débutent en 1670 sur la plaine de Grenelle, alors inoccupée, et s'achèveront en 1706.

L'hôtel des Invalides

Le bâtiment construit par Libéral Bruant accueille les premiers blessés de guerre dès 1674. À la fin du XVIIe s., ils étaient 4 000 pensionnaires dont la vie était réglée comme celle d'une caserne. Pour occuper le temps, ils travaillaient dans des ateliers de confection d'uniformes ou de cordonnerie.

L'église du Dôme

Les plus grands artistes de Louis XIV, comme Charles de La Fosse, travaillèrent à la décoration de l'église du Dôme, faisant d'elle un chef-d'œuvre de l'architecture classique française. Achevée en 1706, elle abrite depuis 1840 le tombeau en porphyre rouge de Napoléon et son dôme culmine à 101 m.

L'église Saint-Louis-des-Invalides

Achevée en 1679, cette église, dite aussi « église des Soldats », est destinée au

culte quotidien. Sa décoration intérieure très sobre se voit agrémentée tout le long de la voûte par des trophées militaires. Là reposent les gouverneurs des Invalides et de grands chefs militaires.

Les musées de l'Armée et des Plans-Reliefs

Le musée de l'Armée retrace l'ensemble de l'histoire militaire depuis la Renaissance jusqu'à la dernière guerre mondiale. On y voit des armures, dont celle de François Ier, mais aussi des armes, des trophées, des uniformes et une collection de 1 500 figurines. Les plans-reliefs sont des maquettes représentant les villes fortifiées de France. Commandées par Louis XIV et complétées par Louis XV, Napoléon et ses successeurs, elles étaient classées « secret défense ».

COORDONNÉES

Voir p. 68
Pl. des Invalides,
75007 (B4)
M° La Tour-Maubourg
ou Varenne
☎ 01 44 42 37 72
www.invalides.org
1er avr.-30 sept. : t. l. j. 10h-18h (21h mar.), 1er oct.-31 mars : t. l. j. 10h-17h (f. le 1er lun. de chaque mois, 1er janv., 1er mai, 1er nov. et 25 déc.)
Accès payant.

Le musée d'Orsay

Inauguré en 1986, le musée est installé dans une ancienne gare désaffectée. Il regroupe des œuvres d'art allant de 1848 à 1914, qui étaient auparavant au Louvre et surtout au musée du Jeu de Paume. Des legs et des achats sont venus compléter la collection de peintures, de sculptures, d'arts graphiques et décoratifs, qui est aujourd'hui très riche.

Le rez-de-chaussée

Ici sont regroupées des sculptures classiques, des maquettes comme celle de l'Opéra en 1900, mais surtout la peinture de 1848 à 1870 : *La Chasse aux lions* de Delacroix, *La Source* d'Ingres, les œuvres monumentales de Courbet, dont *L'Origine du monde*, des pastels de Fantin-Latour… À voir aussi, les étonnantes têtes des parlementaires caricaturés par Daumier.

Le niveau médian

Les toiles des Nabis avec Vuillard et Bonnard sont les derniers courants présentés avec Redon et ses panneaux décoratifs. Le reste de ce niveau est consacré aux impressionnantes sculptures de Rodin, sans oublier l'émouvant bronze de *L'Âge mûr* de Camille Claudel, son élève et amante. Les arts décoratifs terminent la visite du niveau avec le mobilier Art nouveau, dont celui de Guimard.

Le niveau supérieur

Beaucoup d'impressionnistes comme Manet *(Sur la plage)*, Caillebotte *(Les Raboteurs de parquet)* ou Renoir *(Bal du moulin de la Galette)* sont présents à ce niveau. À noter, l'école de Pont-Aven avec Gauguin *(Le Moulin David)* et les pointillistes comme Seurat *(Le Cirque)*. Dans les parties attenantes, ne manquez pas les pastels de Toulouse-Lautrec *(La Toilette),* la salle Van Gogh *(L'Arlésienne)* et la salle Cézanne *(Baigneurs).*

COORDONNÉES

Voir p. 37
62, rue de Lille,
75007 (C3)
M° Solférino
☎ 01 40 49 48 14
www.musee-orsay.fr
Mar.-dim. 9h30-18h
(21h45 jeu., f. 1er janv.,
1er mai, et 25 déc.)
Accès payant
Niveau 5 fermé
pour travaux
jusqu'en oct. 2011
(toutes les œuvres sont
exposées au niveau 0).

La cathédrale Notre-Dame

C'est l'évêque Maurice de Sully qui décide d'édifier en 1160 une nouvelle cathédrale dans le style gothique. La construction s'étalera sur plusieurs siècles, les architectes se succéderont et l'édifice sera achevé vers 1350. Notre-Dame de Paris, depuis le XIIe s., est un lieu de culte lié à l'histoire de France, mais aussi un joyau de l'histoire de l'art et une source d'inspiration pour les poètes comme Victor Hugo.

sud, le Christ parmi les anges et les saints. Le grand orgue sous la rose ouest, avec ses 8 000 tuyaux, est l'un des plus importants de France. Le trésor est constitué de pièces d'orfèvrerie et des reliques achetées par Saint Louis : la Couronne d'épines, le Saint Clou et un fragment de la Vraie Croix.

L'extérieur

En façade, les trois portails – celui de la Vierge à gauche, celui du Jugement dernier au centre, et à droite, le plus ancien, celui de sainte Anne – sont surmontés par la galerie des rois de Juda et d'Israël. Au-dessus, une belle rosace, et plus haut, une galerie ajourée qui relie les deux tours. On

peut monter dans celles-ci, qui s'élèvent à 69 m, et voir la galerie des Chimères et le grand bourdon, Emmanuel. Il faut absolument faire un tour dans le square Jean-XXIII pour admirer le chevet de la cathédrale et ses arcs-boutants.

L'intérieur et les vitraux

Avec 130 m de long pour 48 m de large, l'espace intérieur de la cathédrale est divisé en cinq nefs. Le transept est illuminé par de magnifiques verrières. La rose nord présente la Vierge entourée des personnages de l'Ancien Testament, la rose

COORDONNÉES

Voir p. 47
6, pl. du Parvis-Notre-Dame, 75004 (D4)
M° Cité
www.notredame
deparis.fr
· **Cathédrale :**
☎ 01 42 34 56 10
Lun.-ven. 8h-18h45,
sam.-dim. 8h-19h45,
Entrée libre
· **Les tours :**
☎ 01 53 10 07 00
Oct.-mars t. l. j. 10h-16h45, avr.-sept.
t. l. j. 9h30-17h45, (été : sam.-dim. 10h-23h)
Accès payant
· **Crypte archéologique :**
☎ 01 44 59 58 58
Mar.-dim. 10h-17h30
Accès payant.

Le musée du Quai-Branly

Dix ans furent nécessaires pour que ce musée sorte de terre et soit inauguré en juin 2006. Dans ce bâtiment conçu par Jean Nouvel sont regroupées les collections du musée national des Arts d'Afrique et d'Océanie et celles du laboratoire d'ethnologie du musée de l'Homme, au total 300 000 œuvres dont 3 500 exposées.

Le bâtiment et le jardin

Tout commence par un grand mur végétal le long de la Seine, puis une paroi de verre qui protège des vents le jardin « animiste » entourant le musée. Des sentiers serpentent entre les collines et les graminées, découvrent des pierres de torrent, des incrustations d'insectes dans des cabochons de verre et nous mènent vers le musée monté sur pilotis. Des boîtes colorées émergent de la façade pour créer à l'intérieur des petites salles aux allures mystérieuses.

Les collections

La visite ondule entre les continents. Le sol est rouge, vous êtes en Océanie, avec des masques de Mélanésie, un étonnant poisson-reliquaire des îles Salomon, ou encore des parures en or provenant de l'Insulinde, sans oublier les peintures aborigènes sur écorce. Le sol est orange, vous êtes en Asie, avec de remarquables textiles provenant des minorités chinoises comme les Miao. Le sol est jaune, vous êtes en Afrique, avec ses statuettes magiques, ses masques, ses cimiers de danse. Le sol est bleu, vous êtes aux Amériques, avec la tradition inuite, les parures de plumes des peuples amazoniens, les sculptures taïnos des Antilles précolombiennes et les œuvres mayas, olmèques, aztèques…

COORDONNÉES

Voir p. 71
27, 37 et 51, quai Branly, ou 206 et 218, rue de l'Université,
75007 (A3)
RER C Pont-de-l'Alma, M° Bir-Hakeim ou Alma-Marceau, bus 42 arrêt La Bourdonnais
☎ 01 56 61 70 00
www.quaibranly.fr
Mar.-mer. et dim. 11h-19h, jeu.-sam. 11h-21h (f. 1er mai et 25 déc.)
Accès payant.

Le Centre Georges-Pompidou

Le Centre Pompidou présente ses collections d'art contemporain dans une architecture révolutionnaire sortie de l'imagination de Renzo Piano et Richard Rogers. Ce bâtiment réalisé en 1977 cherche à préserver l'espace intérieur et repousse à l'extérieur escalators et conduits techniques. Ainsi la couleur des gaines correspond à leur fonction, le bleu pour l'air conditionné, le vert pour les fluides, le rouge pour les déplacements et le jaune pour l'électricité. À l'intérieur se trouvent un musée, des salles d'expositions temporaires, une bibliothèque, la reconstitution de l'atelier de Brancusi et, au sommet, un restaurant, Le Georges, avec une très belle vue.

Les collections contemporaines (niveau 4)

Le design, l'architecture, la vidéo et l'art graphique ont une place importante dans cet espace consacré à la période allant des années 1960 à nos jours. La visite commence par un hommage au sculpteur Tinguely. À découvrir, le pop art d'Andy Warhol et de Rauschenberg, qui détourne les objets du quotidien et côtoie le nouveau réalisme d'Arman et de César, qui utilise des matériaux de récupération. L'art cinétique, l'Arte povera et la nouvelle peinture figurative complètent l'évolution artistique des quarante dernières années.

Les collections historiques (niveau 5)

Cet étage regroupe des œuvres de la première moitié du XXᵉ s. Dans les premières salles, vous découvrirez le fauvisme avec Bonnard (*L'Atelier aux mimosas*) et Matisse (*Le Rêve*). À voir ensuite absolument, la fabuleuse collection de sculptures cubistes que possède le musée, la peinture de Braque intitulée *L'Homme à la guitare* ainsi que le *Portrait de jeune fille* de Picasso, qui appartiennent également à ce courant. Le dadaïsme de Duchamp, l'abstraction de Delaunay, Klee avec *Le Rythme* ou encore Kandinsky nous conduisent jusqu'à l'école de Paris. Le surréalisme de Dalí avec notamment *Six images de Lénine sur un piano* nous amène aux années 1950.

COORDONNÉES

Voir p. 41
Pl. Georges-Pompidou,
75004 (D3/E3)
Mᵉ Châtelet ou
Rambuteau
☎ 01 44 78 12 33
www.centrepompidou.fr
Mer.-lun. 11h-22h
(f. 1ᵉʳ mai)
Accès payant.

La place des Vosges

Située dans le quartier du Marais, c'est l'une des plus belles places de la capitale. Elle se compose de 36 pavillons, dont ceux du Roi et de la Reine au nord et au sud, un peu surélevés par rapport aux autres. Ils sont

tous construits dans les mêmes matériaux : pierre blanche pour les arcades, brique rouge (ou un enduit l'imitant) pour les maisons, et ardoise bleue pour les toitures. Des antiquaires, des libraires ou des galeristes se sont installés au rez-de-chaussée autour d'un superbe jardin.

400 ans d'histoire

Née d'une initiative royale, la place doit son existence à un drame, le décès d'Henri II après un tournoi à l'hôtel des Tournelles. Son épouse, la reine Catherine, fit raser la demeure, et c'est Henri IV qui décida d'exploiter cet espace devenu libre. Claude Chastillon en fit les plans et Clément Métezeau dessina les façades. Les travaux débutèrent en 1605 et, en 1612, on y organisa un grand carrousel pour célébrer les fiançailles de Louis XIII et la naissance de cette place royale. Elle devint jusqu'au XVIIIe s. le centre le plus animé de la capitale. La marquise de Sévigné y est née le 5 février 1626. Bossuet, Richelieu, Théophile Gautier ont été de célèbres locataires de l'endroit. Pour l'anecdote, sachez que la place a été baptisée ainsi en 1800 par Napoléon, les Vosges ayant été le premier département à payer ses impôts.

La maison de Victor Hugo

L'écrivain habita de 1832 à 1848 au 2e étage de l'immeuble le plus spacieux de la place, l'hôtel Rohan-Guéménée. C'est là qu'il a écrit *Ruy Blas,* le début des *Misérables* et celui de *La Légende des siècles.* Pour le centenaire de sa naissance, en 1902, un musée y a été créé, qui évoque les moments importants de la vie de l'auteur. Le 1er étage propose photos, dessins et expositions temporaires sur l'écrivain.

Le 2e étage suit sa vie, de sa jeunesse à sa mort en passant par son exil à Guernesey.

COORDONNÉES

Voir p. 42
- **La place des Vosges**
Pl. des Vosges, 75004 (E4)
Mº Chemin-Vert, Bastille ou Saint-Paul
- **Le musée Victor-Hugo**
6, pl. des Vosges, 75004 (E4)
☎ 01 42 72 10 16
www.paris.fr
Mar.-dim. 10h-18h (f. j. f.)
Accès payant.

Le musée Carnavalet

L'endroit n'a pas la popularité des grands musées,
et pourtant, avec la réunion des deux hôtels
particuliers, ce sont de véritables trésors qui y sont
présentés. L'histoire de la capitale française est
retracée chronologiquement, de la préhistoire
à nos jours, à l'aide de peintures, de sculptures
et surtout de mobilier et d'objets du quotidien.

L'hôtel Carnavalet

La visite commence par
les deux fameuses salles
d'enseignes de boutiques
parisiennes, dont la dernière
acquisition est celle du cabaret
du Chat Noir. À voir, les décors
de boiseries blanc et or du
salon de l'hôtel d'Uzès réalisés
par Ledoux, les plafonds
du grand cabinet et de la
grande chambre de l'hôtel
La Rivière situé place des
Vosges et peints par Le Brun.
La célèbre locataire des lieux,
Mme de Sévigné, est évoquée
par des portraits. Le mobilier
Louis XV, comme le salon
du graveur Demarteau peint
par Boucher et Fragonard,
annonce le passage à la
seconde partie du musée.

L'hôtel Le Peletier de Saint-Fargeau

L'orangerie abrite les objets
découverts lors de fouilles
archéologiques, comme les
deux pirogues néolithiques
et une étonnante trousse
d'un médecin-chirurgien
de l'époque gallo-romaine.
La Révolution est représentée
par un portrait de Danton
et un buste de Mirabeau.
Les quelques éléments du
mobilier de Louis XVI et de
sa famille lorsqu'ils furent
incarcérés au donjon du
Temple sont également très
impressionnants. Pour évoquer
le Premier Empire, le célèbre
Portrait de Mme de Récamier
par François Gérard est
évocateur.

Les toiles de Corot nous
amènent au début du XXe s.
avec *La Chambre de Marcel
Proust*. La salle de bal de
l'hôtel Wendel, dans un décor
des années 1930, raconte le
départ de la reine de Saba
et trouve son égal dans la
dernière salle avec le décor de
la bijouterie Fouquet, réalisé
par Mucha et qui est un chef-
d'œuvre du genre.

COORDONNÉES

Voir p. 43
23, rue de Sévigné,
75003 (E3-4)
M° Saint-Paul
ou Chemin-Vert
☎ 01 44 59 58 58
www.carnavalet.paris.fr
Mar.-dim. 10h-18h (f. j. f.)
Entrée libre pour les
collections permanentes.

Le musée Picasso

L'hôtel Salé, bâti au XVIIᵉ s. par un fermier général des gabelles (impôts sur le sel, d'où le surnom populaire de « Salé »), abrite depuis 1985 les collections du musée national Picasso. Grâce à deux dations, les héritiers se sont acquittés du paiement des droits de succession en cédant à l'État une sélection d'œuvres. L'accrochage conserve un ordre chronologique avec de temps en temps des incursions thématiques.

Le premier étage

Vous pourrez y voir les œuvres de l'artiste appartenant à la période bleue, comme l'*Autoportrait bleu* de 1901, réalisé alors qu'il n'avait que 20 ans. Viennent ensuite les études préparatoires pour son tableau *Les Demoiselles d'Avignon* (salle 2) ainsi que différentes toiles cubistes : *L'Homme à la guitare*, *Nature morte à la chaise*

COORDONNÉES

Voir p. 43
Hôtel Salé, 5, rue de Thorigny, 75003 (E3)
Mᵒ Saint-Paul
☎ 01 42 71 25 21
www.musee-picasso.fr
F. pour travaux jusqu'au printemps 2013
(200 œuvres sont exposées dans d'autres musées, se renseigner sur le site internet).

canée (salle 4). Les salles 5 et 6 abordent la période classique du peintre dans le début des années 1920, se caractérisant par un « retour à l'ordre ». Enfin, la salle 7 est consacrée aux papiers collés.

Le rez-de-chaussée

Les salles 8, 9 et 10 sont consacrées au travail de Picasso autour de la céramique et de ses techniques avoisinantes. Des photos, à partir de 1947, nous montrent l'artiste dans les ateliers. On passe ensuite dans le jardin des sculptures qui présente des bronzes, mais aussi des œuvres qui sont de véritables collages dans l'espace, réalisés à partir d'objets récupérés.

Le sous-sol

Les salles 13, 14 et 15 sont consacrées à la période qui va

de 1926 à 1931. On y voit des œuvres très différentes dont *Le Baiser* (1925), d'une grande intensité, *Le Peintre et son modèle* (1926), *La Guitare* (1924) et quelques sculptures. L'esthétique surréaliste est abordée dans la salle 14 avec *La Femme lançant une pierre* (1931) et *La Femme au fauteuil rouge* (1932), qui sont des tableaux où se mêlent humour, érotisme, mystère et violence. Salle 15, une grande sculpture, *La Femme au jardin* (1930), un tableau, *L'Atelier* (1928-1929), et surtout *La Grande Baigneuse* (1929), dont la tête semble représenter la Mort. Enfin, dans les salles 16 et 17, *Le Grand Nu couché* (1932), lié à l'idée de la fécondité, *La Grande Nature morte au guéridon* (1931), et *La Crucifixion* (1930).

La tour Montparnasse

Elle est visible d'un bout à l'autre de la capitale. Édifice entre 1969 et 1972 dans le cadre de la restructuration du quartier Montparnasse, la tour la plus haute de Paris n'a pas que des admirateurs. Pourtant, il faut bien dire qu'elle offre, depuis sa terrasse culminant à 210 m, l'une des plus belles vues sur la ville pouvant porter jusqu'à 40 km par grand beau temps, avec panorama à 360°.

Symbole de l'ère Pompidou

En 1969, alors que le foisonnement artistique et littéraire de l'entre-deux-guerres s'est calmé, la décision est prise de déplacer la gare Montparnasse et de construire un centre commercial dans le quartier. C'est dans ce contexte que Georges Pompidou, président de la République, veut une infrastructure moderne : ce sera l'ensemble mobilier tour Maine-Montparnasse, aujourd'hui plus connu sous le nom de tour Montparnasse et emblématique des travaux de l'époque. On le doit à quatre architectes. Après plus de trois ans de travaux, la tour est inaugurée en 1973.

Tour des records

L'immeuble le plus haut de France culmine à 210 m, ses fondations s'enfoncent dans le sol à 70 m et il ne pèse pas moins de 150 000 t ! Quelque 5 000 employés s'activent chaque jour dans ses bureaux.

Panorama inégalé

Certains contestent son esthétique, assurant que c'est le plus bel endroit de Paris, puisque le seul d'où on ne la voit pas ! Pourtant la tour Montparnasse offre sans conteste la plus belle vue sur la capitale. Par un ascenseur ultra-rapide (moins de 40 secondes), on accède au 56e étage. À 196 m de haut, on découvre une exposition permanente sur Paris, une table d'orientation et des bornes interactives. On peut aussi choisir de s'attabler au restaurant Le Ciel de Paris, qui propose des formules rapides au déjeuner, des menus-cartes le soir, parfois au son d'un piano. Trois étages plus haut, vous voilà sur le toit-terrasse où se dévoile un panorama à 360°. Tour Eiffel, Trocadéro, Montmartre, Luxembourg : un aperçu des merveilles qui s'offrent à vos yeux. Par temps clair, la vue porterait jusqu'à 40 km.

COORDONNÉES

Voir p. 66
33, av. du Maine, 75014 (C5)
M° Montparnasse-Bienvenüe
☎ 01 45 38 52 56
www.tour
montparnasse56.com
1er avr.-30 sept. :
t. l. j. 9h30-23h30,
1er oct.-31 mars : dim.-jeu.
9h30-22h30, ven.-sam. et
veilles de fêtes 9h30-23h
Accès payant.

Le cimetière du Père-Lachaise

Le plus vaste, célèbre et prestigieux des cimetières parisiens est aussi le plus grand espace vert de la ville, à l'est de la capitale. Créé après ceux de Montmartre et Montparnasse, il a célébré ses deux siècles d'existence en 2004. Parmi ses hôtes illustres, Jim Morrison et Oscar Wilde, Molière et Édith Piaf.

Un succès tardif

En application de la loi interdisant les cimetières en ville en 1780, les cimetières de Montmartre (au nord) et Montparnasse (au sud) voient le jour extra-muros, suivis par celui du Père-Lachaise, dans l'Est parisien. Il est établi sur la colline de Champ-Lévêque, une ancienne propriété campagnarde ayant appartenu aux jésuites parisiens, parmi lesquels le père François d'Aix de La Chaise, confesseur et conseiller du Roi-Soleil. Sa conception est confiée à l'architecte Théodore Brongniart, déjà créateur de la Bourse. La bourgeoisie parisienne commence par bouder l'endroit, qui ne compte que treize tombes en 1804. Il faudra le transfert des dépouilles d'Héloïse et Abélard, puis de Molière et La Fontaine en 1817, pour que le Père-Lachaise connaisse enfin le succès. Sacré coup de pub : en 1830, il abrite 33 000 tombes.

Épisode sanglant de l'histoire

Pendant la Commune, en mai 1871, près de 200 hommes, femmes et enfants qui s'étaient réfugiés là sont fusillés par les troupes gouvernementales de Versailles. Aujourd'hui, le mur des Fédérés, classé Monument historique, leur rend hommage.

Le plus vaste cimetière… et espace vert de la ville

Le Père-Lachaise, c'est 44 ha, 70 000 concessions et un million de personnes inhumées. Voilà la première nécropole de la ville, mais aussi son plus vaste espace vert, avec 5 300 arbres et un beau regroupement de monuments funéraires aux styles éclectiques.

Des hôtes célèbres

Près de deux millions de personnes viennent flâner chaque année dans les allées du Père-Lachaise, et se recueillir sur les tombes des nombreuses personnalités littéraires et artistiques qui y reposent. Pour ne citer qu'eux, Molière et Apollinaire, Nerval et Balzac, Chopin et Sarah Bernhardt, Piaf et Modigliani. Parmi les sépultures singulières, celles d'Oscar Wilde, couverte de baisers colorés, ou de Jim Morrison, qui accueille régulièrement quelques fans transis. Si vous n'optez pas pour une visite guidée, il vous faudra absolument vous procurer un plan pour retrouver votre chemin…

COORDONNÉES

Accès principal rue de la Roquette, angle bd Ménilmontant, 75011 (HP par F3)
M° Philippe-Auguste ou Père-Lachaise
☎ 01 55 25 82 10
Lun.-ven. 8h-18h, sam.-dim. 9h-18h (17h30 nov.-mars)
Visites guidées le w.-e.
Entrée libre.

Séjourner **mode d'emploi**

Hôtels

Les prix que nous indiquons sont une moyenne entre les prix haute et basse saison, et les tarifs semaine et week-end. Ils correspondent à une chambre double standard, TVA comprise. Dans la plupart des établissements, le petit déjeuner est en supplément.

SE REPÉRER

Nous avons indiqué pour chaque adresse Séjourner sa localisation sur le plan général ou sur le zoom (B2, G8…). Pour un repérage plus facile en préparant votre week-end ou lors de vos balades, nous avons signalé sur le plan par un symbole jaune toutes les adresses de ce chapitre, sauf les hôtels. Le numéro en jaune signale la page où elles sont décrites.

Réserver une chambre

D'avril à novembre ou au moment d'une grande manifestation, il est indispensable de réserver, par Internet ou par téléphone, puis de confirmer par courrier ou par fax. Sauf en mai, juin, septembre ou octobre, vous pouvez essayer de négocier le prix d'une chambre de luxe pour une chambre plus simple ou d'obtenir une réduction de 30 à 40 %. Résultat non garanti… L'office de tourisme de Paris peut vous aider à vous loger et à réserver :
☎ 0 892 68 3000
(0,34 €/min),
www.parisinfo.com

Les services

Si vous avez des enfants, vous pouvez demander un lit supplémentaire dans une chambre double ou négocier une suite. Le petit déjeuner

n'est pas toujours compris dans le prix de la chambre ; compter de 6 à 18 € suivant l'établissement. En revanche, méfiez-vous des petites bouteilles dans le minibar s'il y en a un : elles sont souvent hors de prix.

Résidences hôtelières

À mi-chemin entre un hôtel et un appartement meublé, les résidences hôtelières sont l'idéal pour des courts séjours ou des séjours prolongés. Du studio au quatre-pièces tout équipé, vous bénéficiez de toutes les prestations offertes par les hôtels. Les prix peuvent varier de 200 à 2 000 € selon votre temps de séjour et la qualité de la résidence. Ces résidences sont souvent situées à côté des zones touristiques, ce qui est pratique pour visiter la ville en quelques jours.
• **Citadines Apart'Hotel :** www.citadines.com

• **Païko :**
www.parisapparthotel.com

Restaurants

À Paris, on trouve de tout
et à tous les prix : de la
cuisine bien française ou
exotique, sophistiquée
ou régionale, dans un
petit bistrot, une brasserie
animée ou un restaurant
gastronomique… Si
l'adresse est réputée, il vaut
mieux réserver un peu
avant. Malheureusement,
les quartiers touristiques ne
sont pas toujours de hauts
lieux de la gastronomie, et
les prix qui y sont pratiqués
dépassent souvent de beaucoup
la qualité du repas servi.

Soyez donc vigilant,
notamment à Montmartre,
aux Halles ou à Montparnasse,
sauf, bien entendu, lorsqu'il
s'agit d'adresses reconnues de
longue date.

BONS PLANS INTERNET

Sur Internet, les promotions et les bonnes affaires
sont fréquentes quelle que soit la période.
Pour bénéficier du meilleur tarif, allez en priorité sur
le site de l'hôtel choisi, puis consultez les différents
sites de comparatif de prix (**www.trivago.fr,
www.hotels.com** et **www.booking.com**).
Pour dénicher de bons prix et des promotions
régulièrement mises à jour, consultez le site
www.hotels-paris.fr
Il existe aussi des services centralisés de réservations
hôtelières sur Internet :
· **www.parishotels.com**
· **www.paris-travel.fr**
· **www.parischarminghotels.net**
· **www.hostelworld.com**
Vous pouvez aussi profiter de tarifs négociés en
faisant appel aux services des centres de discount :
☎ 0 892 640 002
ou www.hotelsdiscount.com

Quand manger ?

Bon nombre de brasseries
servent encore à 14h30.
Attention, dans certains
quartiers les services du midi
peuvent être assez longs.
Le dîner débute généralement
à partir de 20h30 ; plus tôt, les
Parisiens se retrouvent pour
l'apéro de 18h à 20h et
profitent des happy hours.

Combien ça coûte ?

Les prix indiqués sur la carte
sont toujours ceux d'un
plat pour une personne. Ils
incluent toujours les taxes et
le service (environ 15 % de
l'addition totale). Certains
restaurants proposent des
menus à prix fixe auquel
il faut ajouter les boissons.
Le prix moyen d'un bon repas
sera toujours plus élevé qu'en
province. On peut déjeuner
pour environ 15 € dans un
petit resto (entrée-plat ou
plat-dessert). Pour le dîner, il
vaut mieux compter entre 20
et 30 € par personne. Il est
d'usage de laisser un pourboire
au garçon quand le service est
satisfaisant.

Gastronomie

En novembre 2010 le repas
gastronomique français a été
classé Patrimoine immatériel
de l'humanité par l'Unesco.
La tradition française remonte
au temps des grands repas
familiaux où tout le monde
se réunissait pour partager
des moments de convivialité.
Depuis lors le repas suit un
rituel bien précis alliant
le choix de bons produits,
l'esthétisme de la table et
l'art de la conversation. Dans
les grands restaurants il se
compose généralement d'un
apéritif, de deux plats, d'un
fromage, d'un dessert et
s'achève avec un digestif.

LES RESTAURANTS DE NUIT

Voici une sélection de quelques restaurants ouverts
24h/24, 7j/7 : **Au Pied de Cochon** (6, rue Coquillière,
75001, D3, M° Palais-Royal, ☎ 01 40 13 77 00) ;
l'**Alsace** (39, av. des Champs-Élysées, 75008, B2,
M° Franklin-D.-Roosevelt, ☎ 01 53 93 97 00, www.
lesfreresblanc.com) ou le **Grand Café** (4, bd des
Capucines, 75009, C2/D2, M° Opéra, ☎ 01 43 12 19 00).
Vous avez aussi la possibilité de vous rendre dans
l'une de ces chaînes franchisées : Hippopotamus,
Bistro Romain ou Léon de Bruxelles…

Hôtels

1 - Hôtel Hi Matic
2 - Hôtel du Nord
3 - Hôtel Ramey
4 - Hôtel Hi Matic

☎ 01 42 72 76 17
📠 01 42 78 68 26
www.le-sevigne.com
Chambre double à 86 €.

L'accueil est parfois un peu bourru et les chambres sont plutôt petites, mais question emplacement, cet hôtel est parfait pour sillonner le Marais.

HÔTELS À PRIX SYMPAS

Le Marais

Hôtel du Haut Marais

7, rue des Vertus, 75003 (E3)
M° Arts-et-Métiers
☎ 01 42 77 65 52
www.hotelhautmarais.com
Chambre double à 120 €.

Ambiance comme à la maison dans ce minihôtel qui occupe tout un immeuble typique du Marais, idéalement situé dans une rue calme et piétonne du quartier.

Hôtel Paris France★★

72, rue de Turbigo, 75003 (E3)
M° Temple
☎ 01 42 78 00 04
📠 01 42 71 99 43
www.paris-france-hotel.com
De 89 à 109 €
Petit déjeuner 6 €.

Des chambres spacieuses, équipées de Wifi et particulièrement calmes à seulement 5 min à pied de la place de la République.

Hôtel Sévigné

2, rue Malher, 75004 (E4)
M° Saint-Paul

Grands Boulevards

Hôtel Victoria★★

2 bis et 4, cité Bergère, 75009 (D2)
M° Grands-Boulevards
☎ 01 47 70 20 01
📠 01 48 01 08 43
www.hotelvictoriaparis.com
De 81 à 93 €
Petit déjeuner 6 €.

Situé dans une rue peu connue mais charmante, ce grand hôtel au cadre rétro dispose de 105 petites chambres bien équipées.

La butte Montmartre

Hôtel Caulaincourt Square

63-65, rue de Caulaincourt, 75018 (D1)
M° Lamarck-Caulaincourt
☎ 01 46 06 46 06
✆ 01 46 06 46 16
www.caulaincourt.com
De 66 à 76 €
Petit déjeuner 5,50 €.

Un tarif imbattable pour plonger dans l'ambiance bohème de Montmartre. Chaleureux, l'endroit abrite aussi une auberge de jeunesse.

Hôtel Ramey★★

24, rue Ramey, 75018 (D1)
M° Château-Rouge
☎ 01 42 54 24 66
✆ 09 64 41 26 75
www.hotelramey.com
Chambre double à 65 €
Petit déjeuner 6 €.

Métamorphose complète pour cet hôtel, qui propose aujourd'hui des chambres silencieuses, sans prétention mais cosy et à deux pas seulement du Sacré-Cœur.

Hôtel du Moulin★★

3, rue Aristide-Bruant, 75018 (D1)
M° Abbesses
☎ 01 42 64 33 33
✆ 01 46 06 42 66
www.hotelmoulin.com
De 69 à 110 €
Petit déjeuner 7 €.

Charmant petit hôtel tenu par des patrons coréens. Demandez plutôt à avoir une des sept chambres qui ont un accès direct au jardin.

Le faubourg Saint-Antoine

Hôtel Hi Matic

71, rue de Charonne, 75011 (F4)
M° Charonne
☎ 01 43 67 56 56

www.hi-matic.net
129 € la minicabine
Petit déjeuner bio inclus.

Hôtel conceptuel, entièrement automatisé (pas de réception, pas de room service) et designé par Matali Crasset. Déroutant… vous dormirez au ras du sol dans des chambres colorées et aménagées comme des cabanes.

Du pont des Arts au jardin du Luxembourg

Hôtel de Nesle★

7, rue de Nesle, 75006 (D4)
M° Odéon ou Pont-Neuf
☎ 01 43 54 62 41
www.hoteldenesleparis.com
De 75 à 100 €
Pas de petit déjeuner.

Vingt chambres douillettes et « baroques » qui célèbrent chacune un personnage historique clé de Saint-Germain-des-Prés (Molière, Champollion, Notre-Dame de Paris…).

Le Quartier latin

Hôtel du Collège de France★★

7, rue de Thénard, 75005 (D4)
M° Maubert-Mutualité ou Cluny-La-Sorbonne
☎ 01 43 26 78 36
✆ 01 46 34 58 29
www.hotel-collegedefrance.com
De 107 à 120 €
Petit déjeuner 10 €.

Accueil chaleureux, chambre et salon d'attente confortables : il n'en faut pas plus pour profiter du Quartier latin tout proche et de ses sites : le Panthéon, la Sorbonne et Notre-Dame.

Autour de Montparnasse

Hôtel Solar★★

22, rue Boulard, 75014 (HP par C5)
M° Denfert-Rochereau

☎ 01 43 21 08 20
www.solarhotel.fr
Chambre double à 59 €
Petit déjeuner bio inclus.

Produits bio, panneaux solaires, prêt de vélos : l'hôtel veut sensibiliser ses clients à la cause écologique et économique. Pari tenu avec, en prime, un petit jardin parfait pour se reposer.

Invalides

Hôtel Le Pavillon★★

54, rue Saint-Dominique, 75007 (C3)
M° Invalides
☎ 01 45 51 42 87
✆ 01 45 51 32 79
www.hotel-lepavillon.com
De 115 à 130 €
Petit déjeuner 11 €.

Cet ancien couvent de quinze chambres cultive un charme rétro et désuet en plein cœur du 7e arrondissement. Niché au fond d'une cour, il dispose aussi d'une agréable terrasse pour les beaux jours.

Autour du canal Saint-Martin

Hôtel du Nord

47, rue Albert-Thomas, 75010 (E2)
M° Jacques-Bonsergent
☎ 01 42 01 66 00
✆ 01 42 01 92 10
www.hoteldunord-leparivelo.com
De 69 à 82 €
Petit déjeuner 7,50 €.

Très accueillant, le personnel de l'hôtel tient à la disposition des clients une flotte de dix vélos gratuits. Le plan parfait pour profiter des voies du canal Saint-Martin, interdites aux voitures le dimanche.

Hors visite

Hôtel Eldorado

18, rue des Dames, 75017 (C1)
M° Place-de-Clichy
☎ 01 45 22 35 21
✆ 01 43 87 25 97

www.eldoradohotel.fr
De 73 à 82 €
Petit déjeuner 9 €.

Qui pourrait soupçonner que le fameux Bistrot des Dames abrite aussi un hôtel ? Cadre de verdure, déco de bric et de broc, bienvenue dans l'une des 33 chambres de cet Eldorado.

HÔTELS DE CHARME

Le Marais

Hôtel du Petit Moulin★★★★

29-31, rue de Poitou, 75003 (E3)
M° Saint-Sébastien-Froissart
☎ 01 42 74 10 10
🖷 01 42 74 10 97
www.hoteldupetit
moulin.com
De 190 à 250 €
Petit déjeuner 15 €.

Derrière la façade authentique d'une ancienne boulangerie de quartier se cache une adresse intimiste avec dix-sept chambres décorées par Christian Lacroix.

L'île Saint-Louis

Les Deux Îles★★★

59, rue Saint-Louis-en-l'Île, 75004 (E4)
M° Pont-Marie
☎ 01 43 26 13 35
🖷 01 43 29 60 25
www.deuxiles-paris-
hotel.com
Chambre double à 205 €
Petit déjeuner 13 €.

Des chambres élégantes dans un décor de carte postale. Pour ajouter au charme, le petit déjeuner est servi dans un salon voûté avec cheminée aux pierres apparentes.

La butte Montmartre

Hôtel Amour

8, rue de Navarin, 75009 (D1)
M° Saint-Georges
☎ 01 48 78 31 80

www.hotelamourparis.fr
De 155 à 215 €
Petit déjeuner 12 €.

Le repaire idéal pour les amoureux. Ambiance canaille et feutrée. Pas de télé dans les chambres, mais n'hésitez pas à profiter de l'agréable cour arborée…

Autour de Montparnasse

Hôtel des Académies et des Arts

15, rue de la Grande-Chaumière, 75006 (C5)
M° Vavin
☎ 01 43 26 66 44
🖷 01 40 46 86 85
www.hoteldes
academies.com
De189 à 234 €
Petit déjeuner 16 €.

Feutré, calme et charmant : ce petit hôtel de vingt chambres possède aussi un salon de bien-être en sous-sol ainsi qu'un salon de thé !

Hôtel de la Paix★★

225, bd Raspail, 75014 (C5)
M° Vavin
☎ 01 43 20 35 82
🖷 01 43 35 32 63
www.hoteldelapaix.com
De 102 à 150 €
Petit déjeuner 9 €.

L'hôtel joue la carte de la convivialité. Ouverte sur la rue, la salle de déjeuner avec ses fauteuils moelleux donne envie de s'y prélasser toute la journée…

Des Invalides à la rue du Bac

Hôtel Thoumieux★★★

79, rue Saint-Dominique, 75007 (B3)
M° Invalides
☎ 01 47 05 49 75
🖷 01 47 05 36 96
www.thoumieux.fr

Chambre double de 150 à 280 €.

Coup de cœur pour cette adresse reprise par un trio de choc : Thierry Costes au management, Jean-François Piège en cuisine et India Madhavi à la déco ! Résultat : un endroit délicieusement rétro et un resto deux étoiles.

Autour du canal Saint-Martin

Citizen Hotel

96, quai de Jemmapes, 75010 (E2)
M°Jacques-Bonsergent
☎ 01 83 62 55 50
🖷 01 83 62 55 71
www.lecitizenhotel.com
Chambre double à 179 €
Petit déjeuner à la demande (12,50 €).

Premier hôtel écocitoyen, qui a ouvert en octobre 2010. Il possède seulement six chambres et six suites qui donnent toutes sur le canal Saint-Martin et le pont tournant. Une vue magique et un service ultra-personnalisé.

Hôtel Taylor★★★

6, rue Taylor, 75010 (E2)
M° Strasbourg-Saint-Denis
☎ 01 42 40 11 01
🖷 01 42 40 87 10
www.paristaylorhotel.com
De 170 à 210 €
Petit déjeuner 15 €.

Atmosphère romantique au programme de cet hôtel qui offre de customiser ses chambres pour les amoureux avec des packages « bubble » ou « lune de miel ».

Hors visite

Le Sourire de Montmartre

64, rue du Mont-Cenis, 75018 (HP par D1)
M° Jules-Joffrin
☎ 06 64 64 72 86

1 - Hôtel Thoumieux
2 - Hôtel du Petit Moulin
3 - Hôtel du Petit Moulin

www.sourire-de-montmartre.com
Chambre double de 140 à 150 €.

Les cinq chambres de ce Bed & Breakfast offrent une décoration orientale. Mention spéciale à la chambre « Lotus » et à son hammam privé, et au salon du petit déjeuner, niché sous les toits.

Mama Shelter★★

109, rue de Bagnolet, 75020 (HP par F4)
M° Porte de Bagnolet
☎ **01 43 48 48 48**
📠 **01 43 48 49 49**
www.mamashelter.com
De 99 à 169 € sans petit déjeuner (15 €)
Tarif « Super Sunday » : 99 € la chambre double.

Fun : voilà pour résumer l'ambiance qui règne ici, que ce soit dans les chambres – où l'on s'amuse à se prendre en photo avec les masques qui recouvrent les appliques murales –, ou à l'immense bar animé par un DJ.

Hôtel Le Canal★★★

48, avenue de Flandre, 75019 (F1)
M° Riquet ou Stalingrad
☎ **01 40 05 00 57**
📠 **01 40 36 25 69**
www.hotellecanal.com
De 68 à 170 €
Petit déjeuner 8 € (offert le w.-e.).

Un hôtel tout beau, tout neuf et très coloré avec une déco 100 % cinéma, dans un quartier de plus en plus attractif.

CHAMBRES D'HÔTES

Un logement agréable à un budget raisonnable à Paris ? Oui, cela existe ! Il y a plusieurs années, Chantal Goldstein, habitante du 10e arrondissement, a créé l'association Les Parisiens associés. Avec l'aide de la mairie et de l'office de tourisme, ils ont œuvré à l'élaboration d'une charte pour mieux accueillir les visiteurs. Aujourd'hui, quelque 300 chambres d'hôtes sont réunies sous le label Hôtes Qualité Paris. Contemporaines ou plus classiques, avec ou sans jardin, dans le centre historique ou dans la banlieue verte : il y en a pour tous les goûts et à tous les prix, de 70 à 300 € la double. Informations à l'office de tourisme ou sur le site internet : www.hqp.fr

Le Général Hôtel★★★

5-7, rue Rampon, 75011 (E3)
M° République
☎ **01 47 00 41 57**
📠 **01 47 00 21 56**
www.legeneralhotel.com
De 192 à 222 €
Petit déjeuner 18 €.

Repos et douceur avant tout : Ipod, produits L'Occitane et machines Nespresso® dans les chambres ; bar cosy au rez-de-chaussée ; massages, sauna et vraie salle de fitness en sous-sol.

Hôtel Gabriel★★★★

25, rue du Grand-Prieuré, 75011 (E3)
M° République
☎ **01 47 00 13 38**
📠 **01 43 57 97 87**
www.gabrielparismarais.com
De 150 à 240 € la double deluxe
Petit déjeuner bio 17 €.

Objectif bien-être garanti dans ce premier « détox hôtel » ouvert en mars 2009, qui bénéficie d'un équipement dernier cri : écran plat, station Ipod et Wifi dans les chambres.

Restaurants

1 - Bistrot Paul Bert
2 - Kong
3 - La Robe et le Palais

Le Soufflé

36, rue du Mont-Thabor,
75001 (C3)
M° Concorde
☎ 01 42 60 27 19
Lun.-sam. 12h-14h30 et
19h-22h (f. 15 jours en fév.
et 3 sem. en août).

Voici un restaurant pas comme les autres, avec pour spécialité des soufflés salés et sucrés accompagnés d'une cuisine traditionnelle. Vous avez le choix entre la carte, un menu « Tout Soufflé » à 32 € ou un autre menu à 36 € avec de la viande ou du poisson.

Une Journée à Peyrassol

13, rue Vivienne, 75002 (D3)
M° Bourse
☎ 01 42 60 12 92
www.peyrassol.com
Lun.-ven. 12h-14h
et 19h30-22h (f. en août)
À la carte entre 50 et 60 €.

La Commanderie de Peyrassol, domaine viticole dans le Var, a ouvert ce bar à truffes pour vous faire déguster ses vins, AOC côtes-de-provence rouge, rosé (médaillé d'or) et blanc. La cuvée Château blanc accompagne à merveille la brouillade à la truffe ou les pommes de terre à la crème truffée. Dans la boutique, on vend le vin au prix du domaine.

La Robe et le Palais

13, rue des Lavandières-
Sainte-Opportune,
75001 (D3)
M° Châtelet
☎ 01 45 08 07 41
www.larobeet
lepalais.com
Lun.-sam. 12h30-15h30
et 19h30-23h
Formules déjeuner
entre 15 et 19 €,
le soir planches à 12 €,
à la carte à partir de 35 €
Rés. conseillée.

Voici au cœur de Paris un cadre chaleureux, pour une cuisine traditionnelle à midi et plus élaborée le soir. Quant à la carte des vins, rien à redire avec plus d'une centaine de références venues directement des vignobles ; de quoi ravir les amateurs.

Frenchie

5, rue du Nil, 75002 (D3)
M° Sentier
☎ 01 40 39 96 19
www.frenchie-restaurant.com
Lun.-ven. 19h-23h
Formules à 34 et 38 €
Rés. obligatoire.

Niché dans une ruelle du Sentier, Frenchie ne désemplit pas. Salle de 22 couverts, pierres apparentes, carreaux bicolores et parquet au sol, art contemporain sur les murs blancs. L'accueil est charmant, les mets délicieux, les alliances originales et toujours efficaces (poires, speck et gorgonzola ou topinambour, fruits de mer et lentilles en entrée, mérou crème de champignons et compotée d'oignons, panna cotta pamplemousse-cannelle). La carte change tous les jours.

Kong

1, rue du Pont-Neuf,
75001 (D3)
M° Pont-Neuf
☎ 01 40 39 09 00
www.kong.fr
Restaurant : t. l. j. 12h-0h30,
bar jusqu'à 2h en semaine
et 3h ven.-sam.
À la carte de 40 à 60 €.

Des canapés en or, un champ d'orchidées, des tables épidermiques, un DJ Louis XV, un tapis de galets, des sièges manchots, des murs punk, des geishas… La plus belle vue de Paris, un décor signé Starck, une cuisine française avec des épices et des

saveurs du Japon, bref un lieu plein de surprises !

Gallopin

40, rue Notre-Dame-des-Victoires, 75002 (D2-3)
M° Bourse
☎ 01 42 36 45 38
www.brasseriegallopin.com
T. l. j. 12h-minuit
Formules de 24,50 à 36 €,
à la carte entre 40 et 45 €
Rés. conseillée.

Des boiseries de style victorien, un bar en acajou, une magnifique verrière, la brasserie Gallopin régale depuis 1876 les hommes d'affaires et les habitués du quartier par sa cuisine raffinée et traditionnelle. On choisit de préférence le foie gras, le filet de bœuf au poivre, la sole meunière ou le steak tartare.

Chartier

7, rue du Faubourg-Montmartre, 75009 (D2)
M° Grands-Boulevards
☎ 01 47 70 86 29
T. l. j. 11h30-22h
Formules env. 20 € midi et soir (pichet de vin inclus).

Un « bouillon » comme on n'en fait plus (classé). Il existe depuis 1896 et sert plus de 1 500 couverts par jour. Un décor 1900, une grosse horloge, une verrière… Le jeudi, les amateurs se bousculent pour manger du pied de cochon.

Bistrot Paul Bert

18, rue Paul-Bert, 75011 (F4)
M° Faidherbe-Chaligny
☎ 01 43 72 24 01
Mar.-sam. 12h-15h
et 19h30-23h.

Dans cette rue gourmande à deux pas du faubourg Saint-Antoine, le Paul Bert fait figure de doyen. Atmosphère chaleureuse, patron gaillard, saveurs du terroir, belle carte des vins et formule généreuse à 34 €. Terrine de lapin de garenne, pigeon rôti et ris de veau ont nos préférences. Incontournable, le paris-brest maison.

La Gazzetta

29, rue de Cotte, 75012 (F4)
M° Ledru-Rollin

☎ 01 43 47 47 05
**Mar.-sam. 11h30-15h
et 18h30-1h.**

Tables en marbre et bois, ventilateurs années 1930 au plafond. On raffole de cette adresse ultra-élégante, créée par les inventeurs du Fumoir et du China Café. Le chef suédois Petter Nilsson y mâtine ses plats du Sud d'une touche scandinave : c'est subtil, original, et ça fonctionne. Ajoutez un service charmant et délicat, une formule à petits prix à midi (17 € pour un assortiment de tapas et un plat), des formules le soir à 39 € (cinq plats) et 52 € (six plats), et c'est le bonheur !

Le Train Bleu

**À l'intérieur de la gare de Lyon, pl. Louis-Armand, 75012 (F5)
M° Gare-de-Lyon
☎ 01 43 43 09 06
T. l. j. petit déjeuner 7h30, déjeuner 11h30-15h, dîner 19h-23h
Formules à 48 et 96 €.**

Cette magnifique brasserie tient son nom du fameux *Train Bleu* qui emmenait les voyageurs vers la Riviera. Alors, avant de partir, allez faire un tour dans cette historique brasserie où tout est voué au culte du voyage, et que Colette et Gabin aimaient particulièrement. Ce que vous risquez ? Rater votre TGV…

Du pont des Arts au jardin du Luxembourg

Casa Bini

**36, rue Grégoire-de-Tours, 75006 (I7)
M° Mabillon ou Odéon
☎ 01 46 34 05 60
T. l. j. 12h30-14h30
et 19h30-23h
Formules déjeuner de 23 €
à 29 €, le soir à la carte 35 €.**

Anna Bini est arrivée de Florence les bras chargés d'huile d'olive et de produits frais, comme les délicieux artichauts poivrades. Le succès ne s'est pas fait attendre, et les Parisiens ont vite aimé la simplicité de sa cuisine aux parfums de Toscane.

Positano

**15, rue des Canettes, 75006 (H7)
M° Mabillon
☎ 01 43 26 01 62
Lun.-sam. 12h-14h30
et 19h-23h.**

Italiens de Paris, Italiens en visite à Paris et fous de cuisine italienne se retrouvent tous dans la longue file d'attente qui patiente à l'entrée du Positano : ici, on ne prend pas de réservation. Mais le jeu en vaut la chandelle : des plats copieux et concoctés dans les règles de l'art. Sauce tomate ultra-fraîche, légumes croquants, pizzas moelleuses et goûteuses, pâtes divines. En prime, service rapide, efficace, et accent qui fleure bon l'Italie.

Sèvres-Babylone

L'Épi Dupin

**11, rue Dupin, 75006 (G7)
M° Sèvres-Babylone
☎ 01 42 22 64 56
www.epidupin.com
Lun.-ven. 12h-23h
Déjeuner mar.-ven., formules de 22 à 33 € ;
tous les soirs, formules de 33 à 48 €.**

À côté du Bon Marché, dans une petite rue tranquille, L'Épi Dupin propose sous ses poutres anciennes une délicieuse cuisine française traditionnelle. Les spécialités les plus appréciées ? En entrée, une Tatin d'endive caramélisée sauce mielleuse à la coriandre, en plat, le filet de raie poêlée et sa fondue de poireaux aux noisettes et fruits secs ; et en dessert, une dariole au coulant de chocolat chaud sauce pistache…

Autour de Montparnasse

Le Bistrot de l'Échanson

**20, rue de la Gaîté, 75014 (C5)
M° Edgar-Quinet
☎ 01 43 22 86 46
Lun.-ven. 12h-23h30, sam. 16h-23h30
Formule déjeuner à 13,90 €
(plat du jour ou poisson selon la pêche du moment avec un verre de vin au choix et café), le soir à la carte de 8 à 26 €.**

Un décor design rouge, vert, jaune pour ce bistrot qui se démarque par ses vins. À côté de la carte des vins Mercure, un œnologue maison recherche les petits producteurs, et chaque semaine sur les ardoises sont indiqués les coups de cœur et les trouvailles de l'Échanson. On déguste ces vins au verre, à la demi-bouteille ou à la bouteille, accompagnés d'une cuisine traditionnelle de bistrot, cependant très originale et pleine de bonnes surprises.

La tour Eiffel et le Trocadéro

Les Cocottes

**135, rue Saint-Dominique, 75007 (B4)
M° École-Militaire
www.maisonconstant.com
Lun.-sam. 12h-14h30
et 19h15-22h30
Plat principal de 14 à 28 €.**

Tout en longueur, l'antre du chef étoilé Christian Constant affiche des allures de bar chic new-yorkais. Assis à de hauts tabourets, on déguste au comptoir une gastronomie bon teint, faite de plats mijotés servis dans des cocottes en fonte Staub, mais aussi de verrines et salades.

1 - Les Cocottes
2 - L'Épi Dupin
3 - Toi

Les Champs-Élysées

Toi

27, rue du Colisée,
75008 (B2)
M° Saint-Philippe-du-Roule
☎ 01 42 56 56 58
T. l. j. 9h-2h
Brunch 25 € le dim.

En bas, une salle très colorée dans des tons rouges et orange vif avec une déco des années 1970, un bar lumineux

MAIS AUSSI…

Les **Restaurants du monde** (p. 36),
Le Nemours (p. 39),
L'Ébouillanté (p. 44),
L'Envue (p. 49),
Le Café Zéphyr (p. 51),
La Mascotte (p. 54),
le **Café Burq** (p. 55),
Bofinger (p. 57), la
Brasserie Lipp (p. 65),
La Coupole (p. 67), **La Closerie des Lilas** (p. 67),
Le Café de l'Homme (p. 71)
et **Baccarat** (p. 71).

et une salle lounge. À l'étage, une autre salle plus soft et plus feutrée dans des tons violet foncé et roses. La carte reflète une cuisine française inventive : en entrée, le Must des trois pommes de terre (saumon, truffe, foie gras), en plat, une poêlée de gambas flambées au pastis, et en dessert, trois petites crèmes brûlées vanille, Nutella et caramel.

Autour du canal Saint-Martin

Le Chateaubriand

171, av. Parmentier,
75011 (F2)
M° Goncourt
☎ 01 43 57 45 95
Mar.-ven. 12h-14h et 19h30-21h30, sam. 20h-21h30.

En salle Frédéric Penau, en cuisine le chef basque Inaki Aizpitarte. Le tandem a fait de cette adresse de quartier une table incontournable du 11e arrondissement depuis 2006. Dans un décor de bistrot, une cuisine

simple à midi, plus élaborée le soir avec un menu unique en cinq étapes savoureuses à 45 € sans le vin.

Hors visite

Félicie

174, av. du Maine,
75014 (HP par C5)
M° Mouton-Duvernet
☎ 01 45 41 05 75
T. l. j. 7h-2h (f. 24 déc. au soir et 25 déc.)
Formule déjeuner à 12,50 € ou tout compris à 18 €.

Un bistrot à l'ancienne qui nous régale de sa cuisine du terroir. Chaque jour, de nouvelles suggestions en fonction du marché et une bonne carte des vins. Viande de salers, tartare de bœuf de première qualité, et tout cela à des prix raisonnables.

Le Café Noir

15, rue Saint-Blaise,
75020 (HP par F3)
M° Porte-de-Bagnolet
☎ 01 40 09 75 80
Mar.-sam. 12h-14h30 et 19h30-23h
À la carte : 35 à 40 €.

Au cœur de la reposante « campagne à Paris », et pourtant tout près du 20e arrondissement grouillant, l'endroit fait preuve d'une belle constance avec son chef José Maréchal. Cadre rétro, pour une carte simple et inventive à la fois. Parmi les valeurs sûres, le foie gras maison (14 €) !

Sur le pouce

1 - Breizh Café
2 - Jour
3 - Cojean
4 - Cojean

Le Palais-Royal

Juvénile's

47, rue de Richelieu,
75001 (D3)
M° Pyramides
☎ 01 42 97 46 49
Lun. 17h-minuit,
mar.-sam. 12h-1h
Formule déjeuner à 16,50 €
(plat du jour, verre de vin du
jour et café), le soir formules
à 21 et 28 €.

Le patron est écossais et toni-
truant en son genre, le lieu
est petit mais immensément
chaleureux. On y mange des
tapas et une sélection de plats
traditionnels de bistrot avec des
saucisses-couteau de M. Duval,
de la panse de brebis farcie
arrosée d'une once de whisky,
une bonne sélection de fromages d'Angleterre et un fameux
gâteau, le Donald's Chocolate
Cake.

Higuma

32, rue Sainte-Anne,
75001 (D3)
M° Pyramides
☎ 01 47 03 38 59
T. l. j. 11h30-22h
Menus à partir de 10 €.

Ce n'est pas le cadre de cette
cantine ultra-simple qui vous
séduira, mais sa carte. Au menu,
une multitude de soupes, plats
de pâtes et de riz complets, riches
en légumes croquants et viandes
marinées, et servis à toute allure.
Un must, les *gyozas*, raviolis
frits savoureux, accompagnés
comme il se doit de piment et
de sauce soja.

H. A. N. D.

39, rue de Richelieu,
75001 (D3)
M° Pyramides
☎ 01 40 15 03 27
T. l. j. 10h-22h30
Carte de 15 à 20 €.

« Have a nice day », voilà le sens
de l'acronyme de ce restaurant
aux allures de bistrot new-
yorkais. Murs bleus, sol rouge,
déco mariant brocante et design
contemporain. Dans les assiettes, des classiques US, burgers et
cheeseburgers de bonne tenue,
et leurs déclinaisons au poulet
corn-flakes *(farmerburger)* ou
poisson *(fishburger)*. Tous sont
servis avec des frites généreuses.
En dessert, ne pas manquer le
cheesecake au citron ! Service
efficace et souriant.

Chez Camille

24, rue des Francs-
Bourgeois, 75003 (E4)
M° Saint-Paul
☎ 01 42 72 20 50
Lun.-ven. 8h-minuit,
sam.-dim. 10h-minuit
Formules à 22 et 23 €.

En plein cœur du Marais, un joli resto typiquement parisien, qui célèbre la bonne cuisine française sous toutes ses formes. Le menu quotidien se déroule sur de grandes ardoises. Ne manquez pas le pot-au-feu maison ou le saucisson lyonnais aux lentilles. Accueil souriant, service efficace.

L'As du Falafel

34, rue des Rosiers,
75004 (E4)
M° Saint-Paul
☎ 01 48 87 63 60
Dim.-jeu. 12h-minuit
Assiette falafel à 14 €,
falafels à partir de 5 € (à
emporter) et 7 € (sur place).

Depuis 1979, ça tourne à cent à l'heure à L'As du Falafel. Ce petit restaurant est renommé pour sa cuisine israélienne et ses falafels, les meilleurs de Paris. Si l'on veut une place assise, mieux vaut arriver avant l'heure de pointe (13h), sinon il y a toujours le service de vente à emporter.

Breizh Café

109, rue Vieille-du-Temple,
75003 (E3)
M° Saint-Sébastien-Froissart
☎ 01 42 72 13 77
Mer.-sam. 12h-23h,
dim. 12h-22h
Galettes autour de 10 €,
plats à la carte à 20 €
Rés. conseillée.

« La crêpe autrement », c'est son credo. Après Cancale et Tokyo, le Breizh Café de Bertrand Larcher a pris ses quartiers parisiens au cœur du Marais tendance, entre boutiques de créateurs et galeries d'art. Côté décor, jonc au sol, bois au mur, tables claires. Dans les assiettes, des produits ultra-frais pour le bonheur des papilles. À côté des galettes traditionnelles, on fond pour la Cancalaise (harengs-pommes de terre) et, côté sucré, pour le caramel-bananes-chantilly.

Marché des Enfants Rouges

39, rue de Bretagne,
75003 (E3)
M° Temple ou Filles-du-
Calvaire
Mar.-jeu. 8h30-13h et 16h-
19h30, ven.-sam. 8h30-13h
et 16h-20h, dim. 8h30-14h.

Ce petit marché, l'un des plus anciens de Paris, doit son nom à l'orphelinat aujourd'hui disparu dans lequel les enfants étaient parés de capes rouges. Au milieu des étals de poissons, fromages, viandes et fleurs, plusieurs stands et traiteurs où l'on peut commander un plat du jour à déguster à des tables en plein air aux beaux jours. La cuisine du monde dans toute sa splendeur : Japon, Maroc ou France. Notre chouchou, l'estaminet Arômes et Cépages. Un bistrot à vins drôlement sympa où les planches de fromage et de charcuterie s'accompagnent d'un bon nectar, dans un intérieur cosy ou à de grandes tables en bois à l'extérieur.

Cojean

6, rue de Sèze, 75009 (C2)
M° Madeleine
☎ 01 40 06 08 80
Lun.-ven. 8h30-18h,
sam. 10h-19h
Soupes de 4 à 4,90 €.

Directement inspiré des saladbars américains, le défenseur du « sur le pouce » chic et de qualité essaime dans toute la capitale : depuis 2001, Alain Cojean y a ouvert dix adresses, dont celle-ci. Tenues des serveurs bleu ciel, comme les murs, déco épurée et produits très frais. Au menu, en self-service, un large choix de salades (à partir de 4 €), de soupes, de jus de fruits frais divins, de sandwichs toastés et de plats du jour, qu'on déguste installés sur de hauts et beaux tabourets.

Le Pain Quotidien

18, pl. du Marché-Saint-
Honoré, 75001 (C3)
M° Tuileries ou Pyramides
☎ 01 42 96 31 70
www.lepainquotidien.com
T. l. j. 8h-22h.

Une bonne adresse pour manger sur le pouce. Des tartines poulet fumé à 11,80 €, des assiettes d'aubergines grillées farcies aux légumes avec des tranches de mozzarella et des tomates confites, des salades… Il ne vous en coûtera guère plus de 13,80 € pour une salade de légumes grillés, entre 10 et 15 € pour un plat.

Jour

13, bd Malesherbes,
75008 (C2)
M° Madeleine
☎ 01 40 07 06 88
Lun.-sam. 11h45-16h.

Ultra-fraîcheur garantie pour ces bars à salades design où l'on compose soi-même son menu (de 6 à 21 € la salade). Dans des bacs en alu, on choisit ses ingrédients entre crudités, fromages, croûtons, charcuterie, etc. Puis, pour arroser le tout, on opte pour de l'huile d'olive ou du citron, du vinaigre de vin ou balsamique. Également un choix de soupes (3,30 € le gaspacho), wraps et jus de fruits (3,30 €).

L'Opéra et les Grands Boulevards

Super Nature

12, rue de Trévise, 75009 (D2)
M° Grands-Boulevards
☎ 01 47 70 21 03
Mar.-sam. 12h-15h, brunch
dim. 12h-16h
Formules déjeuner
à 12 et 15 €, brunch à 16 €.

Voici la cantine idéale pour se refaire une santé rapidement et sans se ruiner. Ce temple de la cuisine naturelle et ultra-fraîche mêle plats végétariens et spécialités pour carnivores. Original, son cheeseburger aux jeunes pousses. Avouons un coup de cœur pour le gratin de carottes aux graines de coriandre.

Pousse-Pousse

7, rue Notre-Dame-
de-Lorette, 75009 (D2)
M° Notre-Dame-de-Lorette
☎ 01 53 16 10 81
Mar.-ven. 11h-15h30 et
16h30-19h, sam. 12h-18h.

Pour en finir avec les clichés, non, le végétarien n'est pas forcément triste ! La preuve dans cette cantine-épicerie biologique colorée et agréable, tenue par Lawrence Aboucaya. Caviars de légumineuses aux épices, petits chaussons de légumes, assiettes du jour équilibrées (12,50 €) avec graines germées et jeunes pousses. Pour arroser le tout, des jus de fruits et de légumes minute. Desserts sympas (la glace maison à la fraise avec sa purée de cajou vaut le détour).

La butte Montmartre

Rose Bakery

46, rue des Martyrs,
75009 (D2)
M° Notre-Dame-de-Lorette
☎ 01 42 82 12 80
Mar.-dim. 10h-16h.

Rose a trouvé la formule : son épicerie bio-salon de thé avec vue sur jardin offre, dans un cadre cosy, un large choix de salades, tartes salées et pâtisseries réjouissantes. Best-sellers, le gâteau aux carottes (4,50 € à emporter ou 6,50 € sur place) et le risotto.

La Bastille

Pause Café

41, rue de Charonne / angle
rue Keller, 75011 (F4)
M° Bastille
☎ 01 48 06 80 33
Lun.-sam. 7h30-2h,
dim. 9h-20h.

Très agréable, ce grand bistrot à la déco moderne, aux baies vitrées baignées de lumière et à la clientèle protéiforme, où le réalisateur Cédric Klapisch posa sa caméra pour le film *Chacun cherche son chat* en 1996. Entre Bastille et Charonne, on peut y boire un verre ou y savourer une grande salade ou un plat du jour (de 12 à 15 €). Belle terrasse pour voir passer tous les branchés du quartier.

Du pont des Arts au jardin du Luxembourg

Bar à soupes et quenelles

5, rue Princesse,
75006 (I7)
M° Mabillon
☎ 01 43 25 44 44
Lun.-ven. 10h-17h,
sam. 10h-19h
Formules à 10,50 et 13,60 €.

Une vraie adresse pour manger sur le pouce. Au centre, le bar, et autour, les fauteuils en forme de Smarties multicolores. On s'y accoude ou on s'y attable pour apprécier de véritables quenelles lyonnaises Giraudet à la sauce Nantua par exemple, ou pour déguster une bonne soupe chaude ou glacée… selon la saison.

St-Germain-des-Prés et Sèvres-Babylone

Chez les Filles

64, rue du Cherche-Midi,
75006 (G8)
M° Saint-Placide
☎ 01 45 48 61 54
Lun.-ven. 11h30-16h30,
sam. 11h30-18h.

Une petite cuisine rapide et délicieuse dans un décor oriental aux couleurs chaudes. Chaque jour à midi, on vous concocte un tagine différent (13 €) ; sinon vous pouvez essayer des salades. Dans l'après-midi, on peut s'y arrêter pour prendre un thé.

Eggs & Co

11, rue Bernard-Palissy,
75006 (H7)
M° Saint-Germain-des-Prés
☎ 01 45 44 02 52
Mer.-ven. 11h30-15h30
et 19h-21h45, sam.-dim.
11h30-16h45
Brunch : 22 et 25 €.

Non, l'œuf n'est pas triste, il offre même une multitude de recettes possibles au petit déj', brunch, déjeuner ou goûter. Témoin cette adresse qui met les œufs extra-frais dans tous leurs états : au plat, cocotte, brouillés ou benedict, avec les ingrédients que vous aurez choisis pour les accompagner. Petit détail amusant : la salle du 1er étage a été baptisée « le poulailler ». L'histoire ne dit pas si c'est à cause des damoiselles qui y caquettent gaiement…

Mamie Gâteaux

66-70, rue du Cherche-Midi,
75006 (G8)
M° Saint-Placide
☎ 01 42 22 32 15
Mar.-sam. 11h30-18h,
déj. 11h30-14h30
(15 h le sam.).

Cela fleure bon un parfum suranné qui rappelle l'enfance. Nappes à petites fleurs et carreaux, bols en porcelaine et

1 - *Pause Café*
2 - *Rose Bakery*
3 - *Marché des Enfants Rouges*

fourneau en fonte émaillée : bienvenue chez Mamie Gâteaux, qui s'est installée dans une ancienne librairie autrefois fréquentée par Aragon. Soupes, tartes salées (8,50 €) et desserts savoureux (5 €) s'affichent à l'ardoise. La tarte lardons-brocolis et le gâteau poires-noisettes valent le détour. L'accueil est charmant, et la brocante voisine complète les réjouissances culinaires.

Les Champs-Élysées

Le Restaurant du Rond-Point

2 bis, av. Franklin-D.-
Roosevelt, 75008 (B3)
M° Franklin-D.-Roosevelt
☎ 01 44 95 98 44
Midi : lun.-ven. 12h-15h
Soir : mar.-sam.19h-minuit,
dim. 14h-20h (f. 3 sem.
en août)
Formule déjeuner à 25 €.

À la carte, une cuisine du monde, et surtout, pour manger sur le pouce, l'assiette Rond-Point (15 €) très complète. On peut aussi aller jeter un œil à la librairie à l'étage et assister à des soirées cabaret, débats littéraires ou à des lectures. Le soir, on y croise les acteurs du théâtre du même nom.

Hors visite

Be

73, bd de Courcelles,
75008 (B2)
M° Ternes ou Courcelles
☎ 01 46 22 20 20
Lun.-sam. 7h-20h.

Be comme « Boulangepicier », c'est l'adresse fraîche du groupe Alain Ducasse. On peut savourer sur place ou emporter une large gamme de sandwichs savoureux et frais. De 4,85 € le poulet-crudités ou le sandwich parisien à 7,90 € le sandwich club. En prime, choix de petits pains, salades et tartelettes. Be a également ses quartiers au 3ᵉ étage du Printemps Haussmann.

Le Bal Café

6, impasse de la Défense,
75018 (C1)
M° Place-de-Clichy
☎ 01 44 70 75 51
Mer.-sam. 10h-23h,
dim. 10h-19h
Formule lunch à 11 €.

Le Bal Café, c'est la cantine d'inspiration british de ce nouveau lieu culturel dédié à la photographie. Attablé au comptoir, en salle ou en terrasse, on mange de la joue de porc (12,50 €) accompagnée de lentilles, on découvre les

bathchaps (de la tête de porc roulée !) servis avec des pickles (8 €) ou on se réchauffe avec de la soupe aux panais (5,50 €). Impossible de quitter les lieux sans partager au moins une de ses petites douceurs : scones, cheesecakes ou lemon cakes. À noter : des cafés (2,30 €) presque aussi bons qu'en Italie !

MAIS AUSSI...

Le **Viaduc Café** (p. 57), **L'Arbre à Cannelle** (p. 59), **L'Heure Gourmande** (p. 61), le **Café Panthéon** (p. 63), le **Chai 33** (p. 74), **L'Hôtel du Nord** (p. 76) et **Le Verre Volé** (p. 77).

Salons de thé,
cafés et glaciers

1 - L'Institut du monde arabe
2 - Berthillon
3 - Chloé's Cupcake
4 - Angelina

un smoothie ou un thé, tous issus de la gamme Kusmi Tea.

Chloé's Cupcake

40, rue Jean-Baptiste-Pigalle,
75009 (C1/D1)
M° Pigalle
☎ 01 48 78 12 65
www.cakechloes.com
Mer.-dim. 11h-19h30.

Qui pourrait imaginer que ce décor rétro, rose et girly, abritait autrefois un bar à filles ? Aujourd'hui, c'est l'antre de

Chloé, qui y fabrique et y sert des cupcakes, ces drôles de petits cakes très sucrés et très colorés tout droit venus des États-Unis. Juchés sur les tabourets en Skaï du bar ou attablés dans la mini-salle du fond, on y déguste des cupcakes gourmands (de 4 à 5 € pièce), mais aussi des bagels (9 € le bagel Philadelphia) et des salades toutes fraîches. On peut aussi y siroter

Du Panthéon au Jardin des plantes

L'Institut du monde arabe

1, rue des Fossés-St-Bernard, pl. Mohammed-V,
75005 (E4)
M° Cardinal-Lemoine ou Sully-Morland
☎ 01 55 42 55 42
• Restaurant : mar.-dim. 12h-14h30 et 19h-22h30
• Salon de thé : 15h-18h15 (f. 1er mai).

Au sommet de l'Institut se trouvent le restaurant gastrono-

QUELQUES ADRESSES INCONTOURNABLES

- **Angelina**
226, rue de Rivoli, 75001 (C3) – M° Tuileries
☎ 01 42 60 82 00
Lun.-ven. 7h30-19h, sam.-dim. 8h30-19h.
- **Berthillon**
Rue Saint-Louis-en-l'Île, 75004, glaces à emporter au
n° 31 et salon de thé au n° 29 (E4) – M° Pont-Marie
☎ 01 43 54 31 61 – www.berthillon.fr
Mer.-dim. 10h-20h (f. vac. scolaires sf période de Noël).
- **La Café Marly**
93, rue de Rivoli, passage Richelieu, 75001 (D3)
M° Palais-Royal – ☎ 01 49 26 06 60 – T. l. j. 8h-2h.

mique (cuisines marocaine et libanaise) et le salon de thé. La vue sur Paris et le chevet de Notre-Dame est splendide, on en profite doublement lorsque la terrasse est ouverte en été. Là, on boit du thé à la menthe (3 €), on mange des cornes de gazelle, des *maamoul* aux pistaches et aux dattes, des loukoums, des *balouria* aux amandes et des baklavas (de 2 à 4 € pièce).

Du pont des Arts au jardin du Luxembourg

Le Shangai Café de la Maison de la Chine

76, rue Bonaparte, 75006 (H7)
M° Saint-Sulpice
☎ 01 40 51 95 17
Lun.-sam. 10h-19h.
La Maison de la Chine est aussi une maison de thés. Dès 10h, on peut venir en déguster des verts, des bleus, des rouges, des noirs et des blancs, des breuvages sublimes sélectionnés directement en Chine. Les thés sont vendus dans boîtes ravissantes. Les prix vont de 5 à 20 € les 100 g.

GROM

81, rue de Seine, 75006 (I7)
M° Mabillon ou Odéon
☎ 01 40 46 92 60

Lun.-sam. 12h-minuit, dim. 12h-23h
Entre 3,50 et 5,50 € selon la taille du pot de glace.

L'une des plus grandes enseignes de glaces artisanales enfin à Paris ! Elles sont crémeuses, peu sucrées, parfaitement en phase avec la saison, et aux parfums qui varient. Parmi les saveurs phares, la Crema di Grom, aux biscuits et grains de chocolat de Colombie, et les classiques Stracciatella et Gianduja. On fond !

Le Quartier latin

The Tea Caddy

14, rue Saint-Julien-le-Pauvre, 75005 (D4)
M° Saint-Michel ou Cluny-La-Sorbonne
☎ 01 43 54 15 56
www.the-tea-caddy.com
T. l. j. 11h-19h.

C'est une dame anglaise qui a ouvert ce salon de thé en 1928, au cœur du Quartier latin. Bois, poutres, fenêtres à carreaux teintés composent un décor chaleureux. Ici, on déguste crumbles, muffins et pâtisseries traditionnelles (de 6,20 à 8,25 €), accompagnés de confitures maison à l'orange, à la rhubarbe ou la cerise. Côté nectars, thés classiques ou aromatisés, et beau choix de thés de dégustation, blancs, bleu-vert ou rouges.

St-Germain-des-Prés et Sèvres-Babylone

Le Bac à Glaces

109, rue du Bac, 75007 (G7)
M° Rue-du-Bac
☎ 01 45 48 87 65
www.bacaglaces.com
Lun.-sam.12h-19h
Cornets doubles 4 €,
triples 5 €, 1/2 l de 9 à 11 €.

Voilà une adresse à se damner ! En plus, la maison fait des glaces sans produits chimiques, sans colorants, ni conservateurs ! Les coupes (8 € environ) portent des noms d'îles paradisiaques, et si vous n'arrivez pas à choisir parmi tous les parfums extraordinaires, optez pour la « Palette dégustation » de six boules (8 €). Le point fort ? Le Fort de chocolat… et les Insolites comme les glaces au citron-basilic, thé vert-matcha, huile d'olive-tomates confites…

MAIS AUSSI…

Le Procope (p. 22),
Le Fumoir (p. 37), Le
Café Beaubourg (p. 41),
Le Loir dans la Théière
(p. 42), Hédiard (p. 49),
Les Deux Magots (p. 65),
le Café de Flore (p. 65),
Ladurée (p. 73) et le MK2
Bibliothèque (p. 75).

Shopping **mode d'emploi**

Horaires d'ouvertures

Généralement, les magasins et autres petites boutiques sont ouverts de 9h30-10h à 18h30-19h (il y a une nocturne par semaine dans les grands magasins qui, quelques semaines avant Noël, ouvrent aussi le dimanche).

SE REPÉRER

Nous avons indiqué pour chaque adresse Shopping sa localisation sur le plan général ou sur le zoom (B2, G8…). Pour un repérage plus facile en préparant votre week-end ou lors de vos balades, nous avons signalé sur le plan par un symbole rouge toutes les adresses de ce chapitre.
Le numéro en rouge signale la page où elles sont décrites.

Les Monoprix ne ferment qu'à 21h, voire 22h (minuit pour celui des Champs-Élysées, B2, et pour les Monop'). De nombreuses épiceries de quartier, les fameux « arabes du coin », souvent tenues par des commerçants maghrébins, ouvrent de bonne heure et n'éteignent leurs lumières que vers 23h ou minuit. Dans un autre registre, le Drugstore Publicis au 133, avenue des Champs-Élysées, 75008 (A2), reste ouvert 24h/24 (M° Charles-de-Gaulle-Étoile). Les magasins d'alimentation (boucheries, fromagers ou marchands de légumes) ferment souvent entre 13h et 15h ou 16h, les dimanches après-midi et le lundi, mais les boulangeries, tabacs et pharmacies fonctionnent sans interruption. Enfin, certains magasins sont ouverts le dimanche dans des quartiers comme le Marais ou celui de la butte Montmartre.

Galeries marchandes

Les galeries commerciales fleurissent depuis une vingtaine d'années : le Carrousel du Louvre (99, rue de Rivoli, 75001, D3, t. l. j. 10h-20h), le Forum des Halles (sept entrées dont une rue Pierre-Lescot et une rue Berger, 75001, D3, t. l. j. 10h-20h) ou la galerie des Champs-Élysées (entre le rond-point et la rue de Berri, B2) regroupent cafés, restaurants, boutiques de mode, de bijoux et de cadeaux, et libraires. Agréables quand le temps n'est pas au beau fixe.

La capitale du shopping : une tradition ancienne

Des corporations se sont fixées dans certains quartiers, leur imprimant

À CHAQUE SPOT SES ENVIES

Le shopping, c'est déjà épuisant, mais en plus chaque coin de Paris regorge de quantité de commerces différents. Pour éviter de trop user vos semelles et de gaspiller votre énergie, mieux vaut savoir où aller…

- **Les grands magasins :** boulevard Haussmann, le Printemps et les Galeries Lafayette (C2) accueillent des centaines de marques aux rayons homme, femme, enfant, chaussures, créateurs, parfums, mais aussi déco. Voir p. 30-31.
- **Le Bon Marché :** rue de Sèvres (C4), c'est le nec plus ultra chic des grandes surfaces. Voir p. 30-31.
- **Bercy Village :** pour un shopping détente à ciel ouvert (HP par F5). Création, déco et loisirs à l'honneur. Voir p. 74.
- **Le Carrousel du Louvre :** 99 rue de Rivoli (D3), pour un shopping plutôt déco et loisirs. Virgin, Résonances, L'Occitane, etc. Voir p. 36.
- **Les rues des fashionistas parisiennes :** si vous préférez découvrir des boutiques multimarques originales qui célèbrent les créateurs et enseignes tendance de la capitale, sachez qu'elles se concentrent dans quelques artères centrales. Là, il fait son flâner et s'arrêter siroter un verre entre deux emplettes. Rue des Francs-Bourgeois dans le 4e (E3), rue des Abbesses dans le 18e (D1), rue Étienne-Marcel dans le 2e (D3)…

un caractère particulier qui subsiste encore aujourd'hui : cristalleries et porcelainiers rue de Paradis, libraires et éditeurs autour de Saint-Germain-des-Prés et de l'Odéon, fabricants de meubles et quincailliers rue du Faubourg-Saint-Antoine, luthiers et librairies musicales rue de Rome, derrière la gare Saint-Lazare ; les antiquaires dans le Carré Rive gauche, les créateurs sur la butte Montmartre, dans le Marais et autour du Viaduc des arts, les grands joailliers rue de la Paix et place Vendôme ; les marchands de tissu au marché Saint-Pierre au pied du Sacré-Cœur, et la micro-informatique sur l'avenue Daumesnil.

Prix et règlement des achats

Les prix doivent toujours être affichés et ne se discutent pas dans les boutiques de détail. En revanche, le marchandage est d'usage aux puces, chez un brocanteur ou un antiquaire bien disposé. À défaut d'espèces, vous pourrez régler vos achats avec la Carte bleue Visa, qui est acceptée presque partout, même parfois pour de petits montants. Pour les ressortissants étrangers, un petit panneau sur la devanture des magasins vous indiquera si l'American Express, la Diner's Club ou l'Eurocard sont également admis. Attention aux chèques : ils sont de moins en moins tolérés, et l'on vous demandera très certainement une carte d'identité, un passeport ou un permis de conduire.

Livraison et expédition

Sachez que les grands magasins s'occupent de la livraison de vos achats si le montant dépasse environ 150 € et que vous habitez en Île-de-France. Pour la province ou l'étranger, un supplément sera appliqué. Sinon, vous pouvez faire appel à la Sernam, qui se chargera de votre livraison (☎ 01 40 25 35 00 ou www.sernam.fr).

LA DOUANE

Si vous emportez avec vous dans un des pays membres de l'Union européenne une antiquité qui n'est pas considérée comme bien culturel, vous n'aurez rien à déclarer. En revanche, si vous acquérez un bien culturel, veillez bien à l'acheter toutes taxes comprises et à conserver la facture. Notez que vous devrez également obtenir une autorisation des musées de France pour le sortir de l'Hexagone. Si vous habitez hors de l'UE, achetez hors taxes ; le commerçant vous remettra un bordereau de vente à l'exportation que vous ferez viser à la douane en sortant de France. À votre retour vous renverrez l'un des feuillets au vendeur qui récupérera la taxe.
Infos douanes service : ☎ 0811 20 44 44. ou www.douane.gouv.fr

Le luxe à Paris

Des maisons prestigieuses plus que centenaires et mondialement célèbres, dont le savoir-faire et l'excellence se transmettent de génération en génération. Dans leurs boutiques emblématiques, sacs, montres, bijoux, robes haute couture et parfums évanescents. C'est ça Paris !

Goyard

233, rue Saint-Honoré,
75001 (C3)
M° Tuileries
☎ 01 42 60 57 04
www.goyard.com
Lun.-sam. 10h-19h (f. j. f.).

Malletier depuis 1853, la maison Goyard n'a cessé de concevoir des bagages solides, pratiques, esthétiques, toujours plus légers au fil du temps, et qui pouvaient, pour certains, s'imbriquer parfaitement dans les carrosseries des Bugatti, des Voisin, des Delage… Aujourd'hui, Goyard perpétue ce savoir-faire de la fameuse toile enduite à la gomme arabique, en passant par des commandes spéciales. À l'intérieur, des pièces anciennes ayant appartenu à la duchesse de Windsor et à Conan Doyle.

Paule Ka

• 45, rue François-Ier,
75008 (B2-3)
M° George-V
☎ 01 47 20 76 10
• 223, rue Saint-Honoré,
75001 (C3)
M° Tuileries
☎ 01 40 29 03 06
www.pauleka.com
Lun.-sam. 10h30-19h.

Serge Cajfinger, admirateur de Jackie Kennedy, Audrey Hepburn et Grace Kelly, crée un style très élégant pour une femme citadine à l'allure pétillante et moderne. Un luxe discret, chic et simple toujours avec de belles matières. Une petite robe bustier est à 690 €.

Cadolle

• 4, rue Cambon (prêt-à-porter), 75001 (C3)
M° Tuileries
☎ 01 42 60 94 22
www.cadolle.com
Lun.-ven. 10h-18h30,
sam. 11h-18h30 (f. en août)
• 255, rue Saint-Honoré
(lingerie sur mesure),
75001 (C3)
M° Palais-Royal
☎ 01 42 60 94 94
Lun.-ven. 10h-13h et 14h-18h30 (uniquement sur r.-v.).

En 1889, quand Paris donne le ton de la mode, Herminie Cadolle coupe en deux le corset féminin et invente ainsi le premier soutien-gorge, le « corselet gorge ». Depuis, la lingerie sur mesure de la maison Cadolle se fait haute couture. Les stars d'aujourd'hui ont succédé à Mata Hari, mais on peut se faire plaisir avec des pièces en prêt-à-porter toujours très tendance (bustier entre 299 et 5 000 €).

Arthus-Bertrand

**6, pl. Saint-Germain-
des-Prés, 75006 (H6)
M° Saint-Germain-des-Prés
☎ 01 49 54 72 00
www.arthus-bertrand.fr
Lun. 11h-19h, mar.-sam.
10h30-19h.**

En 1803, avec l'institution
de la Légion d'honneur, la
maison Arthus-Bertrand
fournit des décorations au
Consulat et à l'armée. Depuis,
l'enseigne s'est diversifiée,
gravant, frappant toujours
des médailles prestigieuses,
mais créant également des
bijoux originaux et une
collection de montres
(de 600 à 1 250 €).

Montblanc

**7, rue de la Paix,
75002 (C2-3)
M° Opéra
☎ 01 58 62 48 52
www.montblanc.fr
Lun.-sam. 10h30-19h.**

Montblanc a fêté ses 100 ans
en 2006. Quel parcours
depuis 1906 ! La marque
s'est beaucoup diversifiée,
ajoutant aux instruments de
l'écriture, qui font toujours
sa renommée, une collection
de montres, de bijoux
féminins et masculins, de la
petite maroquinerie et de la
bagagerie. À titre indicatif,
le stylo plume Meisterstück,
noir avec son étoile blanche
et ses trois anneaux dorés, est
à 490 €, mais il y a aussi de
jolis bijoux en argent massif
à partir de 150 €.

Sonia Rykiel

**175, bd Saint-Germain,
75006 (H6)
M° Saint-Germain-des-Prés
☎ 01 49 54 60 60
www.soniarykiel.com
Lun.-sam. 10h30-19h.**

En 2008, le Tout-Paris de
la mode et de l'art s'est
pressé pour le quarantième

anniversaire de la première
boutique Sonia Rykiel de
Saint-Germain, relookée
pour l'occasion. C'est là que
la créatrice rousse inventait,
en 1968, la « démode »,
une mode bien à elle, haute
en couleur, avec un goût
particulier pour la maille
riche en coutures à l'envers
et superpositions (entre 328
et 700 €). Depuis, elle
a étendu ses créations et ouvert
de nouveaux points de vente :
homme, enfant et accessoires.

Chantal Thomass

**211, rue Saint-Honoré,
75001 (C3)
M° Tuileries ou Pyramides
☎ 01 42 60 40 56
www.chantalthomass.fr
Lun.-sam. 11h-19h.**

Christian Ghion a conçu
ce boudoir contemporain
mariant les roses poudrés et
le mauve parme et capitonné
pour abriter l'univers de
Chantal Thomass. Un
univers séduisant, envoûtant,
ravissant, époustouflant

comme sa lingerie, ses
corsets, ses bas, ses collants,
ses maillots de bain et ses
accessoires glamour. Comptez
de 90 à 150 € pour un
soutien-gorge pigeonnant,
345 € pour un maillot de
bain deux pièces.

Christian Louboutin

**38-40, rue de Grenelle,
75007 (G6)
M° Rue-du-Bac
☎ 01 42 22 33 07
www.christian
louboutin.com
Lun.-sam. 10h30-19h.**

Sa marque de fabrique ? Des
semelles rouge vif. Le créateur
chausse tout ce que la planète
compte de vamps, créatures
glamour, princesses, top
models, actrices et chanteuses
habituées des red carpets. Cuir,
suède, satin, il les perche sur
des talons vertigineux (de 8
à 12 cm) à la courbure ultra-
chic et aux noms amusants :
Melita, Titi, Oolala… Comptez
minimum 500 € la paire
d'escarpins.

PARFUMS DE PARIS…

Chez **Caron** (34, av. Montaigne, 75008, B3, M° Franklin-
D.-Roosevelt, ☎ 01 47 23 40 82) et dans la boutique
Chanel (29, rue Cambon, 75001, C3, M° Concorde,
☎ 01 42 86 28 00), vous trouverez tous les anciens
parfums, ceux que l'on ne trouve nulle part ailleurs.
Mais n'oubliez pas **Guerlain** (68, av. des Champs-Élysées,
75008, B2, M° Franklin-D.-Roosevelt, ☎ 01 45 62 52 57) et
Courrèges (40, rue François-Ier, 75008, B3, M° Franklin-
D.-Roosevelt, ☎ 01 47 23 86 46).

La Parisienne
de pied en cap

Dessus, dessous et de la tête aux pieds : des talons hauts, des sandales plates, du stretch qui moule les jambes, du lin qui flotte au vent, des jeans trendy, des robes classiques… Vous trouverez tout, tout, tout à Paris pour vous vêtir et vous chausser. La mode y est parfois onéreuse, et on visite certaines boutiques incontournables comme des musées, mais en cherchant bien, on découvrira qu'elle regorge d'adresses tendances où les styles, et les prix, se mêlent. Guide éclectique donc, côté prix et côté looks.

CLASSIQUE

COS

4, rue des Rosiers,
75004 (E4)
M° Saint-Paul
☎ 01 44 54 37 70
www.cosstores.com
Lun.-sam. 11h-19h.

COS, pour Collection of Style… La déclinaison chic de la marque suédoise H&M a pris ses quartiers dans une belle boutique de deux étages, en lieu et place des anciens bains Saint-Paul. Éclairages feutrés, musique douce, l'ambiance est aux antipodes des magasins de la marque principale, et les modèles aussi : mariage de casual et d'élégance simple, tons sobres (kaki, écru, gris). Les débardeurs s'affichent à 15 €, les robes à partir de 49 €, les jeans 69 €. Également un rayon homme et enfant.

Oxyde

28, rue de Charonne,
75011 (F4)
M° Ledru-Rollin
☎ 01 48 05 07 55
www.oxyde.fr
Lun. 13h-19h30,
mar.-ven. 11h-14h
et 14h30-19h30,
sam. 10h30-19h30.

Cette marque parisienne qui fabrique une partie de ses modèles dans son atelier propose des vêtements de style sobre, parfois sportswear. Noir, gris, blanc sont rois. Rares concessions à la couleur ou aux imprimés et aux rayures. Les ceintures et écharpes sont à 35 €, les jeans à 85 €, les robes dès 60 € et les jolies vestes autour de 100 €. Sélection de modèles Birkenstock et Spring Court au rayon chaussures. Plusieurs boutiques à Paris. Celle du 11ᵉ, au cœur d'une rue de Charonne de plus en plus modeuse, a notre préférence…

Uniqlo

17, rue Scribe, 75009 (C2)
M° Chaussée-
d'Antin-Lafayette
☎ 01 58 18 30 55
www.uniqlo.com
Lun.-sam. 10h-20h
(21h jeu.).

New York, Londres, Singapour… et c'est maintenant Paris qui, à son tour, succombe à la déferlante Uniqlo. Après avoir ouvert une première boutique à la Défense, le géant japonais du prêt-à-porter a investi le quartier Opéra avec ses polaires, jeans et microfibres à petits prix. Tous les modèles ne se valent pas côté qualité. Les cachemires à 69 € tiennent difficilement la route, en revanche on peut foncer les yeux fermés sur toute la gamme de tee-shirts (entre 6 et 15 €) et de jeans (à partir de 29,90 €).

Fifi Chachnil
231, rue Saint-Honoré, 75001 (C3)
M° Tuileries
☎ 01 42 61 21 83
www.fifichachnil.com
Lun.-sam. 11h-19h.

Sous les voûtes de l'ancienne chapelle du couvent des Feuillants, des rideaux dans un camaïeu rose, une moquette rouge vif, des meubles de princesse et un paravent ancien pour la discrétion des essayages. Il faut bien cela pour cette délicieuse lingerie rétro et romantique. On craque pour tout, et pour la boîte « Ma semaine culottes » à 210 € !

MODE

Rue Étienne-Marcel
75002 (D3)
M° Étienne-Marcel.

On délaisse le rythme frénétique des Halles pour filer, à deux pas de là, dans cette artère, indéniablement LA rue fashion, où toutes les marques et tous les prix cohabitent harmonieusement. À côté des géants Levi's et G-Star, parmi nos chouchous, Zoe Tee's au n° 37 et sa ligne 100 % cachemire, Anne Fontaine au n° 50 et ses indémodables chemises blanches, ou encore Gas au n° 44 et ses multiples bijoux fantaisie originaux.

Abou D'Abi Bazar
125, rue Vieille-du-Temple, 75003 (E3)
M° Saint-Sébastien-Froissart ou Filles-du-Calvaire
☎ 01 42 77 96 98
www.aboudabibazar.com
Lun. 14h-19h15, mar.-sam. 10h30-19h15.

En fait de bazar, cette vaste boutique multimarque est le havre des Parisiennes bohèmes chic. Robes fluides, tuniques brodées, vestes militaires ou « casual », accessoires diablement tendance s'y partagent la

vedette. Côté étiquettes, Tara Jarmon, Antik Batik et American Vintage notamment y ont droit de cité. Impossible de résister !

Ka-Jacques
16, rue Pavée, 75004 (E4)
M° Saint-Paul
☎ 01 40 27 03 57
www.kjacques.fr
Lun.-sam. 10h-19h30, dim. 14h-19h30.

La marque septuagénaire présente dans cette échoppe de poche tous les modèles de sandales tropéziennes (188 €) et spartiates qui ont fait sa

CHAUSSURES : C'EST LE PIED !

Le moins qu'on puisse dire, c'est que les férues de souliers ont de quoi assouvir leur passion, tant Paris offre de choix en la matière. À côté des spartiates siglées **Ka-Jacques**, elles apprécieront notamment la palette fantaisie à petits prix de **Mellow Yellow** (13, rue des Canettes, 75006, H7, et 33, rue de Turbigo, 75003, E3, www.mellowyellow.fr). Côté créateurs, citons les modèles **Repetto** (22, rue de la Paix, 75002, C2, M° Opéra, ☎ 01 44 71 83 12, www.repetto.com, lun.-sam. 9h30-19h30), la marque chérie des danseuses, rendue célèbre par la ballerine noire de Brigitte Bardot dans *Et Dieu créa la femme*, qui propose ses modèles dans une superbe boutique aux allures de boudoir ; comptez 130 € pour une paire de ballerines, de 150 à 200 € pour une paire de chaussures à talons. Mais aussi les modèles ultra-glamour de **Michel Vivien**, qui collabore avec Mugler ou Lanvin (en vente au Bon Marché). Enfin, **Roger Vivier**, dont les collections retrouvent un nouveau souffle sous la houlette de Bruno Frisoni (28, rue du Faubourg-Saint-Honoré, 75008, C2-3, www.rogervivier.com).

gloire, mais aussi quelques accessoires originaux : sacs, chapeaux et bijoux.

CRÉATEURS

Marcia de Carvalho

2, rue des Gardes, 75018 (E1)
M° Barbès-Rochechouart ou Château-Rouge
☎ 01 42 51 64 05
www.marciadecarvalho.com
Lun.-ven. 10h-19h, sam. 13h-19h.

Étonnante, cette rue des Gardes qui, au cœur du quartier populaire de la Goutte-d'Or, regorge d'échoppes de créateurs. Parmi elles, ne manquez pas l'escale chez la styliste Marcia de Carvalho. Cette Brésilienne chaleureuse, installée ici depuis 2002, hisse haut les couleurs dans son atelier-boutique. Dentelles au fuseau *made* in Brésil et dentelles de Calais sont sa spécialité, tout comme la maille-tricot : alpaga, laine, mohair l'hiver, coton et viscose l'été. Le tout à des prix plutôt abordables pour des créations artisanales : pull à partir de 185 €, robe courte à 385 €. Mention

spéciale à la collection « chaussette », réalisée à partir de chaussettes orphelines amenées par des clients : accessoires rigolos à partir de 28 €.

Ralph Kemp

81, rue de Seine, 75006 (I7)
M° Odéon ou Mabillon
☎ 01 40 46 03 22
Lun.-sam. 11h-14h30 et 15h30-20h, dim. 11h-19h.

Chez Ralph Kemp, fantaisie, séduction, association de couleurs, d'imprimés, folklore et « casual chic » se mêlent. Le

créateur aborde la mode d'une façon intimiste. Il rapporte de ses expéditions des étoffes rares, des tissus précieux avec lesquels il confectionne à Paris des pièces uniques que ses clientes s'arrachent. Il habille

Zazie, Marion Cotillard, Chiara Mastroianni. Il renoue avec l'artisanat et élabore des chaussures, des sacs et des bijoux en série limitée.

Kamille

53, rue d'Orsel, 75018 (D1)
M° Abbesses
☎ 01 53 28 15 07
Mar.-sam. 11h-20h, dim. 15h-20h.

Le vêtement féminin vu par Kamille est un vrai bonheur. Ses pièces uniques et fluides sont façonnées dans de belles matières, comme le lin tissé avec des

fils de métal, la soie et le coton. Les teintures sont artisanales, d'où des coloris incomparables. Autour d'elle, onze autres créateurs.

PETITS PRIX

Sandro Stock

26, rue de Sévigné, 75004 (E4)
M° Saint-Paul
☎ 01 42 71 91 59
Lun.-sam. 10h30-19h30, dim. 13h-19h30.

Sandro Stock a de stock le nom… et les prix ! Mais il y a une différence de taille : les modèles chic et racés de la marque sont ici proposés dans une boutique soignée aux murs clairs, qui ne ressemble pas aux stocks un peu fouillis

---

METTEZ-VOUS AU PARFUM

En marge des grandes maisons de parfum parisiennes, deux adresses valent particulièrement le détour. **Annick Goutal** (14, rue de Castiglione, 75001, C3, M° Tuileries, ☎ 01 42 60 52 82, www.annickgoutal.com, lun.-sam. 10h-19h) : depuis sa première création Folavril, mêlant boronia et jasmin sur fond de mangue, Annick Goutal a composé 21 fragrances pour femmes, hommes et enfants. Elle les décline en parfums d'ambiance, bougies, produits de beauté. 89 € le flacon de 100 ml d'eau de toilette. **Frédéric Malle** (21, rue du Mont-Thabor, 75001, C3, M° Tuileries, lun. 12h-19h, mar.-sam. 11h-19h) : le seul à proposer quatorze parfums créés par des nez de haut vol sous le nom de leurs auteurs. En boutique, un expert vous guide vers ce qui vous correspondra le mieux.

de certains concurrents. Les étiquettes, elles, valsent avec 30 à 40 % de remise selon les modèles, et jusqu'à 70 % en période de soldes. Tops dès 30 €, robes à environ 60 €, pulls autour de 50 €, au total quelque 250 références venues de boutiques européennes, et des collections de l'année précédente. Avec un réassort hebdomadaire, vous serez ravie d'y revenir, encore et encore.

Quai 71
71, quai de Valmy, 75010 (E2)
M° Jacques-Bonsergent
☎ 01 42 45 38 80
Lun.-sam. 10h30-19h30,
dim. 11h-19h30.

La façade rose bonbon de cette boutique rivalise avec celle de ses voisins Antoine et Lili, au décor tout aussi flashy. Quai 71, c'est une mine de vêtements tendance, aux couleurs sympas et aux prix très doux. Côté marques, Vent du Sud ou Les Parisiennes. Côté modèles, de jolies robes, des tuniques bohèmes, des jeans à prix imbattables (entre 20 et 30 €), des trenchs (35 €) et de jolis tops colorés (autour de 15 €). Arrivages quotidiens. Et parfois, on brade les fins de collections à 15 € seulement. Outre cette boutique, Quai 71 compte trois autres adresses, dans les 2e, 3e et 9e arrondissements.

Odrey B
8, rue Lepic, 75018 (C1)
M° Blanche
☎ 01 42 54 86 83
www.odrayb.fr
Lun. 16h-19h,
mar.-dim. 11h-19h.

En face du « café-d'Amélie-Poulain », dans la rue qui mène au très branché quartier des Abbesses, la mode se décline ici à tous les prix.

Aux côtés de tuniques en soie ultra-chic griffées Rutzou ou Crea B, des marques plus passe-partout, moins chères, mais aux coupes parfaites. On trouve son bonheur : pulls, chemisiers, tuniques à partir de 39 €. Promos régulières.

Spree
16, rue de La Vieuville, 75018 (D1)
M° Abbesses
☎ 01 42 23 41 40
www.spree.fr
Lun. 14h-19h,
mar.-sam. 11h-19h30,
dim. 15h30-19h.

Pour les femmes de 20 à 50 ans qui aiment la mode, Spree est la boutique au fait des dernières tendances sur la butte Montmartre. Une ambiance « entrepôt »,

sur des meubles chinés des années 1970, des petits escarpins Capucci, des chapeaux Misaharada, des bijoux Pièce à Conviction. Sur les portants, des vêtements de créateurs comme Acne Jeans, Christian Wijnants ou Preen.

ET AUSSI...
LES INCONTOURNABLES

Pour celles qui disposent d'un budget conséquent, les adresses suivantes, marques de prêt-à-porter devenues symboles incontournables de la Parisienne dans le vent…
Isabel Marant : 1, rue Jacob, 75006 (I6), M° Mabillon, ☎ 01 43 26 04 12, www.isabelmarant. tm.fr, lun.-sam. 10h30-19h30 ;
American Retro : 40, rue des Francs-Bourgeois, 75003 (E3), M° Saint-Paul, ☎ 01 42 78 42 40, www.americanretro.fr, dim.-lun. 11h30-19h30, mar.-sam. 10h30-19h30 ; **Paul & Joe :** 46, rue Étienne-Marcel, 75002 (D3), M° Étienne-Marcel, ☎ 01 40 28 03 34, www.paulandjoe.com, lun.-sam. 10h30-19h30, f. 1 sem. en août ; **Maje :** 16, rue Montmartre, 75001 (D3), M° Les Halles, ☎ 01 42 36 36 75, www.maje-paris.fr, lun.-sam. 10h30-19h30 ; **Zadig & Voltaire :** 42, rue des Francs-Bourgeois, 75003 (E3), M° Saint-Paul, ☎ 01 44 54 00 60, www.zadig-et-voltaire.com, lun.-sam. 10h30-19h30, dim. 13h30-19h30 ;
Nathalie Garçon : 15-17, galerie Vivienne, 75002 (D3), M° Palais-Royal-Musée-du-Louvre ou Bourse, ☎ 01 40 20 14 00, www.nathaliegarcon.com, lun.-sam. 10h30-19h.

Indispensables
accessoires

Ils sont les détails essentiels qui font tout le chic de la tenue. Chapeaux extravagants, colliers, bagues, ceintures de cuir, chaussures sur mesure dans vos coloris, sacs que vous ne retrouverez nulle part ailleurs, voici des adresses d'artisans, de créateurs et de petites boutiques bien sympathiques.

SACS

Upla

5, rue St-Benoît, 75006 (C4)
M° Saint-Germain-des-Prés
☎ 01 40 15 10 75
www.upla.fr
Lun.-sam. 10h30-19h.

La besace en toile plastifiée avec ses poches pratiques a fait le tour du monde, et sa réédition est aujourd'hui disponible en treize coloris (175 € pour le grand modèle). Upla bouge, de nouveaux cuirs, de nouvelles matières, de nouvelles lignes et toujours des couleurs éclatantes évidemment.

Alexia Hollinger

3, rue Thérèse, 75001 (D3)
M° Pyramides
☎ 01 42 60 99 11
www.alexiahollinger.com
Mar.-ven. 12h-19h, sam. 14h-19h (f. 15 jours en août).

Alexia fabrique dans son atelier au fond de la boutique des sacs très féminins et ludiques à la fois. Elle n'utilise que du textile ou des toiles enduites pour qu'ils puissent se nettoyer facilement. Ses tissus, choisis au coup de cœur, sont des Toiles du Soleil, des tissus Liberty, des jolis foulards pour des pièces uniques. De 65 à 235 € !

Le Prince du Sud

9, rue d'Anjou, 75008 (C2)
M° Madeleine
☎ 01 40 51 08 67
www.leprincedusud.com
Lun.-jeu. 10h-18h.

Des sacs, des ceintures et mille petits accessoires de mode ou de déco, tous habillés de passementerie, à choisir parmi 100 couleurs. Dans un esprit « couture » sans les prix « couture ». Et aussi

des lampes, des lustres, des coussins autour de 100 €.

Aridza Bross

5, rue des Canettes, 75006 (C4)
M° Mabillon
☎ 01 46 34 63 76
www.aridza-bross.com
Lun.-sam. 10h-19h30.

Besaces et grandes bourses en cuir souple (de 145 à 400 € pour les formats voyage), la marque Aridza Bross conjugue confort, aspect pratique et esprit bohème hippie chic, dans des créations aux mille couleurs : noir, taupe, chocolat, jaune, brique, turquoise… Un festival ! La boutique propose aussi une sélection d'objets de petite maroquinerie Aridza ou Nell (pochettes, portefeuilles), de belles ceintures et quelques fringues : certaines estampillées Aridza Bross, d'autres signées de créateurs, So Charlotte notamment.

CHAPEAUX, LUNETTES CHAUSSURES…

Karine Arabian

4, rue Papillon, 75009 (D2)
M° Poissonnière
☎ 01 45 23 23 24
www.karinearabian.com
Lun.-sam. 10h30-19h30.

Celles qui connaissent ses chaussures ne jurent plus que par Karine Arabian. Créatrice d'origine arménienne, petite-fille de bottier, elle chausse aujourd'hui aussi bien Madonna et Scarlett Johansson que les anonymes comme nous ! Dans son atelier-boutique, il n'est pas exclu de tomber nez à nez avec la créatrice et de lui demander conseils : le talon, plutôt 3,5 ou 12 cm ? Et ces bottines,

plutôt en daim noir ou en cuir irisé bronze ? Karine Arabian propose aussi quelques modèles de bijoux et de petite maroquinerie.

Marie Mercié

23, rue Saint-Sulpice, 75006 (I7)
M° Odéon
☎ 01 43 26 45 83
www.mariemercie.com
Lun.-sam. 11h-19h.

Elle peut vous mettre un oiseau sur la tête ou vous faire porter le tricorne. Velours ou paille, elle en fait ce qu'elle veut avec humour et poésie. Chapeaux à partir de 200 €.

Bélize

2, gal. Vivienne, 75002 (D3)
M° Bourse
☎ 01 40 15 07 97
Mar.-ven. 10h30-14h et 14h30-19h, sam. 12h-19h (f. en août).

Une minuscule boutique où vous trouverez des lunettes de soleil vintage Cutler & Gross des années 1970,

mais aussi toute une sélection de sacs et de bijoux de créateurs. Les bijoux de la marque Chamane, toujours très épurés, et ceux de la marque Fushia, toujours porteurs de messages, ont le vent en poupe.

Losco

5, rue de Sèvres, 75006 (C4)
M° Saint-Sulpice
☎ 01 42 22 77 47
www.losco.fr
Lun. 14h-19h, mar.-ven. 11h-13h et 14h-19h, sam. 11h-19h (f. en août).

Imaginez un artisan vous proposant d'exécuter une ceinture sur mesure, dans la journée, voire tout de suite. Un large choix de boucles en métal argenté ou doré, de coloris et de longueurs, vous est proposé pour des prix allant de 40 à plus de 100 €.

Delage

15, rue de Valois, 75001 (D3)
M° Palais-Royal
☎ 01 40 15 97 24
www.delage-paris.com
Lun. et sam. 10h30-13h et 14h-19h, mar.-ven. 10h30-19h (f. 2 sem. en août).

Véronique Lerembourg fait de la chaussure haute couture et a même fourni Chanel et Dior. Elle travaille des peaux exotiques, de l'iguane, du croco, du galuchat, de l'autruche, du python ou du chevreau velours. Comptez de 400 à 4 000 € la paire.

PASSAGE DU GRAND-CERF

Dans ce passage construit en 1825, un large choix de boutiques de créateurs et d'artisans. Quelques meubles, mais surtout des bijoux et accessoires. Perles de culture chez Sylvie Brannelec, créations colorées chez Éric et Lydie, bijoux ethniques chez Satellite, sacs imprimés et ceintures chez Zuwa…
145, rue Saint-Denis, 75002 (D3) – M° Étienne-Marcel
Lun.-sam. 8h30-20h – Horaires des boutiques variables.

BIJOUX

Totem sans Tabou

52, rue du Roi-de-Sicile,
75004 (E4)
M° Saint-Paul
☎ 01 42 71 08 83
www.so-yang-bijoux.com
Mar.-sam. 13h-20h.

La marque So Yang ?
Un nom qui évoque la force,
le soleil, la postérité. Son
symbole, la feuille de ginkgo,
un arbre résistant aux vertus
antivieillissement ! Au rez-
de-chaussée, la boutique.
À l'étage, l'atelier de Claudia
Cardinal, fondatrice de So
Yang. Pierres semi-précieuses,
nacre, bois, corne, perles
d'eau ou argent cohabitent
harmonieusement dans ses
pièces nobles, massives et
authentiques. À côté de ses
propres créations, des bijoux
ethniques de la marque Amok
et des trouvailles glanées
dans le monde entier : bijoux
touareg, colliers de coquillages
et de cuir togolais ou créations
papoues, sacs de tribus
hmongs. Comptez 45 € pour
une paire de boucles d'oreilles,
à partir de 39 € pour un
collier.

Taratata

21, rue des Petits-Champs,
75001 (D3)
M° Pyramides
☎ 01 47 03 44 83

www.taratatabijoux.com
Lun.-sam. 10h-19h.

Abeilles et papillons,
grenouilles et poussins,
loups et agneaux, un
singulier bestiaire décliné
dans des collections joyeuses
et vraiment originales
estampillées Taratata. Sur des
montures en étain, résine,
émail et pierres naturelles
forment des parures aux
couleurs acidulées, parfois
semblables à des bonbons.
Les jeunes filles en raffolent…
leurs mamans aussi !
« Nos fidèles ont de
5 à 100 ans », clame fièrement
la maîtresse des lieux. Boucles
d'oreilles de 31 à 73 €.

Cécile et Jeanne

12, rue des Francs-
Bourgeois, 75003 (E4)
M° Saint-Paul
☎ 01 44 61 00 99
www.cecilejeanne.com
T. l. j. 11h-19h.

Jeanne Seroussi a associé
son prénom à celui de sa
maman, Cécile, pour baptiser
sa marque. Un symbole, la
colombe, un doux mariage
d'argent massif et de laiton,
de résine naturelle et de
pierres, pour des bijoux tour
à tour raffinés ou ethniques,
imposants ou à l'esprit
« frous-frous ». Parmi les
valeurs sûres de la maison,
les sautoirs de la collection

Voie lactée et les colliers et
bracelets de la collection Mille
et une nuits, faits d'empreintes
digitales. Depuis quelques
années, Jeanne a ajouté une
nouvelle corde à son arc avec
un choix de sacs en cuir aux
couleurs chaudes. Boucles
d'oreilles (40 €), colliers
(124 €), sacs (230 €).

Saoya

103, rue de Rennes,
75006 (H8)
M° Rennes
☎ 01 45 44 92 36
www.saoya.com
Lun.-sam. 10h30-14h
et 15h-19h30.

La Varoise Andreline Filachou
a commencé par écumer les
marchés de Provence avant
d'ouvrir ses propres boutiques.
Murs rouges et briques
apparentes, tons pastel et vieux
rose, jolis meubles composent
un cadre harmonieux pour
des bijoux fantaisie haut de
gamme. Originalité : des
créations composées de vraies
roses naturelles coulées dans
la résine, mais réunissant
aussi cristal de Swarovski,
émaux, nacre ou organza.
Colliers, sautoirs et grand
choix de boucles d'oreilles
avec dormeuses, puces ou clips
(de 39 à 56 €).

Emmanuelle Zysman

81, rue des Martyrs,
75018 (D1)
M° Abbesses
☎ 01 42 52 01 00
www.emmanuellezysman.fr
Mar.-ven. 11h-19h, sam. 12h-
20h, dim. 15h30-19h.

Dans un écrin noir, sous
de belles cloches de verre,
s'exposent les bijoux raffinés
d'Emmanuelle Zysman,
confectionnés dans son atelier
voisin. La créatrice travaille
or, or blanc, argent, vermeil,
et assortit ses sautoirs ou

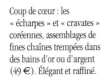

bracelets aux fines chaînes de pierres précieuses et semi-précieuses, aigue-marine, tourmaline, améthyste… ou diamants ! Bagues sophistiquées ou plus sobres, beaux anneaux martelés pour hommes également. Gamme de prix très large selon les modèles : de 35 à 600 €. Petit plus intelligent : un coin « interdit aux adultes » où les enfants peuvent jouer ou bouquiner pendant que maman fait son shopping tranquillement.

Aventurine

• 20, rue des Francs-Bourgeois, 75003 (E4)
M° Saint-Paul
☎ 01 42 77 20 52
Lun.-sam. 11h-19h, dim. 12h-19h
• 3 autres boutiques : 6, rue Dante, 75005 (D4), 4 ter, rue du Cherche-Midi, 75006 (H7) et 65, rue des Abbesses, 75018 (D1), mêmes horaires.

Des créateurs des quatre coins du monde composent pour

les boutiques de Vincent Tarnaud une véritable symphonie de couleurs et de matières. Le Brésilien Sobral signe des bijoux en résine éclatants, la marque allemande Cœur de Lion marie verre et cristal de Swarovski dans ses colliers et bracelets (49 €).

Coup de cœur : les « écharpes » et « cravates » coréennes, assemblages de fines chaînes trempées dans des bains d'or ou d'argent (49 €). Élégant et raffiné.

Jérémie Barthod

7, rue des Trois-Frères, 75018 (D1)
M° Abbesses
☎ 01 42 62 54 50
www.jeremiebarthod.com
T. l. j. 11h15-19h15.

Les créations de Jérémie Barthod ne manquent pas de ressort ! Dans nombre de ses collections, des ressorts de vieil argent, cuivre, bronze, sont mariés à des pierres ou à des pièces de résine colorée, des pierres de Majorque ou des boules en fil de cuivre, le tout décliné sous forme de bracelets, sautoirs, boucles d'oreilles (à partir de 49 €). Sobres et gais à la fois, et très modernes, ils sont présentés dans une vaste boutique à la façade verte et aux murs clairs.

Babylone

• 22, rue du Vieux-Colombier, 75006 (C4)
M° Saint-Sulpice
☎ 01 42 84 09 41
www.babyloneparis.com
Mar.-sam. 11h15-19h30
• 11, rue des Francs-Bourgeois, 75004 (E4)
M° Saint-Paul
☎ 01 44 54 03 84
Mar.-dim. 12h-19h30
(f. 2 sem. en août).

Babylone est une marque bien parisienne. Tous les bijoux que crée Christine Laaban sont fabriqués à la main depuis maintenant plus de vingt ans à Paris. C'est un style très féminin, chic et décontracté, qui associe différentes matières allant des pierres naturelles au cristal en passant par la pâte de verre. Les chaînes sont en métal argenté, noirci ou en bronze (à partir de 85 €). Incontournable !

GUDULE

Ici, les bijoux en argent et en pierre s'achètent au poids. De 2,50 à 5 € le gramme selon les modèles et les matériaux. On choisit ses bagues ou bracelets, broches ou boucles d'oreilles venus d'Inde, du Yémen ou du Népal. Pesé, c'est payé… et emballé !
• 3, rue de la Roquette, 75011 (F4) – M° Bastille
☎ 01 47 00 82 83 – Lun.-ven. 10h-20h, sam. 10h-21h
• 41, rue des Abbesses, 75018 (D1) – M° Abbesses
☎ 01 42 23 05 09 – T. l. j. 10h-20h.

Mode homme

Que vous soyez classique ou excentrique, sportif ou plus bobo, vous pourrez vous vêtir de pied en cap en un week-end : vestes de costard stylées mais pas ringardes ou chemises à carreaux, tee-shirts équitables ou sous-vêtements faits à la main, le tout présenté dans des boutiques agréables : de quoi faire fondre ces dames !

Bain Plus

51, rue des Francs-Bourgeois, 75004 (E3)
M° Rambuteau
☎ 01 48 87 83 07
Mar.-sam. 11h-19h30,
dim.-lun. 14h-19h.

Des liquettes à chevrons si douces qu'on a envie de s'y glisser la nuit pour dormir ; du pilou l'hiver, de la popeline *seersucker* l'été ; une collection

de pyjamas, caleçons, peignoirs. Tout est fait maison. À partir de 25 € le caleçon et de 95 € le pyjama. Mules et trousses de toilette assorties.

Anatomica

14, rue du Bourg-Tibourg, 75004 (E4)
M° Hôtel-de-Ville
☎ 01 42 74 10 20
www.anatomica.fr
Lun.-sam. 11h-19h,
dim. 15h-19h.

« Des souliers en forme de pieds », et de vraies chaussures stylées. Le plus grand choix en France de Birkenstock (de 35 à 150 €), boots australiens Blundstone, chaussures Trippen. À combiner avec des pantalons de guardian, le pantalon Largeot des compagnons charpentiers ou des vestes de

l'armée française de la fin du XIXᵉ s. réactualisées (de 210 à 300 €).

Émile Lafaurie

11, rue de Birague, 75004 (E4)
M° Bastille ou Saint-Paul
☎ 01 42 77 97 19
Mar.-sam. 10h30-13h30 et 14h30-19h30, dim. 15h-19h.

Les Parisiens bien dans leurs fringues se bousculent dans cette boutique qui mêle costards chic et chemises classiques côté pile, pantalons plus décontractés, polos à manches longues (65 €) et petits pulls en coton côté face. De quoi s'habiller au bureau et en week-end, en somme.

Paraboot

9, rue de Grenelle, 75007 (C4)
M° Sèvres-Babylone
☎ 01 45 49 24 26
www.paraboot.com
Lun. 14h-19h,
mar.-sam. 10h-19h.

En 1919, lors d'un voyage aux États-Unis, Rémy Richard-Pontvert a l'idée de reproduire le concept des boots avec le latex qui transite alors par le port de Para en Amazonie. La

Paraboot est née ! Le Michael, le modèle phare, est toujours au top des ventes (comptez 235 €). En parallèle s'est développée une gamme ville de chaussures plus habillées autour de 300 €.

Manufacture de Beaux Vêtements

21, rue des Halles, 75001 (D3)
M° Châtelet
☎ 01 42 21 02 22
www.manufacturedebeaux vetements.com
Lun.-sam. 11h-19h30
(f. en août).

Une boutique au look rétro pour des copies de costards de stars ! Vous avez envie du costume de Carry Grant dans *La Mort aux trousses*, du smoking de James Bond dans *Bons baisers de Russie* ? Aucun problème, ces modèles sont réédités avec seulement quelques petits ajustements. Le choix est vaste, il faut demander en fonction de votre film et de votre star préférés.

Roxan

23, rue Lepic, 75018 (C1)
M° Blanche
☎ 01 42 55 20 44
T. l. j. 10h30-19h30.
Une boutique qui ravit les 20-50 ans et voit venir à elle tout autant les amateurs de style sport que ceux qui préfèrent le chic décontracté. Dans ses murs, une sélection qui mêle les Nordiques Filippa K, Bellerose, Scotch & Soda, et propose ici un tee-shirt à 35 €, un sweat-shirt à capuche à 40 €, là une superbe veste safari à 130 €. À quelques pas, rue Aristide-Bruant, une deuxième boutique Roxan chausse les amateurs de streetwear en Nike, Spring Court ou Jim Rickey.

Monsieur Poulet

24, rue de Sévigné, 75004 (E4)
M° Saint-Paul
☎ 01 42 74 35 97
www.monsieurpoulet.com
Lun. 13h-19h, mar.-sam. 11h-19h, dim. 14h-19h.

Monsieur Poulet ? Un nom rigolo pour une marque écolo, créée en 2007. Toute sa gamme de tee-shirts et sweat-shirts en coton issu du commerce équitable affiche des tons éclatants (vert pomme, jaune, rouge…) et des visuels en partie signés d'anonymes ou de graphistes, lauréats d'un concours sur le Web. Côté recto, des imprimés originaux, côté verso, l'intitulé « Monsieur Poulet présente », suivi du nom de l'heureux créateur. Sur le prix de vente (entre 16 et 45 €), 2 € lui sont reversés.

Kulte

35, rue de Charonne, 75011 (F4)
M° Ledru-Rollin
☎ 01 55 28 35 58
www.kulte.fr
Lun.-sam. 11h-13h et 14h-19h30.

La griffe marseillaise a d'abord détourné la mode streetwear avec humour et un ton volontiers rétro, dans des matières douces et confortables (coton et coton bio). Puis peu à peu les pin-up et voitures américaines ont laissé place à une mode un peu plus sobre et élégante, avec des chemises soignées et des pantalons plus classiques. Tee-shirts à 32 €, chemises à 85 € et belles vestes en cuir autour de 340 €.

Le Comptoir du Désert

72-74, rue de la Roquette, 75011 (F4)
M° Bastille ou Voltaire
☎ 01 47 00 57 80
Lun.-sam. 11h-19h30, dim. 16h-19h.

Harris Wilson, Scotch Co, Esprit, Californian Vintage, un festival de griffes et de matières très agréables (lin, coton, maille) pour une garde-robe à la fois cool et classe. 29 € le tee-shirt tout doux, 69 € la chemise en lin, 139 € la parka tout terrain…

POUR LES DANDYS CHIC…

Pour un style dandy de la tête aux pieds, on file à **Coup de Charme** (26, rue des Canettes, 75006, H7, M° Saint-Sulpice, ☎ 01 43 26 61 97, lun.-sam. 10h30-19h30), où les redingotes en velours et en soie, les boutons de manchettes et les gilets de soie (à partir de 220 €) nous replongent dans un XIXe s. very chic ! Côté chaussures, l'incontournable maison **John Lobb** (21, rue Boissy-d'Anglas, 75008, C2-3, M° Madeleine, ☎ 01 42 65 24 45, www.johnlobb.com), créée en 1902, a rejoint le giron Hermès en 1976. Parmi ses modèles phares, les souliers doubles boucles et les paires de collection Prestige. Comptez 1 000 € en moyenne pour un modèle prêt-à-porter et 4 280 € pour du sur-mesure !

Les enfants,
mode et jouets

On peut jouer les princesses et préférer les robes à smocks et les culottes anglaises. On peut donner dans le blouson, le tee-shirt, le sweat et le jean stretch : à Paris, les boutiques pour enfants font le bonheur de tous. Qu'ils aient le style « Triplés » ou le look skater, vous aurez ici le choix pour les habiller et trouver plein d'idées cadeaux.

Petit Pan

39, rue François-Miron, 75004 (E4)
M° Saint-Paul
☎ 01 42 74 57 16
www.petitpan.com
T. l. j. 10h30-14h
et 15h-19h30.

Les vêtements Petit Pan habillent les enfants de la naissance jusqu'à 8 ans. Ils s'inspirent directement des arts populaires chinois du Shandong. Des couleurs éclatantes, des motifs floraux pour des robes, des pantalons et des chemisettes dont les prix s'échelonnent de 4 à 55 €. Dans les vitrines, des jouets et, accrochés au plafond, des cerfs-volants poissons et dragons.

Bébés en Vadrouille

47, bd Henri-IV, 75004 (E4)
M° Bastille
☎ 01 48 87 19 68
www.bbenv.com
Mar.-ven. 11h-14h et 15h30-19h30, sam. 11h-13h et 14h-19h.

C'est la première boutique « ethnique-éthique » pour les petits. Vous aurez ici l'assurance de trouver des produits écologiques de fabrication artisanale venant des quatre coins du monde et issus du commerce équitable. Ce sont des jouets, des écharpes porte-bébé guatémaltèques (70 € environ), des pulls en coton tricotés main en Bosnie-Herzégovine, des bodys en coton bio d'Inde, des couches lavables autrichiennes…

L'Ours du Marais

18, rue Pavée, 75004 (E4)
M° Saint-Paul
☎ 01 42 77 60 43
www.oursdumarais.com
Mar.-sam. 11h30-19h30, dim. et j. f. 14h-19h30.

Un millier d'ours de tous poils vous accueillent dans cette boutique du Marais. Peluches, tee-shirts, sacs à main. Venus de tous les continents, les ours (de 20 à 100 €) rassemblés par Monique Verpeaux sont de collection, uniques ou d'artiste.

Wowo

11, rue de Marseille, 75010 (E2)
M° Jacques-Bonsergent
☎ 01 53 40 84 80
www.wowo.fr
Dim.-lun. 14h-19h, mar.-sam. 11h-19h (f. 3 sem. en août).

On vient pour voir les dernières tendances de la mode enfantine. Laetitia Casta, Karine Viard et Vanessa Paradis y font leurs emplettes. On craque pour la collection ethnique et les tee-shirts à motifs (37,50 €).

Milk on the Rocks

7, rue de Mézières, 75006 (C4)
M° Saint-Sulpice
☎ 01 45 49 19 84
www.milkontherocks.net
Lun.-sam. 10h30-18h30.

La mode bébés et enfants, vous l'aimez frappée ? Cap sur Milk on the Rocks, griffe américaine diablement tendance qui propose bodys aux motifs et slogans rigolos (35 €), leggings (30 €) et pulls (40 €) en coton, velours ou polaire, à la fois chic, rock, confortables. Et dans des teintes de « grands », s'il vous plaît : bleu canard, ocre, noir, kaki…

Serendipity

81-83, rue du Cherche-Midi, 75006 (C5)
M° Vaneau ou Saint-Placide
☎ 01 40 46 01 15
www.serendipity.fr
Mar.-sam. 10h-19h.

Devanture flashy, murs sombres, poutres métalliques : un décor industriel pour des créations qui donneront à la chambre de vos enfants des allures de loft branché ! Chaise haute en toile, bois et Inox (195 €), fauteuils en feutre, et toute une incroyable ménagerie : éléphants en rotin

naturel, vaches en chiffon. Sympa, une collection de livres à illustrer à petits prix.

Alice à Paris

• **11, rue de l'Annonciation, 75016 (HP par A4)**
M° La Muette
☎ 01 45 27 98 05
www.aliceaparis.com
• **9, rue de l'Odéon, 75006 (I7)**
M° Odéon
☎ 01 42 22 53 89
• **64, rue Condorcet, 75009 (D1)**
M° Anvers
☎ 01 48 78 17 31
Lun. 14h-19h,
mar.-sam. 11h-19h.

Géraldine Boudarel signe pour vos petits loups des créations bohèmes et romantiques. Ses tuniques, blouses, sarouels et barboteuses s'affichent en coton l'été, en velours l'hiver, dans des imprimés Liberty, fleuris, rayés ou à carreaux, et dans des tons sobres : gris vert, violet, blanc, écru. Blouses de peintres : 18 €. à croquer !

Puzzle Michèle Wilson

97, av. Émile-Zola, 75015 (A5)
M° Charles-Michels
☎ 01 45 75 35 28
www.pmw.fr
Lun.-ven. 9h-19h,
sam. 10h-19h.

Pas un seul morceau de ces puzzles entièrement réalisés

à la main n'est identique, et pour corser l'affaire la découpe suit le motif. Il faut avoir l'œil pour trouver l'infime détail qui aidera à placer le morceau. Les sujets ? Des œuvres d'art des musées du monde entier (de 21 à 32 €).

Papa Pique et Maman Coud

39, rue Saint-Placide, 75006 (G8)
M° Saint-Placide
☎ 01 45 44 82 12
www.papapiqueet
mamancoud.com
Lun. 13h-19h,
mar.-sam. 10h-19h.

La marque bretonne fondée par Nam Pham assortit les mamans et leur progéniture, de la tête aux pieds. Pois, vichy, carreaux écossais, fleurs, étoiles, fruits : une cinquantaine de motifs qu'arbore une gamme d'accessoires vertigineuse, de la barrette à cheveux au sac de petite fille, du chapeau au maillot, en passant par le cabas géant de maman. Le tout dans des couleurs gaies et des cotons estampillés « développement durable ». De 3 € le chouchou à 31 € le plus grand sac.

Just for Life

20, rue Houdon, 75018 (D1)
M° Abbesses
☎ 01 42 23 07 14
www.justforlife.fr
Mar.-dim. 11h30-19h30.

Une chouette boutique de quartier. Le mur du fond immortalise tous les bambins des environs qui y passent, au gré de photos prises par la propriétaire. Ici, on hisse haut la couleur ! Vêtements et papeterie, vaisselle et sacs, trousses de toilette et canards en plastique siglés Rice, Petit Pan, KiK Kid ou Mollo. À partir de 2,50 €.

BONTON

Après la rue de Grenelle et la rue du Bac, Bonton a pris ses quartiers à côté du concept store Merci, dans le 3ᵉ arrondissement. La griffe des bobos en herbe décline, sur 800 m², toutes les variantes qui ont fait son succès : classique et bazar. Vêtements colorés, mobilier tendance et joujoux, vous trouverez même un salon de coiffure pour enfants et un espace gourmand.

5, bd des Filles-du-Calvaire, 75003 (E3) – **M° Filles-du-Calvaire** – ☎ 01 42 72 34 69 – www.bonton.fr
Lun.-sam. 10h-19h.

Beauté
et bien-être

On dit les Parisiens stressés… C'est peut-être pour cela que les hammams et centres de soins ont autant de succès. Ils rivalisent en luxe et en soins extraordinaires toujours associés à des techniques incroyables et à des produits aux senteurs paradisiaques ou gourmandes comme le chocolat. Ils ont chacun leur ligne de produits et leur « carte », alors n'hésitez pas à en tester plusieurs !

Le Hammam Pacha

17, rue Mayet, 75006 (C5)
M° Duroc
☎ 01 43 06 55 55
www.hammampacha.com
Lun.-mer. 11h-20h,
jeu.-ven. 11h-23h,
sam.-dim. 10h-20h
Entrée 35 € avec peignoir
et savates fournies ;
forfait entrée + savon
noir + gommage à 60 €.

Après vingt ans à Saint-Denis, la famille Nataf a donné au célèbre Hammam Pacha un petit frère parisien, qui porte le même nom. Les réjouissances sont les mêmes. Chambre vapeur parfumée, bain à remous, exposition sur marbre chaud avant de goûter aux joies d'un gommage traditionnel au savon noir, enfin thé à la menthe servi dans une douillette salle de repos. Exclusivement réservé aux femmes…

Le hammam de la Mosquée de Paris

39, rue Geoffroy-
Saint-Hilaire, 75005 (E5)
M° Censier-Daubenton
☎ 01 43 31 38 20
www.la-mosquee.com
Femmes : lun., mer.-jeu. et
sam. 10h-21h, ven. 14h-21h
Hommes : mar. 14h-21h,
dim. 10h-21h
Entrée simple 15 €,
forfaits à 38, 48 et 58 €.

Il est peut-être moins luxueux que d'autres, mais il est sûrement le plus authentique et le plus ancien hammam de Paris. Passé le pas de la porte, le dépaysement est total : fontaine, boiseries, zéliges sous ces voûtes bleutées. On peut choisir des soins à la carte ; 10 min de gommage ou de massage coûtent 10 €. N'oubliez pas vos affaires, ou il vous faudra en louer sur place.

Rufa Fish Spa

3, rue des Fossés-Saint-
Jacques, 75005 (D5)
RER B Luxembourg
☎ 01 43 29 41 36
www.rufafishspa.com
Lun.-ven. 10h-20h,
sam 10h-22h.

« Détendez-vous, nos poissons s'occupent de vous. » Une formule inédite, qui cache le premier centre « fish spa » de la capitale. Sa spécialité, la *fish pedicure*, un gommage naturel assurée par des garra rufa, petits poissons avides des peaux mortes qui assaillent vos petons ! Vous passez vos pieds sous une douche puis les plongez dans un petit bassin rempli de ces poissons. Ils exfolient ainsi vos peaux mortes et régulent le flux sanguin. Après séchage et massage de vos pieds devenus tout doux, clôture des réjouissances par une pose de vernis. C'est la formule Pieds de rêve. Coût de ce soin naturel, relaxant et chatouillant : 65 € les 75 min.

Espace Weleda

10, av. Franklin-D.-Roosevelt, 75008 (B2)
M° Franklin-D.-Roosevelt
☎ 01 53 96 06 15
www.espace-weleda.fr
Lun.-ven. 10h30-19h,
sam. 14h-19h.

Le spécialiste du cosmétique naturel et bio a son espace bien-être au cœur de Paris. Cadre moderne, musique d'ambiance, mur végétal signé Patrick Blanc, à qui l'on doit celui du musée du Quai-Branly… Outre une large gamme de soins (de 29 € le massage des mains jusqu'à 142 € le forfait Harmonie,

soin complet visage et corps de près 2h), le centre propose des ateliers de massage ou de gestion du stress.

La Maison Popincourt

4, cité Popincourt, 75011 (F3)
M° Saint-Ambroise
☎ 01 43 38 96 84
www.lamaison
popincourt.com
Lun.-ven. 8h-21h,
sam.-dim. 10h-19h.

Ludivine et Candice, deux jeunes mamans en quête désespérée de cours d'aquabike à Paris, ont décidé de créer leur propre salle. Avec la Maison Popincourt, beau lieu aux murs de pierres apparentes. Là, une piscine sous verrière abrite huit vélos. On y pédale dans l'eau pour raffermir son corps, gommer sa peau d'orange et stimuler ses muscles. En prime, la Maison propose un Iyashi-dôme, forme de sauna japonais aux bienfaits purifiants. 45 € la séance de 30 min de Iyashi-dôme, 30 € la séance d'aquabiking.

Espace France-Asie

11, rue du Chevalier-de-Saint-George, 75008 (C3)
M° Madeleine
☎ 01 49 26 08 88
www.espace-france-asie.com
Lun.-sam. 10h30-20h
Massage de 1 h à 80 €.

Grimper au 2e étage de cet immeuble haussmannien des plus quelconques, c'est la promesse d'une parenthèse enchantée dans un cocon dédié au bien-être. Brique, pierre, panneaux de teck empruntés à des maisons thaïlandaises traditionnelles, bouddhas miniatures peints : un décor typique, que l'on doit à Micky France-Suwanachoti. Cette adepte de la méthode Nuad Bo Rarn propose, avec son équipe, des massages de tradition thaïlandaise. Effectués par pressions digitales sur les kimonos que vous portez, ils sont riches de bienfaits.

India & Spa

76, rue Charlot, 75003 (E3)
M° République
☎ 01 42 77 82 10
www.india-spa.com
Lun.-sam. 11h-21h,
dim. 11h-19h.

Du bois sculpté, un bouddha, une fontaine, des tissus traditionnels aux couleurs chatoyantes et un hammam turquoise. Ce centre propose différentes escapades en Inde (55 €, 30 min) ou à Bali (65 €, 50 min) avec, par exemple, des bains, des gommages ou des massages ayurvédiques aux huiles chaude.

ET AUSSI… LES INCONTOURNABLES

Spa 5 Mondes : 6, sq. Opéra-Louis-Jouvet, 75009 (C2), M° Opéra, ☎ 01 42 66 00 60, www.cinqmondes.com, lun., mer. et ven. 11h-20h, mar. et jeu. 11h-22h, sam. 10h-20h ; **Sultane de Saba :** 8 bis, rue Bachaumont, 75002 (D3), M° Sentier, ☎ 01 40 41 90 95, www.lasultanedesaba.com, lun.-ven. 10h30-19h30 ; **Les Bains du Marais :** 31-33, rue des Blancs-Manteaux, 75004 (E3), M° Rambuteau, ☎ 01 44 61 02 02, www.lesbainsdumarais.com, femmes : lun. 11h-20h, mar. 11h-23h, mer. 10h-19h, hommes : jeu. 11h-23h, ven. 10h-20h, mixte : mer. 19h-23h, sam. 10h-20h, dim. 11h-23h ; **Le Spa Nuxe :** 32, rue Montorgueil, 75001 (D3), M° Étienne-Marcel, ☎ 01 55 80 71 40, www.nuxe.com, lun.-ven. 9h-21h, sam. 9h-19h30.

Les bonnes
affaires

Des tissus à petits prix, des fringues griffées 30 ou 40 % moins chères que leurs prix d'origine, des accessoires de luxe de seconde main, comme neufs. Haro sur ces bonnes adresses incontournables où trouver son bonheur sans se ruiner…

Les Deux Portes

3 et 30, bd Henri-IV,
75004 (E4)
M° Sully-Morland
☎ 01 42 71 13 02
www.lesdeuxportes.com
Mar.-sam. 10h-19h.

La sélection des tissus à petits prix, une gamme Deux Portes toujours suivie. On y trouve les collections des éditeurs à moins 20 % avec un minimum de 5 m. Soldes permanents des fins de série à partir de 8 € le mètre. Confection tous azimuts. De la soie d'ameublement à partir de 38 € le mètre en 140 cm.

Sabotine

35, rue de la Roquette,
75011 (F4)
M° Bastille
☎ 01 43 55 10 04
Lun. 14h-19h,
mar.-sam. 10h30-19h.

Soldeur officiel des chaussures Carel, la boutique propose des modèles des saisons précédentes. Vous y trouverez des articles « soldés » jusqu'à 50 %. Les prix s'échelonnent de 40 à 250 €.

Le Mouton à Cinq Pattes

• 8 et 18, rue Saint-Placide,
75006 (G7-8)
M° Saint-Placide
☎ 01 45 48 86 26
Lun.-sam. 10h-19h
• 138, bd Saint-Germain,
75006 (I7)
M° Odéon

☎ 01 43 26 49 25
Lun.-ven. 10h30-19h30, sam. 10h30-20h (f. lun. en août).

Le Mouton à Cinq Pattes est une institution. Ici, on trouve des vêtements des dernières collections de couturiers italiens, autrichiens, anglais et allemands vendus en dessous du tiers du prix ! Ce sont de belles marques comme J.-P. Gaultier, Alberta Ferretti, Moschino, Narciso Rodriguez ou les cuirs Pollini. Le n° 8 est entièrement consacré à la femme, les n° 18 et 138 ont des rayons hommes.

Les Trois Marches de Catherine B

1, rue Guisarde, 75006 (I7)
M° Mabillon
☎ 01 43 54 74 18
www.catherine-b.com
Lun.-sam. 10h30-19h30.

Il faut monter trois marches pour atteindre ce petit magasin qui ne vend que les marques Hermès et Chanel. Ce sont des accessoires, des carrés Hermès neufs entre 230 et 850 €, des sacs Kelly, des bracelets, des montres, des bijoux, des chaussures et des vêtements, bref des introuvables et des collectors. Attention, rien ne reste très longtemps en boutique.

La Clef des Marques

122 et 126, bd Raspail, 75006 (C5)
M° Vavin ou Notre-Dame-des-Champs
☎ 01 45 49 31 00
www.laclefdesmarques.com
Lun. 12h30-19h, mar.-sam. 10h30-19h.

Toute l'année, La Clef des Marques brade des articles provenant des surproductions de grandes marques comme Marc Jacobs, les jeans Blue Cult, Melting Pot. Un rayon homme, un femme, un enfant et un rayon sport avec des baskets Adidas ou Nike et des maillots de bain Pain de Sucre ou Paul & Joe par exemple.

Degrif des Stocks

39, rue des Petits-Champs, 75001 (D3)
M° Pyramides
☎ 01 42 96 85 19
Lun.-sam. 10h30-19h30.
Des tee-shirts Petit Bateau à 5 €, des ensembles Princesse Tam-Tam à 12 ou 15 €, des vestes ou pantalons Mexx hommes et femmes à 15 € : un aperçu de ce qui vous attend dans cette boutique fouillis mais riche de trésors à prix imbattables. Tous les articles, neufs, proviennent de surplus, de magasins ayant fermé ou de fins de série pour des collections de l'année précédente. Arrivages quotidiens.

L'Embellie

2, rue du Regard, 75006 (G8)
M° Sèvres-Babylone ou Saint-Placide
☎ 01 45 48 29 82
Mar.-sam. 11h30-18h30 (f. en août).

Un dépôt-vente de vêtements chic, des ceintures, des chaussures magnifiques et des accessoires de luxe jusqu'à moins 50 % ! Beaucoup de choses font envie, il ne reste plus qu'à croiser les doigts pour qu'il y ait votre taille.

L'Éléphant Rose

31, rue Saint-Placide, 75006 (G8)
M° Saint-Placide
☎ 01 42 22 30 77
Lun. 11h-19h, mar.-sam. 10h-19h.

Boutique de poche bien remplie, avec des stocks pour toute la famille. Un pull homme Marlboro à 49 €, un blouson en cuir Mac Douglas à 149 €, une tunique Cop Copine à 45 €. L'Éléphant Rose compte deux autres adresses dans le 14e arrondissement, au 149, rue d'Alesia et au 85, rue de Gergovie (HP par C5, M° Plaisance).

Chercheminippes

102, 109, 110, 111 et 124, rue du Cherche-Midi, 75006 (G8)
M° Duroc ou Falguière
☎ 01 42 22 45 23 (décoration),
☎ 01 45 44 97 96 (espace femmes)
www.chercheminippes.com
Lun.-sam. 11h-19h.

Un système pratique de dépôt-vente. Les vêtements qu'on y propose n'ont pas plus d'un an et sont toujours de marque connue. Au 102, les femmes trouveront du Barbara Bui, du Lilith…, le 109 est réservé à la décoration d'intérieur, le 110 aux vêtements pour enfants, mais aussi aux jouets et à la puériculture, le 111 propose des modèles haute couture pour femme comme Prada, tandis que les hommes trouveront leur bonheur au 124.

STOCKS ALÉSIA

Depuis une quinzaine d'années, ce petit tronçon de la rue d'Alesia (HP par C5, M° Alésia) s'est spécialisé dans le prêt-à-porter dégriffé.
• **Cacharel Stock,** au n° 114, ☎ 01 45 42 53 04 : vêtements pour homme, femme et enfant.
• **Dorotennis Stock,** au n° 74, ☎ 01 45 42 13 93 : sportswear chic, ensembles coordonnés, pantacourts, tout pour le ski, la mer, le sport et une braderie permanente au 1er étage.
• **Sonia Rykiel Stock,** ☎ 01 43 95 06 13 : au n° 64, la ligne homme et les sacs, au n° 110, la ligne Rykiel plus habillée, les enfants, les chaussures et les accessoires.
• **Évolutif,** au n° 98, ☎ 01 45 45 30 00 : vêtements pour homme (costumes Armani et Kenzo).

Les boutiques
gourmandes

Tout Paris y court. Épices, condiments, chocolats, thés du monde entier y sont sélectionnés avec le plus grand soin. Aux étalages, les fruits les plus rares, les saveurs d'outre-mer, les produits du terroir… On est sûr d'y trouver, tout au long de l'année, ce qui manquera ailleurs et, au mois de décembre, de quoi préparer un réveillon gourmand et des cadeaux douceur.

Androüet

134, rue Mouffetard,
75005 (D5)
M° Censier-Daubenton
☎ 01 45 87 85 05
www.androuet.com
Mar.-ven. 9h-13h et 16h-19h30, sam. 9h30-19h30,
dim. 9h30-13h30.

Cette boutique célébrissime propose jusqu'à 250 variétés de fromages selon les saisons.

Du camembert au Lou Picadou – chèvre roulé dans le poivre. Pour un cadeau original, laissez-vous séduire par les boîtes-cadeaux en bois : environ 38 € les sept fromages.

À la Mère de Famille

35, rue du Faubourg-Montmartre, 75009 (D2)
M° Grands-Boulevards
☎ 01 47 70 83 69
www.lameredefamille.com
Lun.-sam. 9h30-20h,
dim. 10h-13h.

Dans une atmosphère du début du XIXe s., aux boiseries d'ébène et au carrelage blanc et bleu, vous trouverez des confiseries traditionnelles des provinces de France (dragées, sablés, madeleines… 37 € les 400 g). Une belle sélection d'alcools régionaux également.

La Boutique Maille

6, pl. de la Madeleine,
75008 (C2-3)
M° Madeleine
☎ 01 40 15 06 00
www.maille.com
Lun.-sam. 10h-19h.

Cette honorable maison fit ses débuts en 1747. Depuis, elle ne cesse d'inventer des saveurs (3,40 € le pot de 100 g). Mais le produit phare reste la moutarde fraîche servie à la pompe à partir de 8,20 €.

Stohrer

51, rue Montorgueil,
75001 (D3)
M° Les Halles
☎ 01 42 33 38 20
www.stohrer.fr
T. l. j. 7h30-20h30.

Stohrer a ouvert ses portes en 1730. La boutique était arrivée en France dans les bagages de Marie Leszczynska, la fiancée de Louis XV, et s'était installée quelques années après rue Montorgueil, où elle demeure toujours. Au menu, décor de bonbonnière et trésors salés et sucrés, parmi lesquels Ali Baba au rhum et puits d'amour. Même la reine d'Angleterre y a fait escale lors de sa très officielle visite, en 2004 !

Da Rosa

62, rue de Seine, 75006 (I7)
M° Mabillon
☎ 01 40 51 00 09
T. l. j. 10h-23h.

C'est chez José da Rosa que les plus prestigieuses enseignes parisiennes trouvent leur bonheur. Une épicerie fine-cantine chic où vous aussi pourrez déguster sur place ou à emporter caviars d'Iran et charcuterie ibérique de haut vol, queso Manchego et truffes du Luberon, foie gras des Landes et huiles d'olive de Méditerranée. Une ronde des couleurs, des saveurs et des parfums étourdissants. Propositions du jour autour de 17 €.

Legrand Filles et Fils

1, rue de la Banque, 75001 (D3)
M° Bourse
☎ 01 42 60 07 12
www.caves-legrand.com
Lun. 11h-19h, mar.-ven. 10h-19h30, sam. 10h-19h
Dégus. payante et sur résa.

C'est l'une des plus anciennes caves à vins et épiceries fines de France. L'histoire commence en 1880. Aujourd'hui, les Legrand sillonnent le vignoble français pour faire ensuite déguster leurs découvertes. Une tradition toujours de mise les mardis soir !

Pierre Hermé

72, rue Bonaparte, 75006 (H7)
M° Saint-Germain-des-Prés
☎ 01 43 54 47 77
www.pierreherme.com
T. l. j. 10h-19h (19h30 sam.)
Assortiment de 12 macarons à 25 €.

La gastronomie est aussi un luxe et, chez Pierre Hermé, ce sont à chaque saison de nouvelles idées gourmandes, de nouvelles saveurs associées qui vous font voyager dans l'univers du goût. Pâtisseries, desserts, macarons, chocolats, glaces, vous n'aurez pas assez d'une vie pour tout goûter.

Berko

31, rue Lepic, 75018 (C1)
M° Blanche
☎ 01 42 62 94 12
www.berko.fr
Mar.-dim. 11h30-20h.

Berko : le diminutif de Berkovitch, Myriam et Jean-Louis, fondateurs de la marque. Après vingt ans à œuvrer dans l'ombre pour les grands restaurants parisiens, le couple a ouvert une première boutique rue Rambuteau (au n° 23), puis une seconde rue Lepic. Le paradis des cupcakes et cheesecakes dans la plus pure tradition américaine, c'est-à-dire garanti 100 % Philadelphia cheese ! Au classique s'ajoute toute une gamme de parfums : citron vert, chocolat blanc, framboises, noix de Pécan, caramel au beurre salé et, tenez-vous bien, un modèle light avec 12 % de matière grasse seulement. Part de cheesecake de 4,30 à 4,80 €. Gâteau entier douze parts, sur commande, de 37 à 48 €. Cupcakes à l'unité 2 €, les six 10 €. Furieusement tendance… et régressif.

IL ÉTAIT TOUJOURS LE CHOCOLAT…

Debauve et Gallais (30, rue des Saints-Pères, 75006, C4, M° Saint-Germain-des-Prés, ☎ 01 45 48 54 67, www. debauve-et-gallais.com), avec pour nouveauté les pistoles de Marie-Antoinette, des palets parfumés à la cannelle, au thé, à l'orgeat, au café… **Jean-Paul Hévin** (3, rue Vavin, 75006, C5, M° Vavin, ☎ 01 43 54 09 85, www.jphevin.com), primé pour ses macarons au chocolat. **La Maison du Chocolat** (19, rue de Sèvres, 75006, C4, M° Sèvres-Babylone, ☎ 01 45 44 20 40, www. lamaisonduchocolat.com), avec ses éclairs au chocolat et ses bonbons recelant une ganache aux infusions de fenouil, de menthe ou de thé. **La Chocolaterie Genin** (133, rue de Turenne, 75003, E3, M° République ou Filles-du-Calvaire, ☎ 01 45 77 29 01), dans un bel espace design, boutique-salon de dégustation au rez-de-chaussée, atelier au 1er étage. Outre les ganaches, les mille-feuilles et éclairs au chocolat sont à tomber.

Les marchés

La grande tradition commerciale de Paris remonte au Moyen Âge. Survivance de cette époque, de nombreux marchés continuent d'alimenter la capitale, son ventre ou son esprit. En voici quelques-uns, pittoresques ou insolites.

Marché biologique

**Bd Raspail, entre la rue
du Cherche-Midi et la rue
de Rennes, 75006 (H8)
M° Sèvres-Babylone
Dim. 9h-15h.**

Tous les écolos Rive gauche et les amateurs de bio parisiens fréquentent ce joli marché de produits issus de l'agriculture biologique. Les prix sont

assez élevés, mais vous pourrez y acheter des légumes anciens, comme le pâtisson ou le potimarron, la courge ou le chou chinois… Également des stands de charcuterie et de produits régionaux 100 % naturels.

Marché de Belleville

**Sur les terre-pleins du
bd de Belleville, 75020 (F2)
M° Belleville
Mar. et ven. 7h-13h30.**

On y vient de tout Paris pour trouver la banane plantain, l'igname ou la christophine. Les fruits exotiques sont également très bien représentés ; de nombreux restaurants antillais, africains ou asiatiques viennent s'y approvisionner. Grand choix d'épices et d'aromates frais.

Glissez-vous parmi les femmes en boubou et laissez-vous tenter par ces arômes venus d'ailleurs.

Marché cours de Vincennes

**Sur le cours de Vincennes,
entre le bd Picpus et la rue
Arnold-Netter, 75012
(HP par F5)
M° Nation ou
Porte-de-Vincennes
Mer. et sam. 7h-14h30.**

Ce marché typiquement parigot dévoile sa ronde de saveurs et parfums au fil des stands de pains, fromages, viandes, charcuterie, fleurs, fruits et légumes (quelques maraîchers bio de haute tenue notamment). On y va pour faire son marché, mais aussi pour l'ambiance…

Marché d'Aligre

**Pl. d'Aligre, 75012 (F4)
M° Ledru-Rollin
Mar.-dim. 7h-14h.**

Pas très loin du quartier branché de la Bastille, la place d'Aligre a conservé son authenticité de marché parisien, largement animé par des marchands nord-africains. Sur la place, le marché Beauveau est une belle halle couverte du XIXᵉ s. qui vaut le détour pour ses pavés à l'ancienne et sa fontaine. Excellent charcutier, exceptionnel fromager, et plusieurs stands de fripes.

Marché aux fleurs et aux oiseaux

Pl. Louis-Lépine, 75004 (D4)
Mᵉ Cité
Fleurs : t. l. j. 8h-19h
Oiseaux : dim. 8h-19h.

À deux pas de Notre-Dame, primevères, géraniums, rhododendrons et hortensias occupent le sol de l'île de la Cité. Bonne sélection de bonsaïs. Le dimanche, les plantes laissent la place aux volatiles. Canaris, mainates, perruches et oiseaux rares rivalisent de trilles. Si vous êtes avec vos enfants, poursuivez la balade en traversant la Seine. Juste en face, sur le quai de la Mégisserie, se trouvent des animaleries et des boutiques d'aquariophilie (ouv. le dim.) où vous pourrez voir des poissons de toutes les mers du monde.

Marché Saint-Pierre

2, rue Charles-Nodier, 75018 (D1)
Mᵉ Anvers
☎ 01 46 06 92 25
Lun.-sam. 10h-18h30.
Ce grand magasin de tissus est le royaume des couturières et des bricoleuses. Au rez-de-chaussée, tous les tissus d'habillement, au 1ᵉʳ les lainages et fausses fourrures, au 2ᵉ le meilleur rayon soierie de Paris, au 3ᵉ des tissus d'ameublement et au 4ᵉ le linge de maison, mon tout à des prix imbattables ! À côté, le magasin Reine est plutôt spécialisé dans l'ameublement. Enfin, dans les rues avoisinantes, des échoppes ne vendent que du tissu, transformant le quartier en un vaste marché textile.

Marché parisien de la création

Bd Edgar-Quinet, 75014 (C5)
Mᵉ Edgar-Quinet
Dim. 9h-19h30.

Le long du boulevard Edgar-Quinet et entre les rues du Départ et de la Gaîté, 120 artistes professionnels ou amateurs exposent leurs créations. Une bonne occasion de voir ce qui se fait actuellement, et pourquoi pas d'acheter, car il est demandé aux participants de pratiquer des prix raisonnables pour ne pas dénaturer ce marché et lui garder son caractère convivial.

Marché de Saint-Denis

Pl. Jean-Jaurès et dans la halle (HP par F3)
Mᵉ Saint-Denis-Basilique
Mar., ven. et dim. 8h-13h.

C'est le dimanche que le marché de Saint-Denis est le plus animé, avec ses 300 étals qui en font l'un des plus grands d'Île-de-France. On vient en famille pour y faire ses courses ou s'y promener. C'est un vrai « marché du monde » où les produits de l'Europe du Sud, des Antilles, du Maghreb, de l'Afrique voisinent avec les salades, les carottes et les radis des maraîchers de la région.

TANG FRÈRES

Un incroyable supermarché asiatique. Choux chinois, kumquats, riz basmati, œufs de cent ans, bouchées vapeur, viande, poisson, bonsaïs, vaisselle, bières chinoises, plats préparés comme le canard laqué. Des prix défiant toute concurrence, de la couleur, de l'ambiance. Un dimanche après-midi, quand tout est fermé à Paris, vous aurez l'impression d'être en Extrême-Orient pour le prix d'un ticket de métro.

48, av. d'Ivry, 75013 (HP par F5) – Mᵉ Porte-d'Ivry
☎ 01 45 70 80 00 – Mar.-dim. 9h-19h30.

Chiner à Paris

Le riche passé artistique de la France a fait de Paris la place forte du marché de l'art ancien. Les chineurs fortunés navigueront du Louvre des Antiquaires aux plus précieuses boutiques des puces de Saint-Ouen, les amateurs de bric-à-brac leur préféreront les puces de Montreuil ou les puces de Vanves où, aux côtés de babioles sans grande valeur, sommeillent des trésors à petits prix. À chaque week-end ses déballages, et ses bonnes affaires !

MARCHÉS AUX PUCES

Les puces de Saint-Ouen

(HP par D1)
M° Porte-de-Clignancourt
www.marchesauxpuces.fr
Sam.-lun. 10h-18h.

Les puces de Saint-Ouen représentent la plus grande surface au monde consacrée au commerce des antiquités. Elles sont composées de plusieurs marchés, dont les plus authentiques sont ceux de Vernaison, Paul-Bert et Biron. Serpette regroupe des antiquaires plus haut de gamme ; Jules-Vallès est un bric-à-brac inimaginable. Il est rare que les puces soient désertes : marchands, amateurs et touristes sont toujours présents, quelle que soit la météo (voir aussi p. 26-27).

Les puces de Vanves

Av. Georges-Lafenestre et av. Marc-Sangnier, 75014 (HP par B5)
M° Porte-de-Vanves
www.pucesdevanves.typepad.com
Sam.-dim. 8h-13h.

Un vrai déballage avec des stands tantôt généralistes, tantôt spécialisés vendant

peintures, bibelots, argenterie et meubles de style, parfois d'époque. Tous les objets sont vendus dans leur « jus » : en les retapant et en les détournant, on peut en faire quelque chose de déco et d'original. Avis : mieux vaut se lever tôt pour circuler tranquillement dans l'unique allée centrale.

Le marché aux livres

Parc Georges-Brassens, à l'angle de la rue de Brancion et de la rue des Morillons, 75015 (HP par B5)
M° Porte-de-Vanves
Sam.-dim. 9h30-18h.

En bordure du parc Georges-Brassens, sous l'ancienne halle aux chevaux des abattoirs de Vaugirard, se tient chaque week-end le marché aux livres. Une dizaine de marchands déballent leurs caisses dans lesquelles on peut trouver une rareté. On y cherche des livres épuisés, on y lit des BD et on se constitue sa bibliothèque à bon prix.

Les puces de Montreuil

(HP par F4)
M° Porte-de-Montreuil
Sam.-lun. 7h-19h30.

Un véritable marché aux puces, bric-à-brac insensé où tout se vend et tout

s'achète à bas prix, depuis la fin du XIXe s. Si une partie du marché est désormais dédiée à des articles neufs bon marché – et parfois de médiocre qualité –, vous trouverez aussi là, en prenant le temps et le soin de fouiller, fringues et petit mobilier, chaussures et bouquins, outils et bibelots. Les amateurs de petite reine viennent aussi à la recherche de pièces pour leurs vélos, ou carrément de vélos entiers : certains, en très bon état, s'arrachent à 30 €.

ANTIQUAIRES

Le Carré Rive gauche

Dans un périmètre délimité par le quai Voltaire, la rue des Saints-Pères, la rue de l'Université et la rue du Bac, 75007 (H6)
M° Rue-du-Bac
www.carrerivegauche.com

Ici se regroupe le gratin des antiquaires parisiens. Les antiquités sont souvent de très belle qualité. En décembre sont organisées des nocturnes. En mai, chacun expose un chef-d'œuvre, et le Tout-Paris se déplace à cette occasion. N'oubliez pas de pousser la porte de la galerie Camoin-Demachy, qui se trouve dans un somptueux immeuble au 9, quai Voltaire (M° Rue-du-Bac, ☎ 01 42 61 82 06, www.camoindemachy antiquaires.com).

Le Louvre des Antiquaires

2, pl. du Palais-Royal, 75001 (D3)
M° Palais-Royal
☎ 01 42 97 27 27
www.louvre-antiquaires.com
Mar.-dim. 11h-19h (f. dim. en juil.-août).

Sur trois niveaux sont concentrés plus de 200 antiquaires. Au sous-sol, les marchands de bijoux et de montres anciennes ; au rez-de-chaussée et au 1er étage, les antiquaires. Toutes les spécialités sont représentées : tapis, mobilier, objets d'art et de curiosité, faïence, art populaire, archéologie, art d'Extrême-Orient, tableaux, sculptures… mais vous paierez sans doute le prix fort.

MARCHÉS DE QUARTIERS

Pas un week-end ou presque sans qu'un quartier de la ville ne soit investi par un déballage de brocante et d'antiquités. Des exposants venus de toute la région et au-delà y dévoilent leur mobilier, vaisselle, argenterie et autres bibelots. Des objets parfois de qualité, à tous les prix. Parmi les marchés réguliers et agréables, celui du cours de Vincennes (75012), celui des Batignolles (75017) ou celui de l'avenue Secrétan (75019). Vous en serez informé par affichage public.

Les galeries d'art

Aujourd'hui, on trouve des galeries d'art un peu partout dans la capitale, mais elles restent très concentrées dans le Marais, ainsi que rue Louise-Weiss dans le 13e et rue de Seine dans le 6e pour les étoiles montantes. Les plus avant-gardistes se trouvent dans le nord de Paris, et celles dont la renommée n'est plus à faire avenue Matignon.

Le Plateau

Pl. Hannah-Arendt, angle de la rue des Alouettes et de la rue Carducci, 75019 (F2)
M° Buttes-Chaumont
☎ 01 53 19 84 10
www.fracidf-leplateau.com
Mer.-ven. 14h-19h, sam.-dim.12h-20h (f. 1er janv., 1er mai, 24-25 et 31 déc.)
Accès aux expos payant.

À proximité du parc des Buttes-Chaumont, c'est un espace de création qui

a pour vocation de présenter au cours d'expositions et de manifestions les œuvres qui constituent le Fonds régional d'art contemporain d'Île-de-France. Arts plastiques, danse, musique, ici toutes les formes d'art entrent en résonance.

La Maison Rouge

10, bd de la Bastille, 75012 (E5)
M° Quai-de-la-Rapée
☎ 01 40 01 08 81
www.lamaisonrouge.org
Mer.-dim. 11h-19h (21h jeu., f. 1er janv., 1er mai et 25 déc.)
Accès payant.

Dans une ancienne usine construite autour d'un pavillon d'habitation baptisé La Maison Rouge se trouvent quatre salles d'expositions, une de conférences, une librairie et un café. Cette fondation est à l'initiative d'Antoine Galbert,

un amateur d'art contemporain qui s'occupe de promouvoir les différentes approches et formes d'art actuelles.

Emmanuel Perrotin

76, rue de Turenne, 75003 (E3)
M° Saint-Sébastien-Froissart
☎ 01 42 16 79 79
www.galerieperrotin.com
Mar.-sam. 11h-19h
(f. en août).

C'est la plus américaine des galeries françaises par sa dimension et son efficacité. Elle organise, en effet, douze expositions par an pour présenter le travail d'artistes confirmés ou plus jeunes de toutes les nationalités. Beaucoup ont démarré ici, comme Takashi Murakami, Maurizio Cattelan, Bernard Frize, Sophie Calle ou Xavier Veilhan.

Yvon Lambert

108, rue Vieille-du-Temple,
75003 (E3)
M° Filles-du-Calvaire
☎ 01 42 71 09 33
www.yvon-lambert.com
Mar.-ven. 10h-13h et 14h30-
19h, sam. 10h-19h (f. en
août).

Yvon Lambert est un dénicheur
de talents, et On Kawara, Carl
Andre, Nan Goldin, Daniel
Buren, Sol Lewitt ou encore
Niele Toroni ont fait leurs
débuts ici. Tous les courants
de l'art contemporain sont
représentés : minimalisme,
art conceptuel, installations,
photographie, vidéo…

Galerie
Daniel Templon

30, rue Beaubourg,
75003 (E3)
M° Rambuteau
☎ 01 42 72 14 10

www.danieltemplon.com
Lun.-sam. 10h-19h.

Plus de 400 expositions
à l'actif de la galerie, depuis
son ouverture en 1966, et
pas des moindres, avec Ben
et Arman, Buren et Gérard
Garouste par exemple.
Templon compte parmi les
incontournables de l'art
contemporain, à Paris comme
dans le monde.

Galerie Jérôme
de Noirmont

36-38, av. Matignon,
75008 (B2)
M° Miromesnil
☎ 01 42 89 89 00
www.denoirmont.com
Lun.-sam. 11h-19h.

Prénoms : Emmanuelle et
Jérôme. Nom : de Noirmont, un
patronyme connu dans toutes
les places fortes artistiques, de

Paris à Miami en passant par
Abu Dhabi, depuis 1994, date
de l'ouverture de leur antre
qui œuvre à la promotion tant
de créateurs incontournables
que de jeunes talents.
Ils exposent notamment Jeff
Koons, Pierre & Gilles, Shirin
Neshat ou Keith Haring.

Magnum Gallery

13, rue de l'Abbaye,
75006 (I6)
M° Saint-Germain-des-Prés
☎ 01 46 34 42 59
www.magnumgallery.fr
Mar.-sam. 11h-19h.

Créée en 1947 par Henri
Cartier-Bresson et Robert Capa
notamment, la célèbre agence
de photos a pris ses quartiers
dans un espace d'exposition
aux beaux volumes, située au
pied de l'église Saint-Germain.
Sous forme d'expositions
thématiques collectives,
grandes et petites histoires
s'affichent sur les murs, au
fil des clichés des membres de
l'agence, photographes célèbres
ou talents en devenir.
On peut s'offrir des tirages
à partir de 1 000 €.

Galerie Polka

12, rue Saint-Gilles,
75003 (E4)
M° Chemin-Vert
☎ 01 71 20 54 97
www.polkagalerie.com
Mar.-sam. 11h-19h30.

Le photojournalisme a sa
galerie. Chez Polka, créée
par l'ancien directeur de la
rédaction de *Match* Alain
Genestar, images du bout du
monde ou du coin de la rue,
stars (Sebastião Salgado,
William Klein et Marc Riboud
notamment) et jeunes pousses
se succèdent ou se mêlent dans
des expositions de haut vol.
Le photojournalisme est aussi
célébré sur papier, à travers le
magazine du même nom.

RUE DE SEINE ET RUE LOUISE-WEISS,
DEUX LIEUX D'ART CONTEMPORAIN

Dans le 6e, du boulevard Saint-Germain à la Seine,
la rue de Seine (I6, M° Mabillon) regorge de galeries
d'art contemporain, dont au n° 36 la **galerie Vallois**
(☎ 01 46 34 61 07, www.galerie-vallois.com),
au n° 40, **Hervé Loevenbruck** (☎ 01 53 10 85 68,
www.loevenbruck.com), au n° 49 la **galerie
Claudine-Legrand** (☎ 01 43 25 96 60, www.galerie
legrand.com). Quant à la rue Louise-Weiss dans
le 13e (HP par E5, M° Chevaleret), c'est une pépinière
de galeries montantes. À voir : aux nos 24 et 34 la
galerie Philippe-Jousse (☎ 01 45 83 62 48),
au n° 28, **Praz-Delavallade** (☎ 01 45 86 20 00,
www.praz-delavallade.com) et au n° 32,
Air de Paris (☎ 01 44 23 02 77, www.airdeparis.com).

Idées cadeaux

Cartes peintes à la main, vaisselle aux couleurs chatoyantes, bijoux rigolos, personnages en carton uniques et autres stylos fous, fous, fous… Aux quatre coins de la ville, voici mille et une adresses qui, du magasin de poche à la boutique plus vaste, vous permettront de trouver des idées cadeaux à tous les prix.

Idéco

19, rue Beaurepaire, 75010 (E2)
M° République
☎ 01 42 01 00 11
www.idecoparis.com
Lun.-sam. 11h30-19h30, dim. 14h30-19h30.

Au sous-sol, design et vaisselle aux lignes épurées. À l'étage, c'est plutôt le royaume du kitsch, où Elmer l'Éléphant et Barbapapa cohabitent au gré de nombreux accessoires. Il est fort peu probable que vous quittiez ce chouette endroit sans avoir déniché un ou plusieurs cadeaux, pour vos proches ou pour vous-même. À partir de 5 €.

Magna Carta

101, rue du Bac, 75007 (B3)
M° Sèvres-Babylone
ou Rue-du-Bac
☎ 01 45 48 02 49
www.magna-carta.fr
Lun.-sam. 11h-19h.

La ligne conductrice de Magna Carta est celle du papier. Il y a tout ce qui touche au cadeau, des papiers d'emballage qui changent au gré des saisons, des étiquettes, de la petite papeterie mignonne et artisanale, mais aussi des

cartes originales peintes à la main (10 €) ou ornées de feuilles séchées (9,60 €).

Lomography

17, rue Sainte-Croix-de-la-Bretonnerie, 75004 (E3-4)
M° Hôtel-de-Ville
☎ 09 54 52 88 57
Lun. 14h-19h30, mar.-ven. 11h30-19h30, sam. 11h-20h.

Ras le bol des numériques ? Alors cette boutique est faite pour vous. Avec les appareils Lomo (appareils photo bas de gamme et en plastique de l'armée russe), oubliez les photos parfaites et réhabilitez l'argentique. Il y en a pour tous les goûts (des panoramiques, des grands angles, des qui font des vignettages…) et pour toutes les bourses (de 30 à plus de 300 €). Le mur du rez-de-chaussée, recouvert d'une fresque composée de centaines de clichés, vous donnera un aperçu très arty des effets possibles du Lomo.

Afwosh

10, rue d'Hauteville,
75010 (D2)
M° Bonne-Nouvelle
☎ 09 52 91 44 80
www.afwosh.com
Lun.-ven. 11h-14h30
et 16h-20h (21h jeu.),
sam. 11h-20h.

Afwosh, c'est le petit nom d'« Afterwork shop ». Émilie et Chloé ajoutent au sempiternel métro-boulot-dodo une partie plus joyeuse : shopping rigolo. Dans cette boutique à deux pas du boulevard Bonne-Nouvelle, on trouve à tous les prix dès 2,50 € (les serre-tête fashion) une foule d'idées cadeaux

modernes, ludiques et colorées pour son chéri, ses copines, ses bambins, ou soi-même. Jouets en bois Bobo Choses et fringues sympas Kik Kid, couvre-chefs signés Tata Christiane, tee-shirts Émilie Casiez et carnets rigolos d'Éléonore Zuber.

La Chaise Longue

• 2, rue de Sèze, 75009 (C2)
M° Madeleine ou Opéra
☎ 01 44 94 01 61
www.lachaiselongue.fr
Lun.-sam. 10h30-19h30
• 20, rue des Francs-
Bourgeois, 75003 (E4)
M° Saint-Paul

éditeur d'objets

☎ 01 48 04 36 37
T. l. j. 11h-19h
• 8, rue Princesse,
75006 (H7/I7)
M° Mabillon
☎ 01 43 29 62 39
Lun.-sam. 11h-19h30.

Une collection sympa et sans façons, de la vaisselle en tôle émaillée, des couleurs fortes, des fleurs exotiques, des poissons chinois. On y trouve des verres bicolores, un coffret de six assiettes « Les Craquantes » (29,90 €) et même des porte-couteaux en forme de poupées vaudoues (98 €) !

Pylônes

• 98, rue du Bac, 75007
(G6-7)
M° Rue-du-Bac
☎ 01 42 84 37 37
www.pylones.com
Lun.-sam. 10h30-19h
• 7, rue Tardieu, 75018 (D1)
M° Abbesses ou Anvers
☎ 01 46 06 37 00
T. l. j. 10h30-19h30
(22h en été).

Un petit cadeau de dernière minute à faire ? Eh bien, vous

n'aurez que l'embarras du choix : des stylos Stella, une petite bonne femme avec des plumes (10 €), les sonnettes de vélo (10,70 €) et l'antivol à tête de serpent (20 €).

Amusement

3 bis, rue Papin, 75003 (E3)
M° Réaumur-Sébastopol
☎ 01 53 01 51 51
Mar.-dim. 13h-20h.

Une boutique de la Gaîté Lyrique consacrée à la culture « gamer ». Au programme : quantité de gadgets technologiques et de produits intelligents importés du Japon, de Corée et des États-Unis. Ça donne : des robots à remonter (39 €), des lampes en forme de fantôme (129 €), des clés USB délirantes (39 €), des coussins Smiley, des mugs design (15 €). Au fond, un coin librairie avec une sélection de beaux-livres et de mangas. Pour tous ceux qui ont gardé leur âme d'enfant, Amusement, c'est la caverne d'Ali Baba !

107 RIVOLI

La boutique du **musée des Arts décoratifs** propose des rééditions et présente le travail de créateurs contemporains. La sélection de bijoux est très importante et met en avant la recherche de matière. Dans la partie décoration, arts de la table, on trouve tout ce qui est nouveau avec chaque mois la mise en valeur d'un designer ou d'une thématique.
107, rue de Rivoli, 75001 (C3) – M° Palais-Royal
☎ 01 42 60 64 94 – www.lesartsdecoratifs.fr
T. l. j. 10h-19h (21h jeu.).

La maison
et les arts de la table

Les boutiques pour la maison ne cessent de se multiplier, proposant des meubles, des textiles, des objets de décoration dans tous les styles et pour toutes les pièces. Vous pouvez mettre en scène votre intérieur, créer une atmosphère avec les couleurs, les matières, les parfums d'ambiance, donner un air de fête à votre table, créer un univers qui vous ressemble.

Fleux

39, rue Sainte-Croix-de-la-Bretonnerie, 75004 (E3)
M° Rambuteau
ou Hôtel-de-Ville
☎ 01 42 78 27 20
www.fleux.com
Lun.-ven. 11h-19h30,
sam. 10h30-20h,
dim. 14h-19h30.

Cette boutique est une vraie mine d'or. Même si vous êtes d'humeur à bouder le shopping, il y a fort à parier que vous n'en repartirez pas les mains vides. Du gadget complètement futile (magnets pour le frigo à moins de 5 €) aux meubles de déco en passant par les bijoux, les coussins (39 €), les horloges design et la vaisselle (cafetière rétro et colorée à 19,90 €) : absolument tout donne envie ! C'est souvent pop et design, et parfois aussi très kitsch. Une adresse parfaite quand on est en panne d'idées cadeaux.

Diptyque

34, bd Saint-Germain,
75005 (D4)
M° Maubert-Mutualité
☎ 01 43 26 77 44
www.diptyqueparis.com
Lun.-sam. 10h-19h.

Depuis 1963, Diptyque édite une ligne de bougies parfumées pour la maison, dont la réputation internationale n'est plus à faire. Au total, 55 senteurs qui se déclinent aussi en vaporisateur d'intérieur. Il y a les herbacées, les florales, les fruitées, les épicées et les boisées. La bougie de 60 h est à 40 €, et il existe un coffret découverte à 66 €.

Potiron

57, rue des Petits-Champs,
75001 (C3/D3)
M° Pyramides
☎ 01 40 15 00 38
www.potiron.com
Lun.-sam. 10h-19h30.

Voilà dix ans que Potiron propose des petits objets

déco toujours « lookés »,
très tendance et à petit prix.
On joue sur les couleurs, les
matières et les motifs, tandis
que les prix s'échelonnent
de 1 € pour le set à salade
collection Petit Champ à 150-
200 € pour des petits meubles.

Le Cèdre Rouge

22, av. Victoria, 75001 (D4)
M° Châtelet
☎ 01 42 33 71 05
www.lecedrerouge.com
Lun. 12h15-19h, mar.-ven.
10h30-19h, sam. 10h15-19h.

Rayon de soleil sur le Châtelet
grâce aux tons de miel,
de framboise et d'olive des
produits du Cèdre Rouge !
Le Prince Jardinier continue de
cultiver l'art de vivre autour de
la maison et du jardin, avec sa
belle vaisselle et ses meubles
racés. Collection Rotin,
mobilier Mémoire, collection
Rustic chic : autant de gammes
pour sublimer vos intérieur
et extérieur… (canapé sur
mesure à partir de 900 €).

R. et Y. Augousti

103, rue du Bac, 75007 (G7)
M° Rue-du-Bac
☎ 01 42 22 22 21
Lun.-sam. 10h-18h.

Ria et Yiouri Augousti créent
et fabriquent eux-mêmes
des meubles et des objets de
décoration dans l'esprit des
années 1930, c'est-à-dire en
utilisant des matières telles

que le parchemin, le galuchat,
la nacre, le lézard, la patte
d'autruche… Des tables
basses, des commodes.

La Case de Cousin Paul

6, rue Tardieu, 75018 (D1)
M° Abbesses ou Anvers
☎ 01 55 79 19 41
www.lacasedecousin
paul.com
Lun.-ven. 10h30-19h30, sam.
10h30-20h, dim. 11h-19h.

Stéphane et Sophie ont
beaucoup voyagé et rencontré
des artisans. C'est ainsi que
germa l'idée toute simple
d'ouvrir une boutique de
guirlandes lumineuses.
Au mur, des paniers remplis
de petites boules de toutes
les couleurs en fils de coton
durcis. Vous n'avez plus qu'à
choisir les tons désirés et
à les fixer sur les ampoules.
Comptez 22 € pour 20 boules.

The Conran Shop

117, rue du Bac, 75007 (G7)
M° Sèvres-Babylone
☎ 01 42 84 10 01
www.conranshop.co.uk
Lun.-ven. 10h-19h,
sam. 10h-19h30.

Sir Terence Conran revisite
le monde de la maison et
offre, dans son temple de
la décoration, des objets et
meubles venus des quatre
coins du monde, *so chic* ou
plus insolites. Sur 1 700 m²
installés dans les anciens
entrepôts du Bon Marché
depuis 1992, canapés et
mobilier d'extérieur, luminaire
et vaisselle, trouvailles design
vous attendent. Pour faire des
affaires, préférez les soldes…

Les Mille Feuilles

2, rue Rambuteau,
75003 (E3)
M° Rambuteau
☎ 01 42 78 32 93
www.les-mille-feuilles.com

Dim.-lun. 14h-19h,
mar.-sam. 10h30-19h30.

Philippe et Pierre ont fait de
leur boutique un lieu unique
en son genre, un paradis
des objets de décoration pour
la maison. Un paradis très
hétéroclite composé d'objets
coups de cœur provenant de
France, du Canada, d'Italie,
d'Inde, de Chine… faits
de matières très diverses,
du bois, du bronze, de la
résine, de la porcelaine…

Les Autruches

32, rue Boulard,
75014 (HP par C5)
M° Denfert-Rochereau
☎ 01 43 20 23 62
Mar.-sam. 10h30-14h
et 15h30-19h30,
dim. 11h-13h30.

Christine et Laurence ont
ouvert il y a trois ans cette
boutique où l'on achèterait
bien tout. Elles ne choisissent
que ce qu'elles aiment.
Un dessus-de-lit à 300 €,
des nappes ensoleillées, des
bougies parfumées d'Hervé
Gambs et Christian Tortu…

Maison de Famille

29, rue Saint-Sulpice,
75006 (I7)
M° Saint-Sulpice
☎ 01 40 46 97 47
Lun.-sam. 10h30-19h
(f. lun. en août).

Avec ses deux étages, on dirait
une vraie maison. Les couleurs

donnent le ton : naturelles et douces. Les meubles ont un passé, et le moindre objet, un petit air connu. Le linge, la vaisselle, la verrerie, les vêtements, tout a le charme discret d'une certaine bourgeoisie. Set de table en lin à 15 €.

Kitchen Bazaar

11, av. du Maine, 75015 (C5)
M° Montparnasse-
Bienvenüe ou Falguière
☎ 01 42 22 91 17
www.kitchenbazaar.fr
Lun.-sam. 10h-19h.

Trente ans d'existence, des matières contemporaines, un design où l'Inox est roi. Des ustensiles de cuisine aussi beaux qu'intelligents, made in USA ou in Japon, qui ne se cachent pas dans la maison. Grille-pain à partir de 75 €.

Mis en Demeure

27, rue du Cherche-Midi,
75006 (G7/H7)
M° Sèvres-Babylone
☎ 01 45 48 83 79
www.misendemeure.fr
Lun.-sam. 10h-19h.

Un beau décor, des lustres à pampilles (petit lustre à 900 €), des meubles patinés à l'ancienne, une table dressée avec de splendides verres. C'est dans un esprit XVIIIe s. que Mis en Demeure fabrique et réédite des meubles.

Cosi Loti

21, rue Houdon, 75018 (D1)
M° Pigalle
☎ 01 44 92 90 39
www.cosiloti.canal
blog.com
Mar.-ven. 11h-14h et
15h-19h30, sam. 11h-
19h30, dim. 12h-19h.

Savant mélange des genres, des couleurs et des matières dans un bel espace. Les verres et carafes colorés en verre soufflé de Memento (de 8,50 à 36 €) cohabitent avec le joyeux linge de maison de La Cerise sur le gâteau et avec les trousses de la créatrice parisienne Sophistikate ; le design italien, avec l'artisanat mexicain ou marocain. Il y en a donc pour tous les goûts et tous les budgets.

Saisons

45, av. La Motte-Piquet,
75015 (B4)
M° La Motte-Picquet-Grenelle
☎ 01 47 83 70 38
www.saisons-deco.com
Lun. 14h-19h,
mar.-sam. 10h30-19h.

Plutôt tournée vers le mobilier de jardin en teck, en fer forgé ou en chêne, la boutique porte aussi son regard vers l'intérieur et propose des meubles pour le salon ou

TOILES BAYADÈRES

Elles apportent un véritable coup de soleil dans votre intérieur en se glissant sur les canapés, les fauteuils, les coussins, la table, les tabliers, les rideaux… et vous les trouverez dans deux boutiques à Paris :
• **Jean Vier** (66, rue de Vaugirard, 75006, H8, M° Saint-Placide,
☎ 01 45 44 26 74, www. jean-vier.com, lun. 11h-19h, mar.-sam. 10h30-19h, f. 2 sem. en août). L'artisan de la toile basque. Comptez entre 28,80 et 61,50 € le mètre.

• **Les Toiles du Soleil** (101, rue du Bac, 75007, G7, M° Rue-du-Bac,
☎ 01 46 33 00 16, www. toiles-du-soleil.com, lun. 14h-19h, mar.-sam. 10h30-19h). L'artisan de la toile catalane. Comptez entre 37 et 43 € le mètre.

la salle à manger, avec des matières nouvelles comme l'acier, le verre, la résine, la céramique, l'Inox ou le *loom*, qui fait le lien avec l'extérieur. Le premier prix pour une table à rallonge est de 1 329 €.

Plastiques

**103, rue de Rennes,
75006 (H8)
M° Rennes
☎ 01 45 48 75 88
www.plastiques-paris.fr
Lun.-ven. 10h15-19h,
sam. 10h15-19h30.**

Trente ans de métier pour cette petite boutique qui ne vend que des accessoires en plastique pour la cuisine, la salle de bains et le jardin ! L'autre caractéristique est la couleur éclatante de ses collections. Des plateaux, des saladiers vintage des années 1970 (20 €), de la vaisselle pour enfants qui a toujours beaucoup de succès.

Gien

**18, rue de l'Arcade,
75008 (C2)
M° Madeleine
☎ 01 42 66 52 32
www.gien.com
Mar.-ven. 10h30-19h,
sam. 11h-18h30.**

Les arts de la table avec la faïencerie de Gien, du petit déjeuner au dîner en passant par les cadeaux de mariage

et de naissance. Une gamme contemporaine créée par de jeunes stylistes, des motifs fleuris, des couleurs fraîches. Entre 67 et 150 € le coffret d'assiettes à dessert.

Caravane

**22, rue Saint-Nicolas,
75012 (F4)
M° Ledru-Rollin
☎ 01 53 17 18 55
www.caravane.fr
Mar.-sam. 11h-19h.**

Meubles rapportés de voyage ou conceptions originales, les créations de Caravane se déploient dans un esprit à la fois bohème et urbain, cosmopolite et authentique, tour à tour oriental et occidental, design et opulent. Méridiennes, divans, couvre-lits, lampadaires, l'offre est chic et éclectique, qui fait cohabiter acier brut et pneu recyclé, bois et lin. Des mariages surprenants mais réussis, initiés par Françoise Dorget, fondatrice de la marque.

Lieu Commun

**5, bd des Filles-du-Calvaire,
75003 (E3)
M° Filles-du-Calvaire
☎ 01 44 54 08 30
Mar.-sam. 11h-13h
et 14h-19h30.**

Pas une galerie d'art, pas un concept store, Lieu Commun

se veut une « boutique manifeste ». On y trouve les pièces ultra-design de Matali Crasset, LA créatrice qui monte (on doit notamment à l'ancienne collaboratrice de Philippe Starck la cantine de la Ménagerie de verre ou la Maison des Petits, dans le très branché 104), mais aussi les vêtements du styliste Ron Orb et les CD du label indépendant F. Communication.

Sentou

**• 29, rue François-Miron,
75004 (E4)
M° Saint-Paul
☎ 01 42 78 50 60
www.sentou.fr
Mar.-sam. 10h-19h
• 26, bd Raspail, 75007 (G7)
M° Rue-du-Bac
☎ 01 45 49 00 05
Lun. 14h-19h, mar.-sam. 10h-
19h (f. 2 sem. en août).**

La boutique située au n° 24 est entièrement consacrée aux arts de la table. Ne manquez pas notre coup de cœur : les créations des Tsé & Tsé, deux jeunes filles rendues célèbres par leur fameux Vase d'Avril. Faites également un tour au showroom du n° 29, sur trois étages, pour admirer les meubles, les textiles, les lampes en papier washi (de 100 à 1 000 €), les guirlandes de lumière.

Sortir **mode d'emploi**

Se déplacer la nuit

En métro : métro ou RER, vous serez sûr de pouvoir les emprunter tous les jours de 6h à 0h30 (dernier départ en tête de ligne) et même jusqu'à 1h30 les vendredis et samedis. **En bus :** la plupart des bus s'arrêtent à 20h30, cependant quelques

SE REPÉRER

Nous avons indiqué pour chaque adresse Sortir sa localisation sur le plan général ou sur le zoom (B2, G8…). Pour un repérage plus facile en préparant votre week-end ou lors de vos balades, nous avons signalé sur le plan par un symbole violet toutes les adresses de ce chapitre. Le numéro en violet signale la page où elles sont décrites.

lignes poursuivent leur service jusqu'à 0h30. Les lignes 20, 21, 26, 31, 38, 42, 43, 47, 54, 57, 60, 62, 63, 64, 65, 68, 76, 80, 81, 91, 92, 95, PC1, PC2 et PC3 desservent les arrêts sur la totalité du parcours, tandis que les lignes 24, 27, 52, 67, 72, 74, 85 et 96 circulent aussi la nuit mais seulement sur une partie de leur parcours. **Les Noctiliens :** ils prennent la relève des bus de jour en circulant de 0h30 à 5h/5h30. Une vingtaine de lignes desservent les principaux axes de Paris avec un temps de passage d'une demi-heure environ. Les arrêts de bus par lesquels ils passent portent la lettre *N* suivie du numéro de la ligne. On y accède librement avec les cartes Paris Visite ou Mobilis (voir p. 32), sinon il faut compter un ticket par trajet sans correspondance. Les quatre grandes gares parisiennes sont des lieux de correspondance, ainsi que la station Châtelet, qui se trouve au cœur de Paris.

En taxi : sur quelque 15 500 chauffeurs, à peu près 2 000 travaillent la nuit. Le plus sûr est encore de les appeler par téléphone, mais beaucoup attendent le client aux stations ou tournent dans les rues et s'arrêtent quand on leur fait signe. La prise en charge à la borne est de 2 € quelle que soit la course, le prix à payer ne peut être inférieur à 5,20 €. Le tarif varie selon les jours et les heures : tarif A du lundi au samedi de 10h à 17h, tarif B du lundi au samedi de 17h à 10h et les dimanches et jours fériés de 7h à minuit, tarif C les dimanche et jours fériés de minuit à 7h. Le tarif augmente également dès que vous passez le périphérique. Si vous voulez faire un tour de Paris la nuit pour regarder les illuminations, comptez au minimum 15 € (cela dépend

CONCERTS GRATUITS

La saison des festivals commence dès la fin du mois de mai au parc de la Villette avec le festival **Villette Sonique** (www.villettesonique.com). Elle se poursuit en juillet avec les **Scènes d'été** (www.villette.com) et sur les bords de Seine où ont lieu **Paris Plage** (www.paris.fr/parisplages) et les concerts **Fnac Indétendances** (www.fnacindetendances.fr). Entre juin et juillet, guettez les animations musicales proposées par la mairie du 3e arrondissement (www.mairie3.paris.fr). Les amateurs de musique classique pourront également se rendre au Parc floral tous les week-ends d'été dans le cadre du festival **Classique au Vert** (www.classiqueauvert.fr).

bien sûr du kilométrage). Enfin, sachez qu'il est très difficile d'avoir un taxi le samedi soir à Paris. Il faut que vous soyez patient… mais vous pouvez toujours utiliser les Noctiliens et marcher un peu.
Alpha Taxis : ☎ 01 45 85 85 85
Taxis Bleus : ☎ 0 825 16 10 10
Taxis G7 : ☎ 01 47 39 47 39
En limousine : s'il vous prend l'envie de jouer les VIP, quitte à vous mettre aux pâtes en rentrant, adressez-vous à Élite Limousines, 47, rue de Chaillot, 75016 (A3) ☎ 01 47 20 23 23.

Programmes des spectacles

La plupart des quotidiens, *Le Figaro, Le Monde, Libération*… ont des pages spectacles assez documentées. La bible si vous voulez sortir reste *Pariscope* (0,40 €) ou *L'Officiel des spectacles* (0,35 €), qui paraissent le mercredi, jour où les salles de cinéma changent leur programme.

Spécial insomniaques

S'il vous prend une envie irrésistible de voir un film

à minuit et demi, regardez les programmes des salles UGC des Champs-Élysées ou ceux des cinémas Gaumont et des cinémas Publicis. Si vous êtes en panne de nouvelles fraîches et de magazines, les kiosques des 32 et 58, av. des Champs-Élysées (75008) (B2) et du 14-16, bd de la Madeleine, 75009 (B2/C2) restent ouverts toute la nuit. Pour les fumeurs, le tabac La Havaneau, 4, pl. de Clichy, 75018 (C1), est ouvert toute la nuit, tandis que La Favorite, dans le Quartier latin au 3, bd Saint-Michel, 75005 (D4), ferme à 2h. Pour acheter un livre ou un CD, la FNAC (74, av. des Champs-Élysées, 75008, B2) et

le Virgin Megastore (52, av. des Champs-Élysées, 75008, B2) restent ouverts jusqu'à minuit tous les jours. Sinon Les Mots à la Bouche (6, rue Sainte-Croix-de-la-Bretonnerie, 75004, E4, ☎ 01 42 78 88 30) est ouvert en semaine jusqu'à 23h et le dimanche jusqu'à 21h, et L'Écume des Pages (174, bd Saint-Germain, 75006, C4, ☎ 01 45 48 54 48), jusqu'à minuit en semaine et 22h le dimanche. La Hune (170, bd Saint-Germain, 75006, C4, ☎ 01 45 48 35 85), enfin, est ouverte jusqu'à 23h45 en semaine et 19h45 le dimanche. Vous désirez offrir des fleurs au beau milieu de la nuit ? Ély Fleur (82, av. de Wagram, 75017, A2, ☎ 01 47 66 87 19) est ouvert 24h/24. Vous avez promis d'apporter une bouteille pour partager un dernier verre avec vos amis ? Le Monoprix du 52, av. des Champs-Élysées, 75008, B2 (☎ 01 53 77 65 65), reste ouvert jusqu'à minuit. Du jazz à tout prix ? Champs Disques, 84, av. des Champs-Élysées, 75008, B2, est ouvert du lundi au samedi de 9h à minuit.

BILLETS DERNIÈRE MINUTE

Pour le théâtre, les billets s'achètent le jour de la représentation à demi-tarif au **kiosque de la Madeleine** (75002, M° Madeleine) et au **kiosque de la gare Montparnasse** (75014, M° Montparnasse-Bienvenüe, situé sur l'esplanade entre la tour et la gare Montparnasse), du mardi au samedi de 12h30 à 20h et le dimanche de 12h30 à 16h. Pour tous les autres spectacles, concerts, expositions, manifestations culturelles et compétitions sportives, on peut tenter sa chance aux **agences de la FNAC** (lun.-sam. 10h-19h30) et chez **Virgin** (lun.-sam. 10h-minuit, dim. 12h-minuit). Par ailleurs les sites **www.ticketnet.fr** ou **www.digitick.com** vous permettent de réserver, de régler par carte bancaire et de recevoir les billets chez vous par la poste ou sur votre portable, ou encore de les imprimer vous-même.

Bars et clubbing

1 - Le Baron Samedi
2 - L'OPA
3 - La Trinquette
4 - Le Café Carmen

BARS-CONCERTS

La Bastille et le faubourg Saint-Antoine

L'OPA
9, rue Biscornet, 75012 (F4)
M° Bastille
☎ 01 46 28 12 90
www.opa-paris.com
• Concerts : mer.-jeu. 20h, ven.-sam. 21h
• Club : ven.-sam. dès minuit.

Dans une rue plutôt tranquille, on aime beaucoup cet endroit caché derrière une belle façade classée. Décor façon loft new-yorkais, vaste espace au rez-de-chaussée et mezzanine plus intime à l'étage. Au menu, apéros lounge, concerts (folk, jazz, groove) et sets de DJ de bonne tenue sur lesquels on se déhanche bien volontiers… Public éclectique.

Autour du canal Saint-Martin

Le Baron Samedi
12, rue des Goncourt, 75010 (F2)
M° Goncourt
☎ 01 43 57 31 58
www.aubaronsamedi.fr
Lun.-sam. 18h-2h.

À l'heure où les bureaux ferment, Le Baron Samedi s'éveille et attire une foule de travailleurs ravis de trouver là un happy hour et des bières pas chères (2,50 € le demi ; 4,50 € la pinte). Tous les week-ends, un DJ est aux manettes. Le reste du temps, la programmation musicale oscille entre soul, rythm & blues et rock'n'roll. Et selon les soirs, on peut tomber sur des soirées poker (le mercredi) ou des cours de danse (une fois par mois).

La Musicale Comédie
68, bd de la Villette, 75019 (F2)
M° Belleville ou Colonel-Fabien
☎ 01 40 18 08 10
Lun.-ven. 10h-2h, sam. 16h-2h.
C'est une adresse avec laquelle il va falloir compter dans ce

coin de la ville où les cafés qui bougent ne sont pas légion. Ses atouts ? Une salle gigantesque qui sert également à manger (beaucoup de burgers), un bar et une immense terrasse ensoleillée plutôt épargnée par le bruit des voitures. Les cocktails sont divins (entre 6 et 8 €), et le jeudi soir, grâce à une programmation de DJ et de soirées éclectiques, ça danse aussi à La Musicale Comédie.

Hors visite

L'International

5-7, rue Moret, 75011 (F3)
M° Ménilmontant ou
Parmentier
☎ 01 49 29 76 45
www.linternational.fr
T. l. j. 18h-2h.

Pourquoi ce bar-là et pas un autre dans le quartier d'Oberkampf ? D'abord parce que pendant l'happy hour, la pinte ne coûte que 4 € ! Parce que, aussi, l'endroit rassemble autant d'habitués que de gens de passage. Mais surtout, parce que le rez-de-chaussée cache une deuxième salle en sous-sol qui programme tous les soirs des concerts ou des sets de DJ. Rock, pop, électro ou funk : c'est tous les jours différent… mais il y a à tous les soirs de l'ambiance !

BARS–BISTROTS

De Saint-Eustache à Beaubourg

La Trinquette

67, rue des Gravilliers,
75003 (E3)
M° Arts-et-Métiers
☎ 09 52 07 80 60
Lun.-mer. 18h30-minuit,
jeu.-dim. 18h30-2h.

La Trinquette, c'est qui ? C'est une triplette de jeunes types tout droit venus du Sud-Ouest pour défendre leur terroir en plein cœur de Paris ! Ici, on boit du vin de leur région, qu'ils expliquent et conseillent avec bonne humeur. Vous pourrez aussi vous partager des planches de charcuterie ou de généreuses tartines de chèvre et de tapenade. Attention, passé 20h, l'endroit se remplit vite.

Le Marais

La Perle

78, rue Vieille-du-Temple,
75003 (E3)
M° Saint-Sébastien-
Froissard
☎ 01 42 72 69 93
Lun.-ven. 6h30-2h,
sam.-dim. 8h-2h.

Une adresse à la fois tendance et pas m'as-tu-vu, où l'acteur Romain Duris, entre autres, aime s'attabler. Ce bistrot a gardé sa déco sympa des années 1970. L'ambiance y est conviviale, et on peut grignoter une assiette de charcuterie ou de fromages pour 10 € maximum. Spécialité maison, la bière d'absinthe.

L'Opéra et les Grands Boulevards

Chez Jeannette

47, rue du Faubourg-Saint-
Denis, 75010 (E2)
M° Strasbourg-Saint-Denis
☎ 01 47 70 30 89
www.chezjeannette.com
T. l. j. 8h-2h.

Ce rade de quartier est devenu en peu de temps le point de rassemblement de toute la jeunesse branchée des alentours. Mais pas que. On se déplace maintenant même de la rive gauche pour retrouver cette ambiance old school et fashion. Au comptoir, le café est à 1 €, la pression à 3 €. Le soir, la foule déborde sur les trottoirs et crée une jolie cacophonie avec les autres bars du quartier (le Mauri 7 juste en face, par exemple).

Hors visite

Le Café Charbon

109, rue Oberkampf,
75011 (F3)
M° Parmentier
☎ 01 43 57 55 13
T. l. j. à partir de 9h,
dim.-mer. jusqu'à 2h,
jeu.-sam. jusqu'à 4h.

L'un des pionniers de la rue Oberkampf, ouvert au milieu des années 1990, est toujours là, et d'humeur égale. Décor façon bistrot à l'ancienne, larges miroirs et vieux zinc. Sympa pour l'apéro, on peut aussi y dîner, ou revenir après pour les cocktails (7,50 €) de deuxième partie de soirée.

BARS BRANCHÉS

La butte Montmartre

Le Café Carmen

34, rue Duperré, 75009
(C1/D1)
M° Pigalle ou Blanche
☎ 01 45 26 50 00
www.le-carmen.fr
T. l. j. 20h-2h.

Malgré son décor Grand Siècle, sa moquette au sol, ses moulures, ses stucs, ses cheminées d'époque et ses deux gorilles postés à l'entrée, le Carmen est bien un bar. Avant d'accéder dans l'antre de cet ancien hôtel particulier, il faut quand même montrer patte blanche et passer au vestiaire pour y laisser sa veste (2 €). Après, le bar et ses salles sont à vous ! Le barman vous écoute et vous concocte des cocktails personnalisés : envie d'alcool, pas d'alcool ? D'agrumes ? Il improvise, et c'est magique !

Du pont des Arts au jardin du Luxembourg

Le Prescription Cocktail Club

23, rue Mazarine, 75006 (I6)
M° Odéon
☎ 01 46 34 67 73
Lun.-sam. 18h-2h.

Nouveau-né dans le quartier de Saint-Germain-des-Prés, ce bar est très prisé des « beautiful people ». Mieux vaut donc soigner son look, car l'endroit se la joue chic et sélect. Ici, les gens, des trentenaires surtout, prennent leur temps pour savourer leurs cocktails (12 €) et grignoter une *fingerfood* originale (minihamburgers à la truffe servis avec un ketchup maison au whisky !). L'ambiance est feutrée, mais passé minuit, ça danse parfois dans la salle située à l'étage.

Hors visite

Le Mama Shelter

102 bis, rue de Bagnolet, 75020 (HP par F4)
M° Porte-de-Bagnolet
☎ 01 43 48 45 45
www.mamashelter.com
T. l. j. 12h-1h.

C'est la locomotive de l'Est parisien branché. Juste en face de La Flèche d'Or, l'hôtel au design signé Philippe Starck n'en finit plus d'attirer les noctambules. Aux étages, les chambres et une belle terrasse panoramique. Au rez-de-chaussée, le resto et les bars. Belles photos en noir et blanc sur les murs, ardoise recouverte de graffitis au plafond, longues tables de bois où déguster la cuisine d'Alain Senderens, un décor à la fois tendance et chaleureux. Mais c'est à siroter un des savoureux cocktails maison qu'on est le mieux. Au choix : au Chic Chic Bar, tranquille, ou à l'Island Bar, long comptoir en verre, qui encadre les faiseurs

de divins breuvages… (de 10 à 12 €).

BARS DE NUIT ET PUBS

La butte Montmartre

Le Rock'n'roll Circus

5, rue André-Antoine, 75018 (D1)
M° Pigalle
☎ 06 09 81 93 59
www.bar-rocknroll-circus.com
T. l. j. 18h-2h.

Si vous cherchez un bar rock dans le coin de Pigalle, venez donc faire un tour dans cette rue calme du quartier. Depuis qu'il a été repris en main en 2010, Le Rock'n'Roll Circus affiche complet. Sa recette est simple : une déco nostalgique et dépareillée (du Formica et du Skaï), une lumière tamisée, du bon son, des affiches de concerts et des vinyles accrochés sur les murs, et au bar, des prix plutôt riquiqui (1,50 € le verre de pastis ou de vin pendant l'happy hour).

Du pont des Arts au jardin du Luxembourg

The Frog & Princess

9, rue Princesse, 75006 (I7)
M° Mabillon
☎ 01 40 51 77 38
www.frogpubs.com
Lun.-ven. 17h30-2h, sam.-dim. 12h-2h.

L'un des bars les plus animés de la capitale. Ne ratez pas l'happy hour quotidien (17h30-20h), où les pintes maison sont à 4 € et les cocktails à 5 €. Le lundi soir un magicien, le mardi des soirées moins chères pour les étudiants, le dimanche à 20h la nuit quiz (on forme des équipes et celle

qui a le plus de bonnes réponses gagne des bières et bien d'autres prix). Côté cuisine, *fish and chips*, cheeseburger…

Pub Saint-Germain

17, rue de l'Ancienne-Comédie, 75006 (I7)
M° Odéon
☎ 01 56 81 13 13
T. l. j. 24h/24.

L'année 1968 voit à la fois l'explosion en France d'un mouvement social historique… et la création des premiers pubs. C'est dans ce contexte que le Pub Saint-Germain ouvre ses portes. Parmi ses clients de l'époque, Julien Clerc et la troupe de la comédie musicale Hair, ou encore Françoise Hardy. Aujourd'hui, le Saint-Germain n'a plus là de pub que le nom. Sur cinq étages, l'endroit affiche une décoration contemporaine raffinée, propose une carte qui mêle gastronomie de bon goût et restauration rapide, ainsi que nombre de cocktails à base de gin, rhum, champagne ou vodka. Il est ouvert 24h/24 avec happy hour entre 18h et 20h (6 € le cocktail). Idéal pour une petite faim de milieu de nuit, ou une dernière escale postdiscothèque !

Autour de Montparnasse

Backstage Café

31 bis, rue de la Gaîté, 75014 (C5)
M° Gaîté
☎ 01 43 20 68 59
www.backstagecafe.fr
Lun.-sam. 12h-minuit pour le restaurant et jusqu'à 2h pour les cocktails.

La carte des cocktails du Backstage Café vaut le détour, car elle s'articule autour des envies, de l'orgueil… Pour l'envie, il y a le « Tendresse gin », Southern Comfort, orange et citron. Pour

1 - Les Z'indems Café
2 - Le Prescription Cocktail Club
3 - Le 25ᵉ Est

la gourmandise, le « Chapeau melon », rhum, Malibu, melon, Kahlúa, vanille et pomme. Quant à l'avarice, ce sont les cocktails sans alcool ! Un programme goûteux se trouvant à la portée de toutes les bourses, de 7 à 10 €.

Autour du Canal Saint-Martin

Le 25ᵉ Est

10, pl. de Stalingrad, 75019 (E1)
Mᵒ Jaurès ou Stalingrad
☎ 01 42 09 66 74
www.25est.com
T. l. j. 11h-2h.

Bientôt cinq ans d'existence pour ce bar situé au bord de l'eau. Si on aime beaucoup la grande salle intérieure à la déco rouge et industrielle, on craque complètement pour son immense terrasse en mezzanine. Le verre de Picon bière est à 3,60 € et les sodas à 3,50 €. La carte, qui propose à manger, offre aussi plein de cocktails avec et sans alcool, dont un « 25 est » composé de gin, citron vert, fraise des bois, triple sec et champagne.

Hors visite

Les Z'indems Café

144, rue de Bagnolet, 75020 (HP par F3)
Mᵒ Porte-de-Bagnolet
☎ 01 43 73 38 55
www.leszindemscafe.com

Mar.-sam. 10h-2h, dim. 12h-minuit.

Pour goûter à l'ambiance d'un bar de quartier, c'est ici qu'il faut venir. Quelle que soit l'heure de la journée, ça vit, ça sirote et ça grignote autour de Nadia, la patronne au cœur d'or. La salle a du charme et du cachet : on aime beaucoup son bar en zinc tout incurvé, ses grandes tables rondes et celles posées sur le trottoir. L'endroit possède même une miniscène où tout un tas d'artistes viennent se produire.

SUR LES FLOTS

L'île de la Cité

Le Six-Huit

Quai Montebello, 75005 (D4)
Mᵒ Saint-Michel
☎ 01 46 34 53 05
www.six-huit.com
Avr.-sept. : t. l. j. 11h-2h.

Aux beaux jours, c'est une vision magique qui apparaît quand on s'installe à la terrasse de cette péniche amarrée juste en face de la cathédrale Notre-Dame

MAIS AUSSI...

Des soirées tango, salsa, des soirées musiques du monde ou du théâtre...
• **Les Couleurs :** 117, rue Saint-Maur, 75011 (F3), Mᵒ Parmentier, ☎ 01 43 57 95 61, lun.-ven.12h-15h et 18h-minuit, sam. 18h-2h.
• **Satellit Café :** 44, rue de la Folie-Méricourt, 75011 (F3), Mᵒ Oberkampf, ☎ 01 47 00 48 87, mar.-jeu. 20h-3h, ven.-sam. 22h-6h.
• **Le Mécano Bar :** 99, rue Oberkampf, 75011 (F3), Mᵒ Parmentier, ☎ 01 40 21 35 28, lun.-ven. 9h-2h, sam.-dim. 9h-5h.
• **Lou Pascalou :** 14, rue des Panoyaux, 75020 (F3), Mᵒ Ménilmontant, ☎ 01 46 36 78 10, t. l. j. 9h-2h.

de Paris. Carte de cocktails et concerts de jazz.

De la BNF à Bercy

El-Alamein

Quai François-Mauriac,
75013 (HP par F5)
M° Quai-de-la-Gare
☎ 01 45 86 41 60
ou ☎ 06 82 04 82 46
http://elalamein.free.fr
Ouv. les soirs de concert
(été : 17h-2h ; le reste de
l'année : 20h-2h)
Tarif : 8 €.

Ambiance jeune et décontrac-
tée garantie pour ce lieu festif
qui déroule une affiche musicale éclectique : rock, world et
chanson…

Batofar

Face au 11, quai François-
Mauriac, 75013 (HP par F5)
M° Quai-de-la-Gare
☎ 01 53 60 17 30
ou ☎ 09 71 25 50 61
www.batofar.org
Rés. : FNAC et Batofar.

Ambiance underground et
nombreux concerts alternatifs
pour le bateau-phare irlandais
de 45 m de long, couleur rouge
sang, bien connu des noctambules de tout poil. Voir p. 75.

NIGHTCLUBBING

Le Louvre et les Tuileries

Le Scopitone

5, av. de l'Opéra,
75001 (C3/D3)
M° Pyramides
☎ 01 42 60 64 45
www.scopitoneclub.com
Mar.-mer. 19h-2h, jeu.-sam.
de 19h jusqu'à l'aube.

Dans les murs de l'ex-Paris, un
nouveau temple nocturne. « On
y mange, on y écoute, on y voit »,
dit le slogan. Son parrain symbolique, c'est Beethoven, mais le
lieu joue la carte rock, très rock.

Décoration noire, son imposant,
bons cocktails et assiettes à petits prix (8 €). Levers de rideau
tranquilles, vers 19h, concerts
dans la foulée, enfin, dancefloor
pour ceux qui souhaitent prolon-
ger la nouba jusqu'à l'aube…

L'Opéra et les Grands Boulevards

Le Rex Club

5, bd Poissonnière,
75002 (D2)
M° Bonne-Nouvelle
☎ 01 42 36 10 96
www.rexclub.com
Mer.-jeu. 23h30-6h,
ven.-sam. minuit-6h
Entrée de 5 à 13 €.

Cette salle autrefois dévolue au
jazz compte deux bars et une ca-
bine DJ. Toutes les générations s'y
retrouvent autour d'un seul mot
d'ordre : techno toute ! Parmi les
DJ stars à s'y être succédé : Laurent Garnier ou Jeff Mills.

Le Paris Social Club

142, rue Montmartre,
75002 (D2-3)
M° Grands-Boulevards
ou Bourse
☎ 01 40 28 05 55
www.parissocialclub.com
Jours et heures d'ouverture
en fonction de la
programmation.

Depuis janvier 2008, Le Social
Club a remplacé Le Triptyque
mais poursuit une programmation exigeante en matière
d'électro, rock, pop. Au menu,
concerts, sets de DJ, after shows
et même défilés.

La butte Montmartre

Le Bus Palladium

6, rue Fontaine,
75009 (C1/D1)
M° Pigalle ou
Saint-Georges
☎ 01 45 26 80 35
www.lebuspalladium.com
Mar.-sam. à partir de 20h.

Des années 1960 jusqu'aux
années 1980, le temple du yé-yé
rock créé par James Arch fut le
point de ralliement de Johnny ou
des Jets, tout autant qu'un haut
lieu de fête. Façade blanche,
murs tapissés de velours, déco
rétro, ambiance musicale signée
Yarol Poupaud, frère du comé-
dien Melvil. Au rez-de-chaussée,
un club rock avec concerts et sets
de DJ, au 1er étage, un resto, aux
2e et 3e, des salons plus douillets.
À chaque soir ses réjouissances :
rock international le vendredi,
découvertes pointues le samedi.
Et tous les mardis, soirées Pa-
risian dolls avec champagne
à volonté pour ces miss…

La Machine du Moulin Rouge

90, bd de Clichy, 75018 (C1)
M° Blanche
☎ 01 53 41 88 89
www.lamachinedumoulin
rouge.com
Club : mer.-sam. dès 23h
Entrée de 10 à 15 €.

Liée au vénérable cabaret immortalisé par Toulouse-Lautrec,
la Machine a remplacé la Loco.
Salle de concerts de 750 places,
club de 400 places, bar américain
proposant une programmation
éclectique où se mêlent musique
tsigane et vocalises crooner, riffs
rock et envolées swing.

Les Champs-Élysées

Le Queen

102, av. des Champs-Élysées,
75008 (B2)
M° George-V
☎ 01 53 89 08 90
www.queen.fr
Lun. et mer.-jeu. de 23h
à l'aube, mar. et ven.-dim.
de minuit à l'aube
Accès payant.

Cette boîte est théoriquement
réservée aux gays, mais c'est de
moins en moins vrai. Les vendredis et samedis, soirée Made
in Queen avec des DJ interna-

1 - La Favela Chic
2 - Le Glazart
3 - Le Bus Palladium
4 - La machine du Moulin Rouge

tionaux. Tous les lundis, soirée Disco Queen, le mercredi, soirée Lady's Night gratuite pour ces dames, et le dimanche, la fameuse soirée Over Kitsch avec des tubes des années 1980 et 1990 !

Des Invalides à la rue du Bac

Le Show Case

Pont Alexandre-III
Port des Champs-Élysées, 75008 (B3)
M° Champs-Élysées-Clemenceau
☎ 01 45 61 25 43
www.showcase.fr
Concerts ven.-sam. à 22h.

Cet ancien hangar à bateaux situé sous le pont Alexandre-III est devenu un club tendance qui mêle galerie lounge, salle de concerts et dancefloors sur une surface de 2 000 m². Le dimanche, place aux brunchs… en famille !

Autour du canal Saint-Martin

La Favela Chic

18, rue du Faubourg-du-Temple, 75011 (E3)
M° République
☎ 01 40 21 38 14
www.favelachic.com
Mar.-jeu. 20h-2h, ven.-sam. 20h-4h.

D'abord installée à Oberkampf, La Favela, victime de son

succès, a ensuite pris ses quartiers dans un lieu plus vaste, près de République. Caïpirinhas, mojitos et batidas coulent à flots dans cet antre tout entier dédié à la fiesta made in Brésil, et plus généralement sud-américaine. Électro, samba, bossa y sont naturellement à l'honneur. Pas de réservation, donc file d'attente fort probable.

Hors visite

Le Nouveau Casino

109, rue Oberkampf, 75011 (F3)
M° Parmentier
☎ 01 43 57 57 40
www.nouveaucasino.net
T. l. j. selon programmation
• Concerts : 19h30-20h
• Club : jeu.-sam. de minuit à l'aube
Rés. FNAC, Virgin et Digitick.com
Place entre 7 et 20 €.

Ouvert en 2001, Le Nouveau Casino fait partie des grands

lieux musicaux parisiens. On y vient pour écouter les dernières nouveautés musicales rock et électro. La nuit, la musique live se mêle au plaisir du dancefloor pour des soirées très groovy dans un décor futuriste.

Le Glazart

7-15, av. de la Porte-de-la-Villette, 75019 (HP par F1)
M° Porte-de-la-Villette
☎ 01 40 36 55 65
www.glazart.com
Mer.-sam. 20h30-2h (5h sam.)
Entrée de 8 à 15 €.

Une ambiance assurée dans cette ancienne gare routière recyclée en café-théâtre. Des soirées live en DJ perf', une programmation éclectique de qualité et trois ou quatre soirées par semaine. Parallèlement, c'est aussi un espace pluriculturel qui accueille des expositions, organise des ateliers vivants, projette des courts métrages.

Concerts, théâtres
et spectacles

1 - La Bellevilloise
2 - L'Olympia
3 - Le Caveau de la Huchette

SALLES DE CONCERTS

L'Alhambra

21, rue Yves-Toudic,
75010 (E2)
M° République
ou Jacques-Bonsergent
☎ 01 40 20 40 25
www.alhambra-paris.com

L'Alhambra, qui tient son nom d'un music-hall voisin fermé dans les années 1960, ouvre ses portes à toutes les musiques : rock et variet', musiques du monde et hip-hop. Alain Chamfort, Melody Gardot, Hocus Pocus notamment y ont donné de la voix…

Le Divan du Monde

75, rue des Martyrs,
75018 (D1)
M° Pigalle
Prog. ☎ 01 40 05 06 99
Rés. : FNAC, Virgin ou sur place ☎ 01 42 52 02 46
www.divandumonde.com
À partir de 19h.

Deux salles de spectacle qui peuvent se réunir et accueillir toutes les expressions artistiques (rock,

soirées électro, apéritifs tzigane ou jazzy). La salle de spectacle, réservée aux programmations longues, ouvre ses portes de 19h à 23h. Le Divan Japonais, dans un décor baroque et futuriste, prend le relais jusqu'à 3h.

La Cité de la Musique

221, av. Jean-Jaurès,
75019 (HP par F1)
M° Porte-de-Pantin
Rens., rés. ☎ 01 44 84 44 84,
aux guichets mar.-sam. 12h-18h, dim. 10h-18h,
ou sur www.cite-musique.fr
Places éventuelles
à la caisse 30 min
avant les concerts.

Au sein du bâtiment à l'architecture signée Christian de Portzamparc se trouvent une salle de concerts, un amphithéâtre, une rue musicale (où se jouent des concerts libres)… pour un répertoire classique, musique baroque, jazz, rock, électro, chanson française, créations contemporaines et musiques d'ailleurs. Rien que ça !

La Flèche d'Or

102 bis, rue de Bagnolet,
75020 (HP par F3)
M° Gambetta
ou Porte-de-Bagnolet
☎ 01 44 64 01 02
www.flechedor.fr
Lun.-ven. 19h30-1h,
sam.-dim. 20h-2h.

Installée sur le site de l'ancienne gare de Charonne, on peut s'asseoir sur les bancs en bois des wagons d'antan. On sirote un verre à l'apéro avant d'assister à un concert rock ou de suivre un set de DJ. La Flèche se veut découvreuse de talents, mais plusieurs pointures y ont aussi joué, de Juliette Lewis au rockeur déluré Pete Doherty.

La Bellevilloise

19, rue Boyer,
75020 (HP par F3)
M° Gambetta
☎ 01 46 36 07 07
www.bellevilloise.com
Mer.-ven. 17h30-2h, sam. 11h-2h, dim. 11h-minuit.

Outre un espace d'expositions, une jolie terrasse et un bar-restaurant très agréable installé sous une vaste serre, cette ancienne manufacture propose régulièrement des concerts de bonne tenue. Au programme, musique du monde et chanson, rock et fanfare.

La Maroquinerie

23, rue Boyer,
75020 (HP par F1)
M° Gambetta
☎ 01 40 33 35 05
ou ☎ 01 40 33 64 85
www.lamaroquinerie.fr
• Bar : t. l. j. 18h-2h
• Restaurant : t. l. j. 19h-23h30 (sf j. f. et en août).

Salle de concerts de 500 places avec une programmation de musiques actuelles très variées. C'est aussi un club et un bar-restaurant qui se transforme au besoin en lieu d'exposition. Sa terrasse dans la verdure permet de terminer la soirée agréablement.

CONCERTS JAZZ

Le Baiser Salé

58, rue des Lombards,
75001 (D3)
M° Châtelet
☎ 01 42 33 37 71
www.lebaisersale.com
T. l. j. 17h-7h.

Un jazz métissé, l'Afrique, l'Amérique du Sud, les États-Unis, l'Europe. Tous les jours, deux sessions de concerts à 19h et à 22h. Les tarifs varient selon les concerts (de 8 à 18 €), certains sont même gratuits).

Le Sunset et Sunside

60, rue des Lombards,
75001 (D3)
M° Châtelet
☎ 01 40 26 46 60
www.sunset-sunside.com
T. l. j. 20h30-2h
Tarif variable selon le spectacle.

Les deux salles le Sunset et le Sunside offrent des tendances très hétéroclites du jazz. Pour le Sun-

set, un jazz plus ouvert, tourné vers la musique du monde, afro-jazz, jazz-électro, groove. Pour le Sunside à l'étage, un jazz acoustique, des big bands, des duos, des trios, du be-bop…

Le Caveau de la Huchette

5, rue de la Huchette,
75005 (D4)
M° Saint-Michel
☎ 01 43 26 65 05
www.caveaudelahuchette.fr
Tarif variable selon le spectacle.

Depuis plus de 60 ans, le Caveau de la Huchette, avec sa piste de danse, est un classique du genre. Il fut le premier caveau parisien à présenter des joueurs de jazz, et les plus grands artistes s'y sont produits.

Le Petit Journal Saint-Michel

71, bd Saint-Michel,
75005 (D5)
M° Cluny-La-Sorbonne
ou RER B Luxembourg
☎ 01 43 26 28 59
www.petitjournalsaint
michel.com
Lun.-sam. 18h30-1h.

Une ambiance chaleureuse dans cette ancienne cave tout en longueur. Sur la scène, des musiciens jouent du jazz traditionnel, du jazz de La Nouvelle-Orléans. Le concert débute à 21h15. Pour y assister,

deux solutions : réserver sa table pour dîner (à partir de 45 €) ou passer prendre un verre dans la soirée (entrée et première consommation à 17 €).

Le Duc des Lombards

42, rue des Lombards,
75001 (D3)
M° Châtelet
☎ 01 42 33 22 88
www.ducdeslombards.com
T. l. j. 19h-1h30
Concert quotidien à 21h30.

Jazz moderne européen, musiques improvisées, incursion dans la musique latine. Au Duc des Lombards, les plus grands du jazz français et étranger dans un décor de bois et de velours très agréable. L'espace bar musical « Money Jungle » vous accueille dès 19h pour un drink cosy…

Le New Morning

7-9, rue des Petites-Écuries,
75010 (E2)
M° Château-d'Eau
☎ 01 45 23 51 41
Rens. et achat des places sur
www.newmorning.com
T. l. j. à 20h, concerts à 21h ;
rés. : 16h30-19h30
Tarif variable selon le spectacle.

Une institution qui regroupe tous les grands noms du jazz, d'Art Blakey à Dizzy Gillespie. Béton peint en rouge, style garage détourné. Salsa, blues, afro, rock, un mix de musique live.

SALLES DE CONCERTS MYTHIQUES

• **L'Olympia :** 28, bd des Capucines, 75009 (C2),
M° Opéra ou Madeleine, rés. au ☎ 0 892 68 33 68,
www.olympiahall.com
• **Le Bataclan :** 50, bd Voltaire, 75011 (F3),
M° Oberkampf, ☎ 01 43 14 00 30, achat des places sur
myspace.com/lebataclan, FNAC ou Virgin.
• **La Cigale :** 120, bd de Rochechouart, 75018 (D1),
M° Anvers ou Pigalle, ☎ 01 49 25 81 75,
rés. au ☎ 0 892 68 36 22 ou sur www.lacigale.fr
• **Le Zénith :** 211, av. Jean-Jaurès, 75019 (HP par F1),
M° Porte-de-Pantin, rens. au ☎ 0 890 71 02 07,
www.zenith-paris.com

MUSIQUE CLASSIQUE

Salle Gaveau

45, rue La Boétie,
75008 (B2/C2)
M° Miromesnil
Rés. : ☎ 01 49 53 05 07,
www.sallegaveau.com
▪▪ aux guichets !
lun.-ven. 10h-18h.

La destination essentielle de la salle Gaveau a toujours été le piano et la musique de chambre. Quelques orchestres s'y produisent aussi.

Théâtre des Champs-Élysées

15, av. Montaigne,
75008 (B3)
M° Alma-Marceau
Rés. : ☎ 01 49 52 50 50
(lun.-ven. 10h-12h et
14h-18h sf j. f.), www.
theatrechampselysees.fr
ou aux guichets :
lun.-sam. 11h-19h.

Une programmation très éclectique mais toujours d'une qualité exceptionnelle dans ce splendide théâtre. Opéra, danse, oratorio, orchestres, musique de chambre, grandes voix ainsi que des variétés et des musiques du monde.

OPÉRA

La Péniche Opéra

46, quai de la Loire,
75019 (F1)
M° Laumière ou Jaurès
☎ 01 53 35 07 77
(rés. : t. l. j. 11h-18h)
Représentations à 20h30.

Une péniche reconvertie près de l'Hôtel du Nord… Mises en scène, spectacles empruntés au grand répertoire et au répertoire contemporain. De 12 à 24 €.

Opéra-Comique

Pl. Boïeldieu, 75002 (D2)
M° Richelieu-Drouot
Rés. : ☎ 0 825 01 01 23, sur le site www.opera-comique. com ou aux guichets :

lun.-sam. 11h-19h,
dim. déc.-juin 11h-17h
Prix : de 6 € à plus de 100 €
en fonction des spectacles.

Ce petit opéra national abrita en 1875 la première de *Carmen*. Sous-titré « théâtre des musiques populaires », il célèbre grands classiques, mais aussi comédies musicales et opérettes.

DANSE

Théâtre de la Ville

Pl. du Châtelet,
75001 (D4)
M° Châtelet
☎ 01 42 74 22 77
www.theatrede
laville-paris.com
Guichets : lun.-sam. 11h-19h.

Une large part de la programmation est dévolue à la danse et accueille régulièrement ses grands noms (Alain Platel, Jan Fabre, Maguy Marin), ou de jeunes talents.

Théâtre national de Chaillot

1, pl. du Trocadéro,
75016 (A3)
M° Trocadéro
☎ 01 53 65 30 00
ou ☎ 01 53 65 30 04
www.theatre-chaillot.fr

Ce lieu historique du TNP de Jean Vilar bénéficie d'une salle à l'immense plateau et de deux

CABARETS ET REVUES

- **Le Crazy Horse :** 12, av. George-V, 75008 (B3), M° Alma-Marceau, ☎ 01 47 23 32 32, www.lecrazyhorseparis. com, t. l. j. deux spectacles à 20h30 et 23h, sam. trois spectacles à 19h30, 21h45 et 23h50.
- **Le Lido :** 116 bis, av. des Champs-Élysées, 75008 (B2), M° George-V, ☎ 01 40 76 56 10, www.lido.fr, dîner-spectacle à partir de 19h30, spectacles à 21h30 ou 23h30.
- **Le Moulin Rouge :** 82, bd de Clichy, 75018 (C1), M° Blanche, ☎ 01 53 09 82 82, www.moulin-rouge.com, revue à 21h et 23h.
- **Michou :** 80, rue des Martyrs, 75018 (D1), M° Pigalle, ☎ 01 46 06 16 04, www.michou.com, dîner-spectacle de transformistes à 20h30.

autres petites salles. De son bar-restaurant, vue magique sur la tour Eiffel scintillante. Depuis 2008, il est entièrement dédié à l'art chorégraphique.

THÉÂTRES

Théâtre des Blancs-Manteaux

15, rue des Blancs-
Manteaux, 75004 (E3)
M° Rambuteau
☎ 01 48 87 15 84
www.blancsmanteaux.fr
Rés. par tél. ou
sur le site internet.

Les talents de l'humour se succèdent depuis 35 ans dans cet immeuble historique : c'est là qu'Alex Métayer, Jacques Villeret ou Jean-Luc Lemoine notamment ont fait leurs classes… Côté musique, Renaud y a composé la chanson *Laisse béton*.

Théâtre national de l'Odéon – Théâtre de l'Europe

Pl. de l'Odéon, 75006 (I7-8)
M° Odéon
Loc. et rés. au
☎ 01 44 85 40 40
www.theatre-odeon.eu
Guichets : lun.-sam. 11h-18h.

Inaugurée en 1782 par Marie-Antoinette, la salle a gardé sa décoration d'origine, restaurée. L'Odéon, aujourd'hui au service de la création, invite des metteurs en scène internationaux.

Théâtre du Rond-Point

2 bis, av. Franklin-D.-Roosevelt, 75008 (B3)
M° Franklin-D.-Roosevelt
☎ 01 44 95 98 21
www.theatredurondpoint.fr
Loc. par tél. et sur place :
lun.-sam. 11h-19h,
dim. 12h-16h.

Sous la houlette de Jean-Michel Ribes depuis 2002, un foisonnant site d'échanges, de rencontres et de découvertes, tout entier dédié aux auteurs contemporains.

Théâtre de l'Athénée

Square Édouard-VII,
75009 (C2)
M° Opéra
☎ 01 53 05 19 19
www.athenee-theatre.com
Guichets : lun.-sam. 13h-19h.

Ce bijou de théâtre, où ors et velours rouge prédominent, fut dirigé par Louis Jouvet entre 1934 et 1951. Il célèbre aujourd'hui un répertoire éclectique qui mêle théâtre et musique.

Théâtre du Rond-Point

CINÉMAS

Max-Linder

24, bd Poissonnière,
75009 (D2)
M° Grands-Boulevards
☎ 0 892 68 00 31
www.maxlinder.cine.
allocine.fr

L'acteur burlesque a donné son nom à ce cinéma mythique des Grands Boulevards, né en 1914. Un écran de 18 m de large avec ouverture panoramique, une salle ultra-confortable avec orchestre, balcon et mezzanine. À l'affiche, des films d'auteurs spectaculaires en v.-o. et, tous les mardis, des films cultes.

Les salles MK2

☎ 0 892 69 84 84
www.mk2.com

C'est un véritable empire que Marin Karmitz a créé à Paris. Ses cinémas conviviaux et confortables célèbrent un cinéma de qualité, en v.-o. Parmi les 10 sites et 55 écrans répartis dans toute la ville, les MK2 Quai de Seine, Quai de Loire (75019, M° Stalingrad ou Jaurès) font partie de nos favoris. Deux beaux bâtiments de verre qui se font face, de part et d'autre du canal de l'Ourcq. On vogue de l'un à l'autre dans un petit bateau appelé *Le Transbordeur*…

Les salles art et essai du Quartier latin

Envie de revoir un Truffaut, un Bergman, un Godard ? Cap sur le Quartier latin… Havre historique du cinéma d'auteur, il continue de projeter des chefs-d'œuvre du septième art et de perpétuer un esprit ciné-club dans ses nombreuses salles, avec des tarifs d'entrée doux. Parmi elles, **Le Champo** (51, rue des Écoles, 75005, D4, ☎ 01 40 30 30 31), **L'Accattone** (20, rue Cujas, 75005, D4, ☎ 01 46 33 86 86), le **Grand Action** (5, rue des Écoles, 75005, E5, ☎ 01 43 54 47 62).

LES INCONTOURNABLES

• **Comédie-Française :** pl. Colette, 75001 (D3), M° Palais-Royal, rés. : t. l. j. 11h-18h aux guichets, ☎ 0 825 10 16 80 ou sur www.comedie-francaise.fr, représentations lun.-ven. 20h30, sam.-dim. et j. f. 14h et 20h30 sf relâche (f. en août).
• **Palais Garnier :** pl. de l'Opéra, 75009 (C2), M° Opéra, rés. : ☎ 0 892 89 90 90 (0,34 €/min), lun.-ven. 9h-18h, sam. 9h-13h, aux guichets : lun.-sam. (sf j. f.) 10h30-18h30, ou www.operadeparis.fr
• **Opéra-Bastille :** 102, rue de Lyon, 75012 (F4), M° Bastille, ☎ 0 892 89 90 90 (loc.), places de 10 € à plus de 100 €.
• **Théâtre du Châtelet :** 1, pl. du Châtelet, 75001 (D4), M° Châtelet, rés. : ☎ 01 40 28 28 40, www.chatelet-theatre.com ou aux guichets : lun.-sam. 11h-19h, dim. et j. f. 12h-19h.
• **Salle Pleyel :** 252, rue du Faubourg-Saint-Honoré, 75008 (B2), M° Ternes, rens. et rés. : ☎ 01 42 56 13 13 (t. l. j. 11h-19h, 17h dim.), sur www.sallepleyel.fr ou aux guichets : lun.-sam. 12h-19h ou 20h les soirs de concert, dim. 2h avant le concert du jour.

Nouvelle édition revue et augmentée par **Céline Faucon.**

Édition originale : **Catherine Synave et Betty der Andreassian.**
Autres éditions : **Alix Delalande, Sophie Janssens et Nedjma Van Egmond.**

Ont également collaboré à cette édition : **Thomas Brouard, Cassandre Fenoy, Chris Gotte, Laure Mery et Magali Vidal-Revel.**

Cartographie : **Frédéric Clémençon** et **Aurélie Huot.**
Couverture : **Thibault Reumaux.**
Mise en pages intérieur : **Chrystel Arnould.**

Contact publicité : **vhabert@hachette-livre.fr** ou ☎ **01 43 92 32 52.**

Écrivez-nous :
Aussi soigneusement qu'il ait été établi, ce guide n'est pas à l'abri des changements de dernière heure, des erreurs ou omissions. Ne manquez pas de nous faire part de vos remarques. Informez-nous aussi de vos découvertes personnelles, nous accordons la plus grande importance au courrier de nos lecteurs :

Guides Un grand week-end, Hachette Tourisme, 43 quai de Grenelle – 75905 Paris Cedex 15
E-mail : weekend@hachette-livre.fr

Crédit Photographique

• Intérieur
Toutes les photographies sont de **Jérôme Plon**, à l'exception de celles des pages suivantes :

Romain Boutillier : p. 2 (c. g.), 3 (b.), 8 (b. g.), 9 (ht g., b. g., c. d., b. d.), 23 (b. d.), 30 (ht g., b.), 31 (c. g.), 36, 38, 39 (b. d.), 41 (c. g., b. d.), 42, 44, 45 (b. c.), 47 (c. d.), 48, 51 (c. d.), 52, 54, 55 (c. g., b. d.), 59, 61, 65, 66, 67, 69, 74, 75, 76, 77, 78 (ht g.), 80, 82 (b. d.), 88 (c. g.), 92, 93, 96 (ht d.), 100 (ht g.), 101, 103 (ht g.), 104, 107, 108 (c. d.), 114, 115 (ht d.), 125, 128 (ht g., ht d.), 129, 132 (ht g., ht d.), 136 (ht d.), 138 (ht d, ht c.), 139 (ht d.), 151 (ht g.), 152 (ht g.), 155.

Patrice Hauser : p. 2 (c. d.), 3 (ht d., c. g.), 5, 7, 10, 14, 15, 16 (ht g., b. c.), 17 (b. d.), 18, 19 (ht. g.), 20, 21 (ht c.), 22, 23 (b. g., ht. d.), 24, 25, 28 (ht g.), 29, 31 (b. d.), 32, 37, 43 (b. d.), 49 (b. d.), 55 (ht d.), 58, 68, 72, 73, 91, 94, 96 (ht g., b. g.), b. d.), 99, 108 (b. g.), 109, 110, 117 (b. d.), 120 (c. c.), 126 (ht g.), 130 (ht d.), 131, 140 (b. g.), 144, 146 (ht g., b. g., b. d.), 149, 151 (ht d., b. d.).

Nous adressons nos remerciements à tous les établissements suivants pour leur aide précieuse :

© Vuitton : p. 28 (ht d.), © **Café Beaubourg** : p. 41 (ht c.), © **Hermès**/© **Frédéric Dumas** : p. 49 (ht g.), © **Guerlain** : p. 112 (ht g.), © **Goyard** : p. 112 (ht d.), © **Chantal Thomass** : p. 113, **Fifi Chachnil**/© **Ellen von Unwerth** : p. 115 (c. g.), © **Taratata** : p. 120 (b. g.), **Aventurine** : p. 121 (b.), © **Monsieur Poulet** : p. 122 (ht d.), p. 123, © **Bain Plus** : p. 122 (b.), © **Hammam Pacha** : p. 126 (b.), © **Les Cent Ciels** : p. 126 (ht d.), **Rufa Fish Spa**/© **Didier Saulnier** : p. 127, © **Androüet** : p. 130 (b.), © **Afwosh** : p. 139 (c. g.), **OPA**/© **David Aidan** : p. 146 (ht d.), © **Bus Palladium** : p. 151 (b. g.).

• Couverture, et rabat avant :
Patrice Hauser.

• Quatrième de couverture : Patrice Hauser (ht. d., c. d, c. g.) et Jérôme Plon (ht. g.).

L'éditeur remercie particulièrement **Ladurée** pour son aide précieuse dans la réalisation de la photo de couverture.

Illustrations

Virginia Pulm.

Conformément à une jurisprudence constante (Toulouse 14-01-1887), les erreurs ou omissions involontaires qui auraient pu subsister dans ce guide, malgré nos soins et les contrôles de l'équipe de rédaction, ne sauraient engager la responsabilité de l'éditeur.

Le contenu des annonces publicitaires insérées dans ce guide n'engage en rien la responsabilité de l'éditeur.

© Hachette Livre (Hachette Tourisme), **2011**
Tous droits de traduction, de reproduction et d'adaptation réservés pour tous les pays.
Cartographie © Hachette Tourisme

Imprimé en Slovaquie par Polygraf
Dépôt Légal : septembre 2011 – Collection N°44 – Édition : 01
ISBN : 978-2-01-244801-8 – 24/4801/7

MIQUE-AUX-NOCES

HEUREUSEMENT,
ON NE VOUS PROPOSE
PAS QUE LE TRAIN.

MYKONOS,
TOUTE L'EUROPE
ET LE RESTE DU MONDE.

Voyages-sncf.com, première agence de
voyage sur Internet avec plus de 600
destinations dans le monde, vous propose
ses meilleurs prix sur les billets d'avion et de
train, les chambres d'hôtel, les séjours et la
location de voiture. Accessible 24h/24, 7j/7.

Voyages-
sncf.com